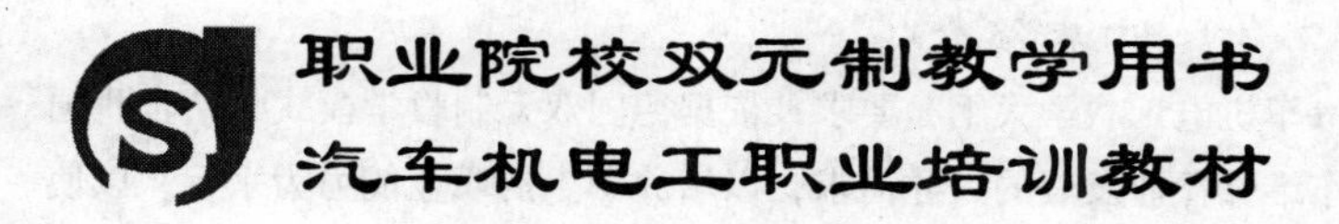

学习领域5——

发动机机械方面的检查与修理

主　编　王　伟　盛　康
副主编　陈日骏

電子工業出版社
Publishing House of Electronics Industry
北京·BEIJING

内 容 简 介

本书根据03年版《德国双元制汽车机电工教学大纲》要求，依据德国双元制教学模式，结合我国职业学校的教学特点，关注我国汽车维修行业发展的人才需求，以培养学生的职业能力为宗旨，以使学生熟练掌握各项实用的职业技能为目标。

本书以发动机机械方面的检测与修理为主要内容，用车间工作任务的形式导入，以学生掌握发动机机械部分的检测与修理知识、技能为目标，用图片结合文字叙述，介绍发动机机械部分检测与修理的知识与技能。主要内容包括发动机基础知识、发动机二大机构的结构与检修、发动机用燃料的基础知识、发动机润滑与冷却系统的结构与检修。

图书在版编目（CIP）数据

发动机机械方面的检查与修理／王伟，盛康主编. —北京：电子工业出版社，2011.5

职业院校双元制教学用书. 汽车机电工职业培训教材. 学习领域5

ISBN 978-7-121-13249-0

Ⅰ.①发… Ⅱ.①王… ②盛… Ⅲ.①汽车—发动机—车辆修理—中等专业学校—教材 Ⅳ.①U472.43

中国版本图书馆CIP数据核字（2011）第058530号

策划编辑：杨宏利　yhl@phei.com.cn

责任编辑：杨宏利　特约编辑：赵红梅

印　　刷：北京市顺义兴华印刷厂

装　　订：三河市双峰印刷装订有限公司

出版发行：电子工业出版社

　　　　　北京市海淀区万寿路173信箱　　邮编100036

开　　本：787×1092　1/16　印张：14.5　字数：371.2 千字

印　　次：2011 年 5月第 1 次印刷

印　　数：4000册　　　定价：27.00元

丛书编委会

序

世界上闻名遐迩、独具特色的德国“双元制”职业教育模式，被誉为德国经济腾飞的秘密武器。这一模式的最大特征，是学校和企业合作办学、知识学习与职业实践紧密结合。多年以来，“双元制”成为世界各国争相学习和借鉴的样板。

中国改革开放伊始，就与德国开展了职业教育合作。时至今日，已成功走过30年。还是在1990年，中国建设行业的职业院校，就在教育部和职业技术教育中心研究所的大力支持和指导下，与汉斯•赛德尔基金会等德国有关机构合作，开始在建设行业进行职业教育改革实验。在我国，城市交通和出租车、汽车租赁行业曾由建设部主管。1996年，全国公交公司系统所属技工学校，在赛会职业教育专家弗乐尔（Albrecht Flor）先生的具体指导下，开展了汽车维修专业的教学改革试点。

任何一类教育的人才培养方案，其核心都是课程。课程是职业教育作为一种类型教育的最本质体现。要提高教学质量，职业教育的教学改革必须首先进行课程改革。上世纪80年代末、90年代初，随着科学技术的飞速发展，生产工艺的改进，德国于1996年在职业教育领域着手进行工作过程导向的“学习领域”的课程改革。这是一种以个体在企业里的工作过程为主线，以学生在实际工作过程中制定计划、采取行动并能最终对行动结果进行评价的能力培养为目标，在教学过程中实现实践教学与理论教学的一体化，并把技能与知识及价值观的教育紧密结合在一起的课程方案。基于工作过程的“学习领域”课程取代了传统的分科课程，创立了真正体现职业教育特有的职业属性的课程模式。2003年5月16日，按照这一改革思想，德国各州文教部长联席会议颁布了新一轮基于学习领域设计的“汽车机电一体化工教学大纲（草案）”。2004年，几乎与德国同步，中国建设教育协会就在赛会长期专家弗乐尔（Albrecht Flor）、施罗德(Carlito Schroeder)和短期专家戴因伯克(August Deinböck)、克勒贝尔（Sven-Olaav Kleber）和布伦贝格（Bremberger）的指导下，组织全国8所汽车类职业院校，与德国同类职业学校合作，开展“汽车机电一体化工”专业的改革试点。试点院校借鉴德国经验，强化校企合作办学，每所试点院校都与10家以上的企业建立了紧密的合作关系，一些院校的合作企业甚至达到30多家。

5年教改实验的成果表明，学生在专业教学、实践教学和企业顶岗培训的过程中，既掌握了相关专业技能和专业知识，又在社会能力和方法能力的培养上卓有成效，综合素质大大提高。2007年到2009年，10所试点院校近1千名毕业生，不仅参加了我国劳动部门的职业资格考试，而且也参加了德国工商行会海外部上海代表处（AHK in Shanghai）组织的考试，80% 以上的考生取得了我国劳动部门的职业资格证书以及德国行业协会认可的职业资格证书，走上了工作岗位，受到企业界的普遍欢迎。

学习领域课程方案所指的工作过程，是一个能覆盖职业资格、工作任务和职业活动的系统。它以工作过程作为职业教育课程开发的主线，突显了职业教育的职业性、实践性与开放性的特点。这是因为：其一，工作过程是一个清晰的结构，任何一个具体的工作过程，都有着明晰的步骤、环节、程序，具有可操作的“抓手”；其二，工作过程是一个动态的结构，同一个职业的不同时段或同一个时段的不同职业，其工作过程是不同的。特别是，工作过程不仅是具体的，形而下的；而且又是抽象的，形而上的。因为，任何一个人，在完成任何一个具体的工作任务之中，尽管具体的工作过程大相径庭，但其思维过程的完整性却是一致的。由此，从变化的具体的工作过程之中寻求相对不变的“思维的工作过程”，由具体获得一般，实现能力的内化，进而应对新的具体的工作过程，实现能力的迁移。这就从逻辑的、方法论的角度，解决了一个关于职业教育课程结构相对的“静”与职业变化绝对的“动”两者之间的矛盾。由此，我们可以推论：一个职业之所以成为一个职业，是因为其具有特殊的工作过程。这一逻辑推理的结果表明，以工作过程作为课程内容序化的依据，突破了职业教育课程开发的瓶颈。

显见，在中德职业教育合作 30 年的进程中，只有善于把握“双元制”职业教育模式中所蕴涵的“魂”，并将其本土化，才能取得成效，才是合作的应有之义。这套中德合作编写的“汽车机电技术专业”教材，是在中德双方专家的共同指导下，对那些辛勤工作在职业教育改革一线教师编制的工作页及其教学实践经验予以总结、加工和概括的结果。我们相信，这套教材对提高汽车行业一线技能型人才的技能和专业水平，对汽车行业的职业教育改革，将会起到积极的推动作用。

2011 年 1 月 27 日

前 言

众所周知，第二次世界大战后德国经济与综合国力的迅速崛起，很大程度上因当归功于高度发达的德国职业教育体制。特别是20世纪六七十年代产生的“双元制”职业教育体制，被喻为德国经济发展的“秘密武器”，成为德国职业教育的代名词。先进的德国职业教育也成为世界其他国家学习的榜样。中国自改革开放以来，在职业教育发展与改革方面作了很多的努力与探索。其中包括学习与借鉴德国职业教育体制。自1983年中国与德国开展第一个合作项目起，到目前正在全国各地各专业各领域进行的中德职业教育“双元制”合作项目的试点，历经20多年。

鲜为人知的是，德国职业教育的腾飞与其教育体制的与时俱进，不断创新原有的内容适应时代发展的要求是分不开的。被称为德国职业教育的代名词的“双元制”也是根据时代发展的需要不断改革着自己。因此现在的“双元制”较之最初的“双元制”乃至与几年前的“双元制”在内容与形式上都有了较大的变化。本文称其为新“双元制”。

始于2004年，由中国建设教育协会与德国汉斯 - 塞德尔基金会合作，由全国10所学校参加的中德合作汽车机电工“双元制”项目,正是新“双元制”在中国的首次试点。此试点项目使用由2003年5月16日德国文教部长级会议决议颁布的汽车机电工新教学大纲进行教学。在我国新教学大纲的执行保证了教学内容和要求与德国本土汽车工业发展的同步性。

目前在出版市场上有许多中德“双元制”教材。其中有德国教材的翻译本，有中方专家的自编本。这样就造成了德国本土教材难以适应我国国情，我方自编教材有很重的旧双元制的痕迹。此本书的编者都是从2004年至今一直从事中德“双元制”汽车机电工教学工作，有丰富的新“双元制”教学经验。

本书自始至终贯彻了新“双元制”教学的精髓，工作任务为主的行为导向教学法。及以导向、信息、计划、实施、检验、展示的步骤为顺序进行编写：

1. 导向环节是推动学生在独立解决任务前获取相关的知识。

2. 信息环节是培养学生根据课题学会独立利用其他信息(例如:厂内规定、维修手册、网络相关内容) 的能力。

3. 计划环节是培养学生针对某一课题，利用导向与信息环节所获得的知识与信息，在实际工作前列出工作步骤的能力。

4. 实施环节是培养学生根据所列的工作计划准确、规范地进行实际操作的能力。

5．检验环节是学生在独立实施工作过程后，对工作的对象进行检验以确保其性能优良运转正常的过程。培养学生复检与谨慎对待工作的习惯与能力。

6．展示环节又称“专业会谈训练阶段”，是使学生通过分角色练习和口头表述加多媒体演示等多种形式，将自己通过前几个环节学到的知识表述或演艺出来，以加深对课题内容的记忆与理解，培养学生的基本能力和养成对待客户和蔼的服务习惯。

本书为新“双元制”汽车机电工专业 12 个学习领域中的领域 5（发动机机械方面的检查与修理）。本书中引用的实施车辆都是国内各技工学校普遍使用的车型，内容方面由发动机基础知识、发动机二大机构结构与检修知识、发动机燃料的基础知识、发动机润滑与冷却系统结构与检修知识四个部分，25 个企业中常见工作任务组成。

参加本书编写工作的有：南京公用事业技工学校盛康（第一部分）、南京公用事业技工学校王伟（第二部分、第四部分、前言）、南京公用事业技工学校程德、马强（第三部分）。本书由盛康担任主编。

这里编者想特别感谢德国汉斯－塞德尔基金会施洛德先生与朱爱武老师、中国节能减排技术委员会董安徽女士、中国建设教育协会李奇先生、以及全国从事“双元制”教学试点的 10 所试点学校的领导与老师们。

由于编者水平有限，书中疏漏之处在所难免，如果读者在阅读过程中产生疑问或存在其他意见，请与编者联系。

编　者

2010 年 8 月

目　录

工作任务 1

发动机分类与型号表示方法的学习

导向

1．任务描述

要求学生通过任务的学习，具有理解发动机分类的相关知识及区分不同类型发动机的能力，具有熟练读取发动机型号的表示方法、掌握搜索发动机相关性能参数的能力。

2．基础知识

（1）发动机的分类

发动机是汽车行驶中的关键总成，在专业领域又将汽车用发动机称为内燃机。内燃机（Internal combustion engine）是将液体或气体燃料与空气混合后，直接输入机器内部燃烧产生热能再转化为机械能的一种热机。内燃机具有体积小、质量小、便于移动、热效率高、启动性能好的特点。但是内燃机一般使用石油燃料，排出的废气中含有害气体的成分较高。从 1860 年法国工人鲁诺阿尔发明了内燃机至今，内燃机的发展在各个领域已经日渐成熟，在汽车领域也是如此。通常所说的发动机有多种分类形式：

1）按工作行程分类

如图 1-1 所示，发动机按照完成一个工作循环所需的行程数可分为四行程发动机和二行程发动机。把曲轴转两圈（720° ），活塞在汽缸内上下往复运动四个行程，完成一个工作循环的发动机称为四行程发动机；而把曲轴转一圈（360° ），活塞在汽缸内上下往复运动两个行程，完成一个工作循环的发动机称为二行程发动机。汽车发动机广泛使用四行程发动机。

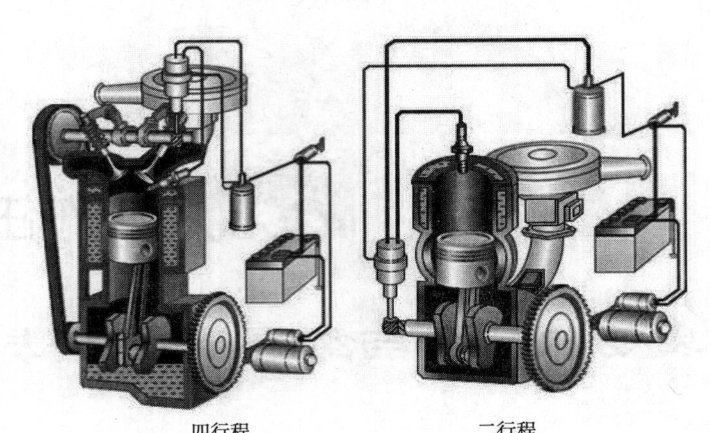

图1-1　二行程与四行程发动机对比图

2）按所用燃料不同分类

如图1-2所示，发动机按照所使用燃料的不同可以分为汽油机和柴油机。使用汽油为燃料的发动机称为汽油机；使用柴油为燃料的发动机称为柴油机。汽油机与柴油机各有特点：汽油机转速高，质量小，噪声小，启动容易，制造成本低；柴油机压缩比大，热效率高，经济性能和排放性能都比汽油机好。

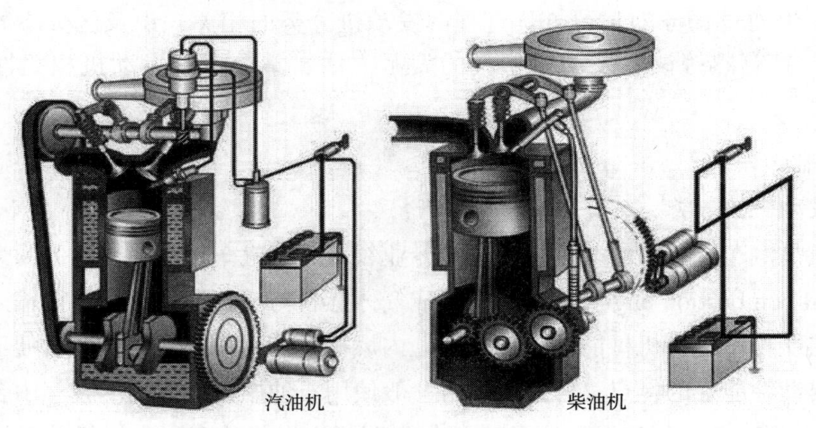

图1-2　汽油发动机与柴油发动机对比图

3）按冷却方式分类

如图1-3所示，发动机按照冷却方式不同可以分为水冷发动机和风冷发动机。水冷发动机是利用在汽缸体和汽缸盖冷却水套中进行循环的冷却液作为冷却介质进行冷却的；而风冷发动机是利用流动于汽缸体与汽缸盖外表面散热片之间的空气作为冷却介质进行冷却的。水冷发动机冷却均匀，工作可靠，冷却效果好，被广泛地应用于现代车用发动机中。

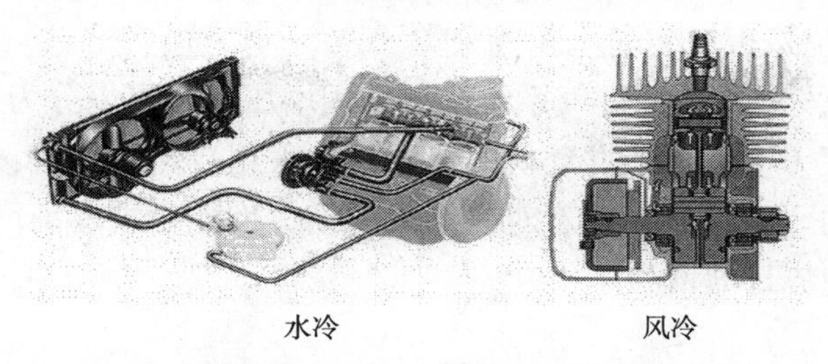

图1-3　水冷式发动机与风冷式发动机对比图

4）按汽缸数来分类

如图 1-4 所示，发动机按照汽缸数目不同可以分为单缸发动机和多缸发动机。仅有一个汽缸的发动机称为单缸发动机；有两个以上汽缸的发动机称为多缸发动机。如双缸、三缸、四缸、五缸、六缸、八缸、十二缸等都是多缸发动机。现代车用发动机多为四缸、六缸、八缸发动机。

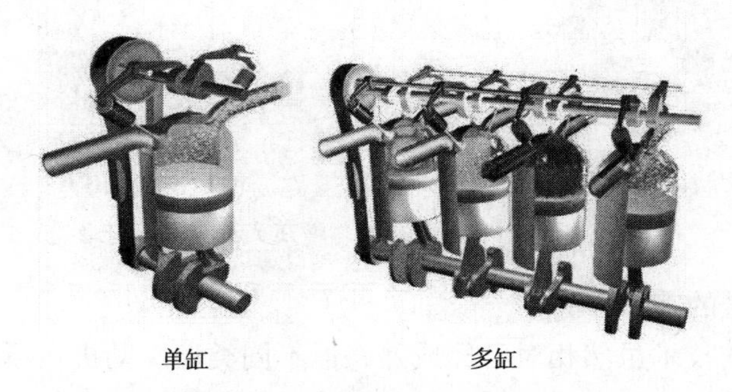

图1-4　单缸发动机与多缸发动机对比图

5）按汽缸排列方式分类

如图 1-5 所示，发动机按照汽缸排列方式不同可以分为单列式和双列式。单列式发动机的各个汽缸排成一列，一般是垂直布置的，但为了降低高度，有时也把汽缸布置成倾斜的甚至水平的；双列式发动机把汽缸排成两列，两列之间的夹角小于 180°（一般为 90°）称为 V 形发动机，若两列之间的夹角等于 180° 称为对置式发动机。

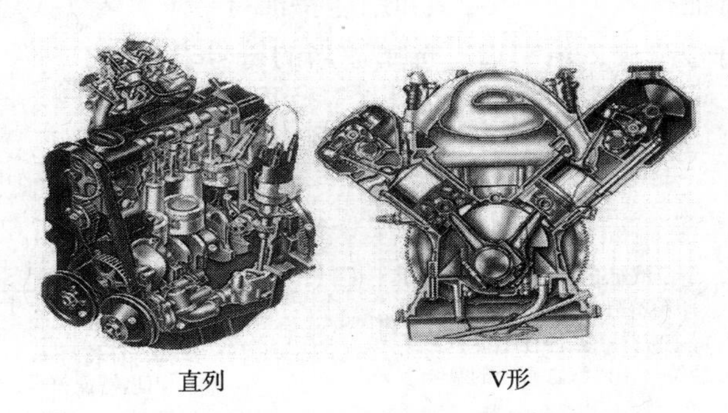

图1-5　直列式发动机与V形发动机对比图

6）按照进气系统是否加装增压装置分类

如图 1-6 所示，发动机按照进气系统是否采用增压方式可以分为自然吸气（非增压）式发动机和强制进气（增压）式发动机。汽油机常采用自然吸气式，柴油机为了提高功率多数采用增压式的。但近些年随着对发动机的动力性能要求逐渐增高，汽油机加装增压装置提高动力的趋势日渐增强。

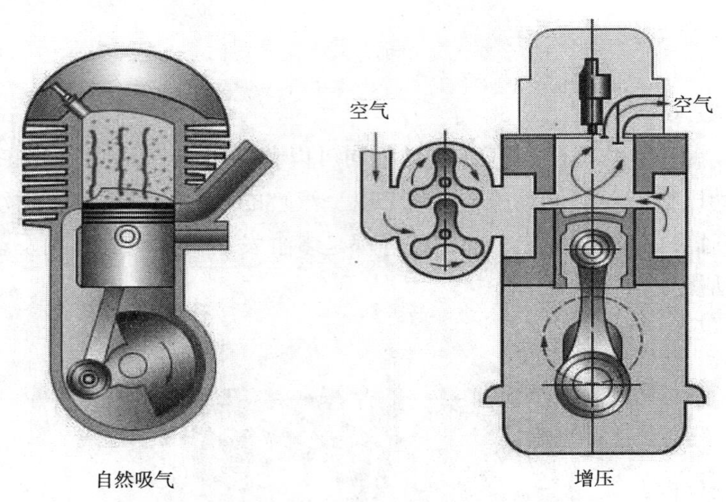

图1-6 自然吸气式发动机与增压式发动机对比图

（2）发动机型号的表示方法

汽车用发动机的技术虽然相对已经成熟，但不同类型发动机在不同车型与场合都会有自己的用武之地。为了推进汽车发展的标准化，让各方面汽车从业人员能迅速知道某款发动机的类型特点，由国家统一规定发动机型号的表示方法。发动机的型号一般由首部、中部、后部和尾部组成，如图 1-7 所示。

首部：由产品系列代号、换代符号、地方或企业代号组成，由制造厂根据需要自选相应字母表示，但需经主管部门或标准化机构核准。

中部：由缸数符号、汽缸布置形式符号（见表 1-1）、冲程符号和缸径符号组成。

后部：由结构特征符号（见表 1-2）和用途特征符号（见表 1-3）组成,用字母表示。

尾部：由区分符号组成，由制造厂选用适当的符号表示。

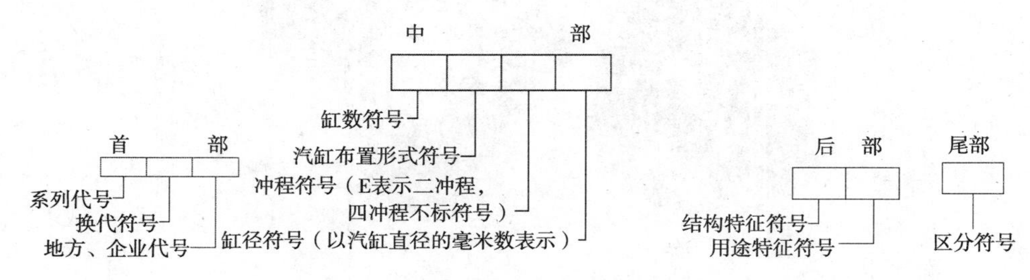

图1-7 发动机的型号表示

表1-1　汽缸布置形式符号

符　号	含　义	符　号	含　义
无符号	多缸直列及单缸	V	V型
P	平卧形		

表1-2　结构特征符号

符　号	结构特征	符　号	结构特征
无符号	水冷	F	风冷
N	凝冷却式	S	十字头式
Z	增压	Z_L	增压中冷
D	可倒转		

表1-3　用途特征符号

符　号	用　途	符　号	用　途
无符号	通用型及固定动力	T	拖拉机
M	摩托车	G	工程机械
Q	汽车	J	铁路机车
D	发电机组	Y	农用运输车
C_Z	船用主机，左机基本型	C	船用主机，右机基本型
L	林业机械		

发动机型号编制举例：

（1）CA6102 表示由 ____________ 生产、_____ 缸、_____、_____、缸径 _____mm、_____ 冷、通用型。

（2）EQ6100-1 表示由 ___________ 厂生产、_____ 缸、_____、_____、缸径 _____mm、_____ 冷、_____ 型、第一次改进型产品。

（3）YC6105QC 表示由广西玉林柴油机机器股份有限公司生产、_____ 缸、_____、_____ 冲程、缸径 _____mm、_____ 冷、车用柴油机、第二次改进型产品。

@ 信 息

发动机的类型与参数可以通过读取车辆铭牌上的信息来得到。现将车辆铭牌的信息公布如下：

1）车辆铭牌

车辆铭牌是标明车辆基本特征的标牌。主要内容包括：品牌、车辆型号、发动机型号、发动机排量、发动机功率、车辆识别代号、乘坐人数、制造年月、总质量、制造国、制造公司。车辆必须装置产品铭牌，置于车辆前部易于观察的地方，客车铭牌置于车内前乘客门的上方，如图 1-8 所示。

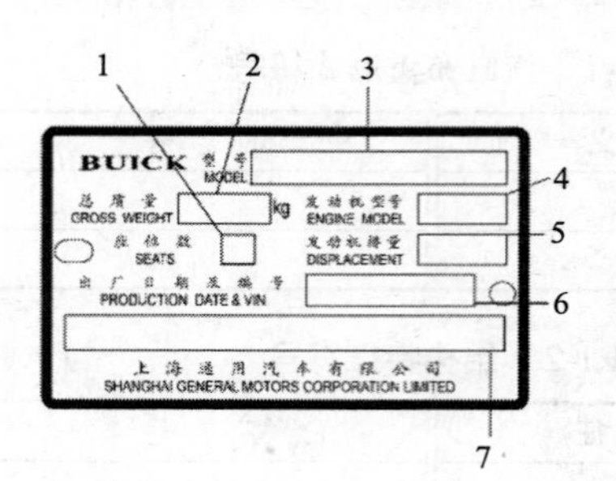

1—座位数；
2—车辆总质量；
3—车型型号；
4—发动机型号；
5—发动机排量；
6—出厂日期；
7—车辆识别号（VIN）

图1-8　上海通用车系车辆铭牌图

2）车辆铭牌的位置

车辆铭牌的安装位置不是固定的，在不同车系、车型的车辆上其安装位置是不同的。因此要通过查阅车辆使用手册或维修资料来找到。如图1-9所示为某品牌轿车的车辆铭牌位置图。

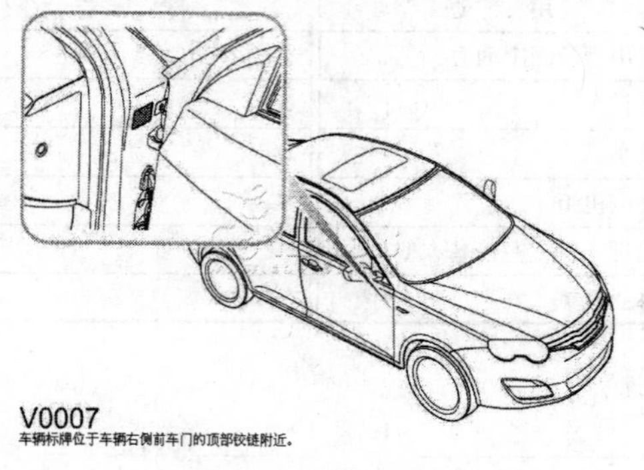

图1-9　铭牌位置图

计　划

在表1-4中写出车辆铭牌所包含的全部内容，并对应铭牌信息逐一分析其含义。

表1-4　记录表

序　　号	车辆铭牌的信息	信 息 含 义

实施

1．实践准备

场地准备： 8人用实习场地一块、对应数量的课桌椅、黑板一块、桑塔纳2000GSI型实车一辆	资料准备： 桑塔纳2000GSI维修手册一本、教材、笔记本

2．记录表

根据桑塔纳 2000GSI 型轿车的车辆铭牌完成表 1-5。

表1-5　记录表

序　　号	铭牌项目（含英文）	数据与编号

检验

请根据在实施环节中完成的表格，在教师与全组同学面前进行铭牌查找过程与内容的讲解，并请同学与教师给予点评。

展示

1．用图表的形式列出发动机按不同分类形式划分的种类。

2．利用各种搜索方法在表 1-6 中自列出三种轿车车型发动机的型号、种类和特征、基本参数。

表1-6　记录表

车 辆 型 号	发动机型号	发动机的种类与特征	发动机的基本参数	市 场 评 价

工作任务 2

发动机基本结构的学习

导向

要求学生通过任务的学习，能熟悉发动机各基本组成部分的名称，并能熟知发动机中两大机构、五大系统的作用，了解各部分主要零部件的名称与作用。

信息

现代汽车发动机以四冲程汽油机和四冲程柴油机应用最广泛。因此，下面先来介绍目前最常见的四冲程水冷时汽油机的总体构造。

1．汽油机的总体构造

汽油机一般由两大机构和五大系统组成。

（1）曲柄连杆机构

曲柄连杆机构是发动机实现热功转换的核心机构，主要由机体组、活塞、连杆、曲轴和飞轮等机件组成，如图 2-1 所示。机体组包括汽缸体、汽缸盖和油底壳，是发动机的主体部分。汽缸体是发动机各工作机构和附件的装配基体，且本身又是曲柄连杆机构、配气机构以及润滑系和冷却系的组成部分。汽缸盖装在汽缸体的上部，汽缸盖、汽缸体与活塞顶部的空间构成燃烧室。活塞位于汽缸之中，并通过活塞销与连杆小头相连接，连杆另一端装在曲轴销上，曲轴安装在汽缸体下部的曲轴箱中。当活塞在燃烧膨胀压力作用下在汽缸中做往复直线运动时，连杆就推动曲轴旋转向外输出转矩。曲轴的后端装有飞轮，飞轮的作用是利用其转动惯性平稳发动机的转速。

（2）配气机构

配气机构的作用是根据发动机工作过程和各缸的工作次序适时地开闭进、排气门，如图 2-2 所示。主要由气门组件、凸轮轴、挺柱、齿形带传动机构等零部件组成。进、排气门安装在汽缸盖上，分别控制进气通道和排气通道。曲轴通过正时齿形带传动机构驱动凸轮轴，凸轮轴控制气门的开闭。配气机构的结构形式较多，是发动机的核心机构之一。

图2-1　曲柄连杆机构零件图

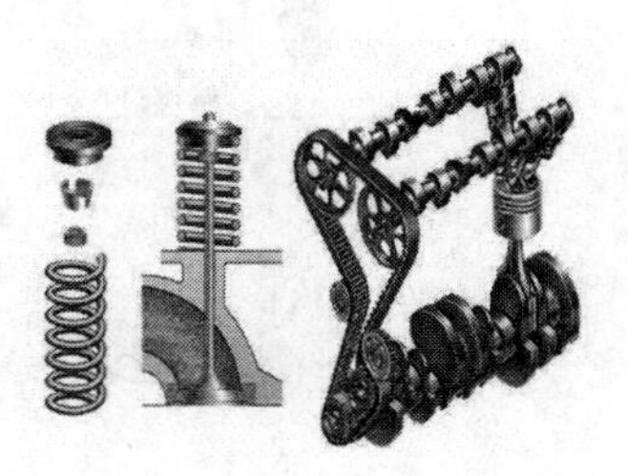

图2-2　配气机构零件图

（3）燃油供给系

传统化油器式燃油供给系一般由汽油箱、汽油泵、汽油滤清器、化油器、空气滤清器、进排气装置等组成，如图 2-3 所示。化油器利用喷雾原理使汽油与吸入的空气按一定比例混合成可燃混合气体经进气门进入汽缸。

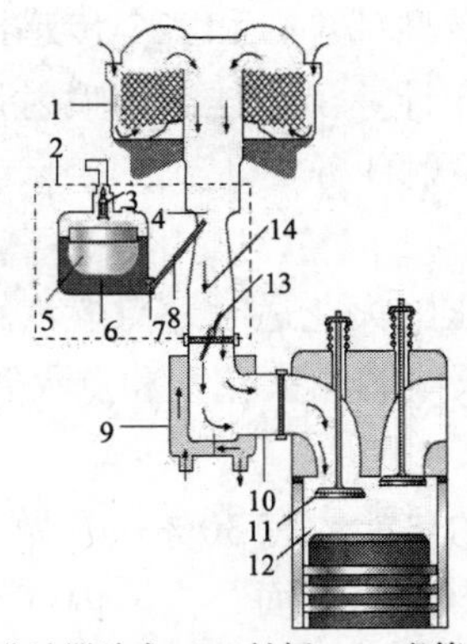

1—空气滤清器；2—化油器总成；3—针阀；4—喉管；5—浮子；6—汽油；7—油量量孔；8—喷油管；9—进气预热装置；10—进气歧管；11—进气门；12—汽缸；13—节气门；14—可燃混合气

图2-3　化油器式燃油供给系

汽油机电控燃油喷射装置的出现，改变了传统汽油机燃油供给系的组成，电控燃油喷射装置在计算机指令下工作，适时、定量地向进气管或汽缸内喷射燃油，并和径空气流量计进入的空气混合，配制成高精度的混合气体。电控燃油喷射装置包括燃料供给系统、进气系统和电子控制系统，如图 2-4 所示。

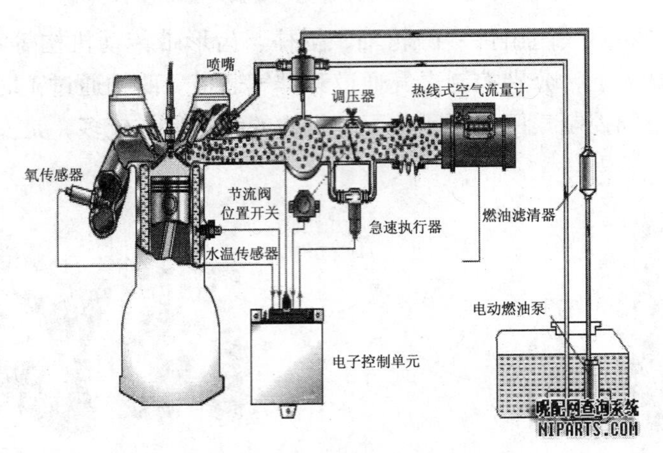

图2-4　电子控制喷射式燃油供给系

燃料供给系统的作用是电动汽油泵将汽油加压后输送给各缸汽油喷嘴，并让多余汽油返回油箱。它主要由电动汽油泵、压力调节器、输油管等组成。

进气系统的作用则是根据节气门的开度控制发动机的进气量。它主要由空气流量传感器、节气门及节气门体等组成。

电子控制系统的主体是一台微型计算机和多个传感器。电子控制系统的作用是收集发动机各工况的信息，按给定程序计算出最佳汽油喷射量和最佳喷射时刻，并在其发出指令的控制下，由喷嘴完成燃油喷射任务。

（4）点火系

汽油机靠点火系统产生的高压电火花适时地点燃汽缸内的可燃混合气。点火系一般由蓄电池、发电机、分电器、点火线圈、火花塞和点火开关等组成，如图 2-5 所示。

（5）冷却系

汽缸内可燃混合气燃烧产生的热能约有 30%左右做功对外输出，其余的热量一部分随废气排出缸外，另一部分则被燃烧室壁面、汽缸内壁和活塞顶部所吸收。水冷式发动机靠网状水套中冷却水的不断循环来实现对上述部位的冷却，以确保发动机在适宜的温度下工作。水冷却系一般由水泵、散热器、风扇、循环水套、分水管等组成，如图 2-6 所示。

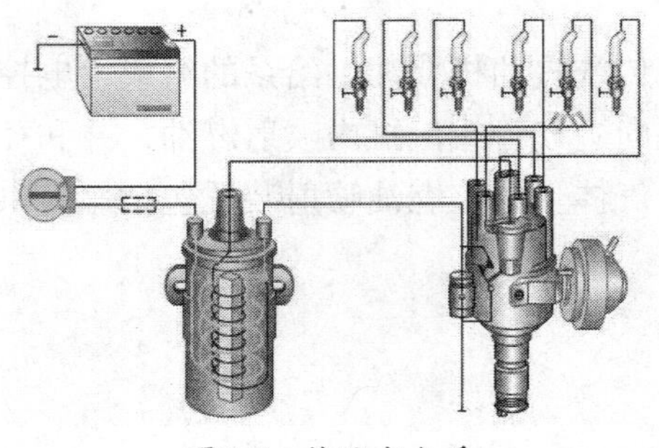

图2-5　传统点火系

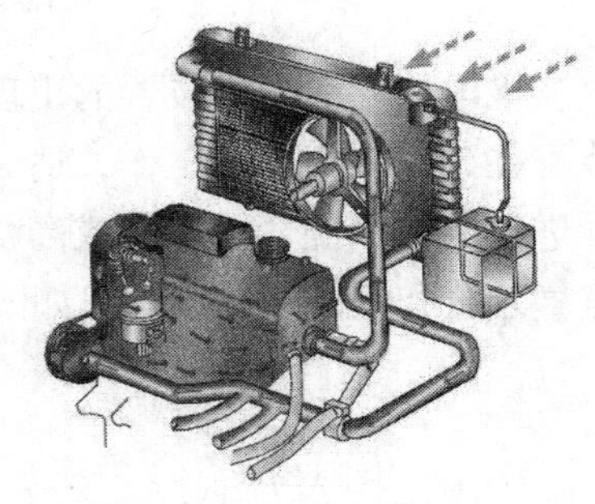

图2-6　冷却系

（6）润滑系

发动机主要运动副均靠润滑系提供的润滑机油进行润滑。机油泵把机油加压后送往各润滑部位，循环中的机油最终又流回油底壳内，反复循环使用。某些零件特别是活塞还靠机油来冷却。润滑系一般由机油泵、集滤器、限压阀、油道、机油滤清器和机油冷却等组成，如图 2-7 所示。

（7）启动系

启动系包括启动电动机及其附属装置，如图 2-8 所示，其作用是用来启动发动机。

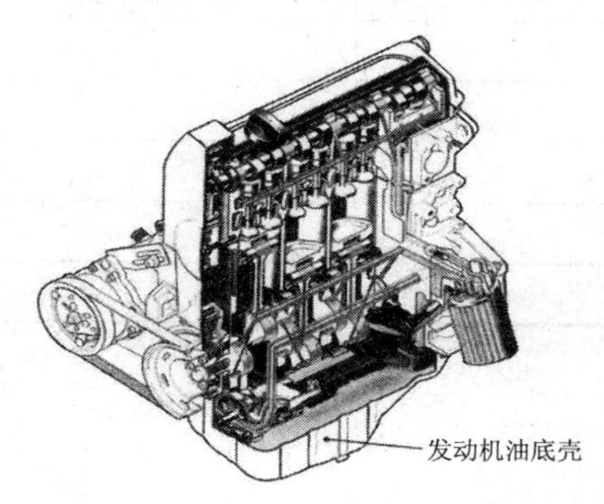

图2-7 润滑系

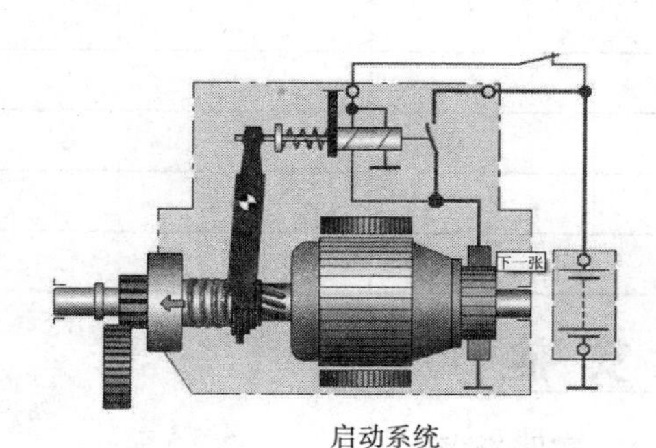

图2-8 启动系

2．柴油机的总体构造

四冲程水冷式柴油机的总体构造包含两大机构和四大系统，其机体与曲柄连杆机构、配气机构、润滑系和冷却系与前面介绍的汽油机十分相似，这里就不再重述。

所不同的是柴油机的燃料供给系与汽油机不相同，此外，柴油机没有点火系。

车用四冲程柴油机供给系主要由柴油箱、柴油滤清器、输油泵、高压油泵、调速器、喷油器、空气滤清器、进排气装置等组成，如图 2-9 所示。增压柴油机进气系统还装有废气涡轮增压器，利用排放废气驱动涡轮旋转，涡轮与进气系统中的空气压缩机连成一体，带动压缩机工作，通过增加进气量来提高发动机的功率。目前广泛采用的废气涡轮增压器可以使发动机的功率提高 20%～30%。

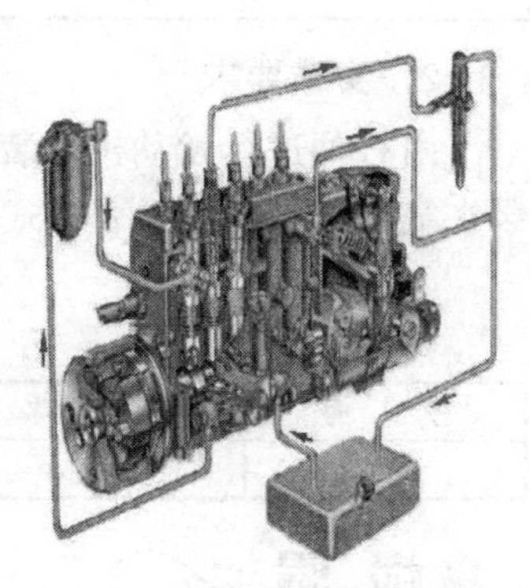

图2-9 柴油机燃油供给系统

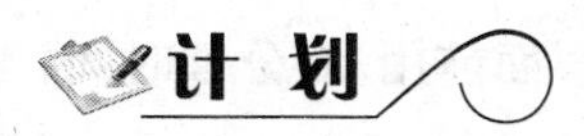

计 划

根据上述学到的知识完成表2-1。

表2-1　记录表

发动机总体构造		
两大机构：		
机构名称	主要作用	主要零件名称
五大系统：		
系统名称	主要作用	主要部件名称

实施

1. 实践准备

场地/工具准备： 8人用实习场地一块、对应数量的课桌椅、黑板一块、常用工具一套、桑塔纳2000GSI型实车一辆、AJR发动机拆装翻转台架一个、发动机拆装专用工具一套	资料准备： 桑塔纳2000GSI维修手册一本、教材、笔记本

2. 实践要求

由教师进行发动机拆装工作并讲解。要求学生仔细观察拆卸下各主要零部件，并记录在笔记本上，记录表格式如表2-2所示。

表2-2　记录表

序　号	零部件名称	所属系统	作　用	外形特点	装配方式

检验

由教师收回学生所完成的记录表格，对其进行批改并讲评。

展示

1. 实施中每组同学选一名代表根据自己的笔记，在全班同学面前用10分钟时间，对发动机中3个以上主要零部件的相关知识进行演讲。

2. 写出图2-10发动机标出编号的零（部）件名称：

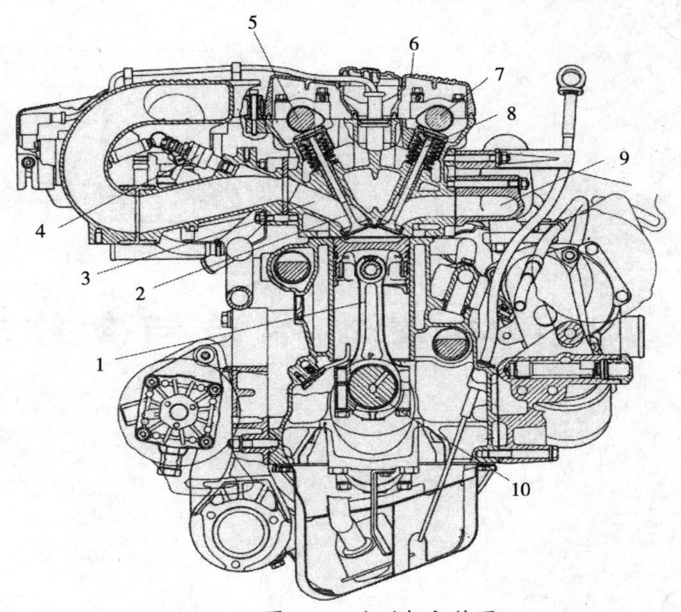

图2-10 发动机部件图

1____________； 2____________；

3____________； 4____________；

5____________； 6____________；

7____________； 8____________；

9____________； 10____________。

工作任务 3

发动机基本术语与参数的学习

导向

要求学生通过本次任务的学习，能够熟记发动机基本术语与参数的名称、含义及其符号，并具有根据资料计算参数的能力。

信息

1．基本术语

发动机的常用术语有：

（1）上止点（Top Dead Center）：活塞离曲轴回转中心最远处，即直列式发动机活塞的最高位置，如图 3-1 所示。

（2）下止点（Bottom Dead Center）：活塞离曲轴回转中心最近处，即直列式发动机活塞的最低位置，如图 3-2 所示。

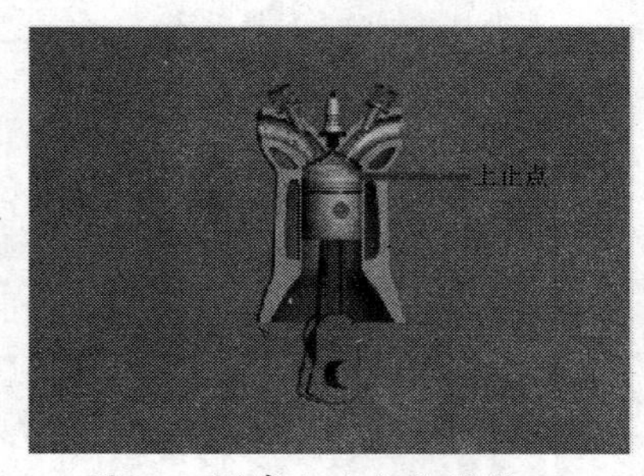

图3-1　活塞上止点位置图

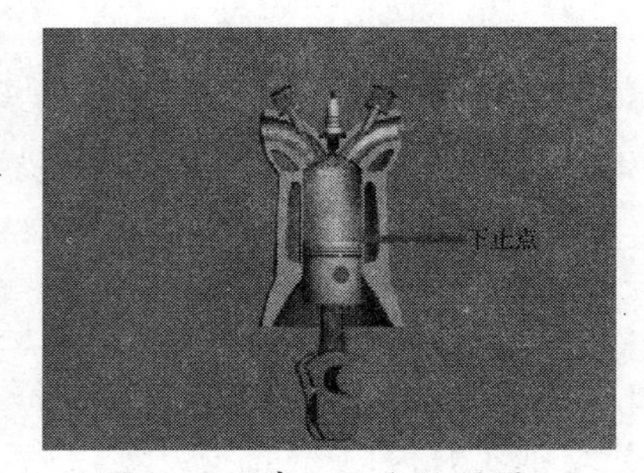

图3-2　活塞下止点位置图

（3）活塞行程（S）：活塞上、下止点间的运行距离，单位为 mm，如图 3-3 所示。

（4）曲柄半径（R）：曲轴上的曲柄销的中心线到曲轴回转中心线的距离，单位为mm。曲轴半径也叫曲轴销回转半径，如图 3-3 所示。

活塞行程与曲轴半径之间的关系：结构设计中曲轴半径决定活塞行程，活塞行程也随曲轴半径的增大而加长，随曲轴半径的减小而缩短。活塞行程 S 等于曲轴半径 R 的 2 倍，即：$S=2R$。

（5）汽缸工作容积（V_h）：活塞从上止点到下止点所让出的空间容积（L），如图 3-4 所示。$V_h=\pi D^2 s/4\times10^6$（L）

式中　D——汽缸直径（mm）。

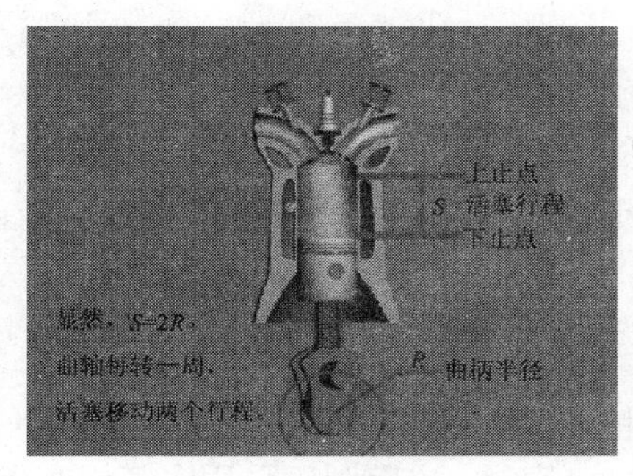

图3-3　活塞行程与曲柄半径位置图

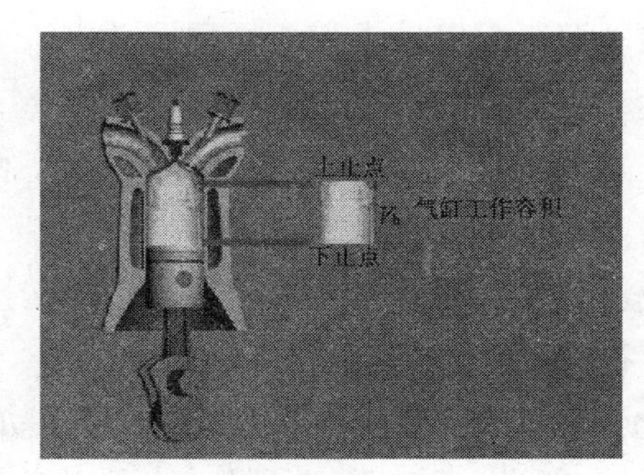

图3-4　汽缸工作容积示意图

（6）燃烧室容积（V_c）：活塞在上止点时，活塞上方的空间叫燃烧室，它的容积叫燃烧室容积，单位为 L，如图 3-5 所示。

（7）汽缸总容积（V_a）：活塞在下止点时，活塞上方的容积称为汽缸总容积，单位为 L，如图 3-6 所示。它等于汽缸工作容积与燃烧室容积之和，即：

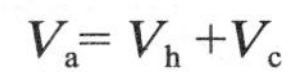

$$V_a=V_h+V_c$$

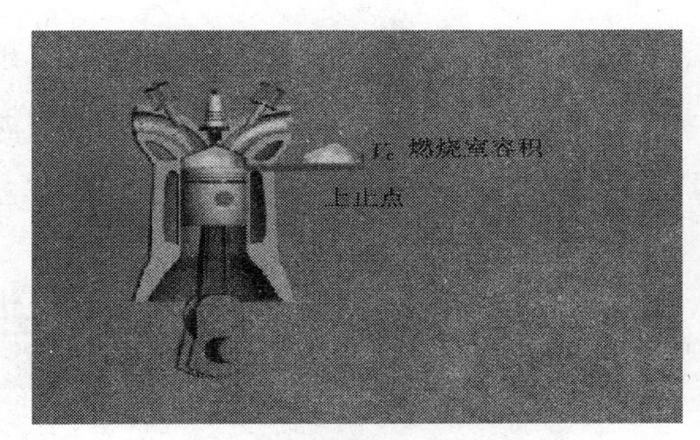

图3-5　燃烧室容积示意图

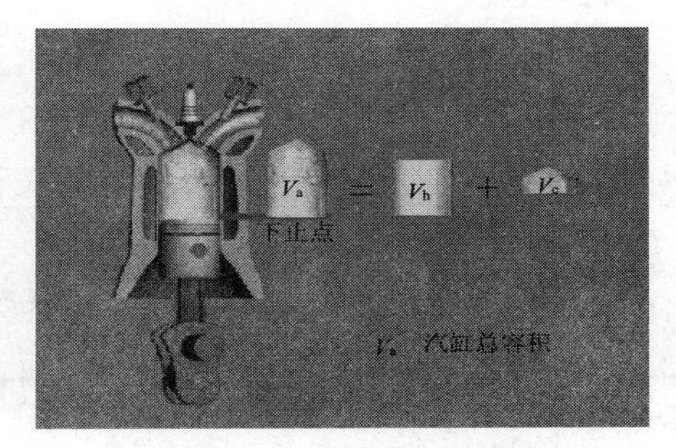

图3-6　汽缸总容积示意图

（8）活塞冲程：活塞由一个止点向另一个止点的运行过程。

2．发动机的主要结构参数

（1）汽缸的排量（V_L）

汽缸的排量也叫汽缸工作容积，指活塞一个行程所扫过的容积。多缸发动机各汽缸工作容积之和，称为发动机的工作容积或发动机排量，单位为 L。发动机排量的计算公式是：

$$V_L = V_h \times i$$

式中　i——汽缸数目。

发动机的排量主要取决于缸径和活塞行程，这两个参数是发动机的两个基本参数，两者的比值对发动机的性能有很大影响。缸径与行程相等的发动机叫做等径发动机，丰田 3S 发动机缸径与行程均为 86mm，北京生产的 BJ492QA 型 4 缸汽油机的缸径与行程均为 92mm。实际生产中，等径发动机较少，多数发动机不是行程大，就是缸径大，通常把行程大于缸径的发动机叫长行程发动机，把行程小于缸径的发动机叫短行程发动机。

（2）短行程发动机和长行程发动机

发动机排量一定时，缸径越大，活塞也越大，从而导致活塞上下运动的行程变短。反之，缸径越小，活塞也越小，导致活塞行程加长。

当活塞上下移动的速度一定时，大活塞、短行程的发动机转速高，单位时间里做功的次数也多。小活塞、长行程的发动机转速低，单位时间做功次数少。

短行程发动机具有以下优点：

1）行程短，转速高，有利于提高发动机的功率；

2）缸径大，活塞顶部面积大，可以增大汽缸头直径，也有利于采用多气门布置形式，增大充气量，提高进、排气效率，排气时残留废气少，有利于提高发动机的功率。

综上所述，短行程发动机的突出优点就在于转速高，功率大。因此，赛车和跑车多选用这种发动机。

短行程、大活塞发动机的不足之处是活塞等零件的热负荷和机械负荷大，要求具备较高的强度和刚度。此外，缸径大易出现活塞过热而爆燃等异常燃烧现象。因此，行程、缸径比必须适度。

长行程发动机和短行程发动机相比，前者活塞小，燃烧室结构紧凑，有利于实现快速燃烧，所以能够降低油耗。同时作用在活塞上的载荷较小，从而降低了发动机的振动和噪声。因此，一般经济型轿车多选用长行程发动机。

（3）压缩比（ε）

为了使混合气在最短的时间内快速燃烧，产生最大压力，必须在做功前对混合气进行压缩。通常用压缩比来反映气体被压缩的程度。压缩比指汽缸总容积与燃烧室容积的比值，如图 3-7 所示。

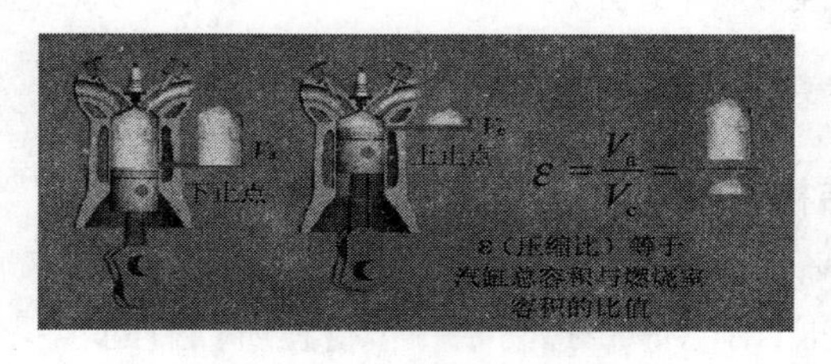

图3-7　压缩比示意图

$$\varepsilon=\frac{V_a}{V_c}=\frac{V_h+V_c}{V_c}=1+\frac{V_h}{V_c}$$

式中　V_a——汽缸总容积；

V_h——汽缸工作容积（汽缸排量）；

V_c——燃烧室容积。

汽油机的压缩比一般为 7 ～ 10，选用高牌号的汽油有利于提高压缩比。柴油机的压缩比一般为 15 ～ 22，高于汽油机，以便压缩终了时，使缸内的压力和温度超过柴油的自燃温度而迅速着火燃烧。

燃烧室的结构直接影响压缩比的大小，采用紧凑型燃烧室有利于提高发动机的压缩比。

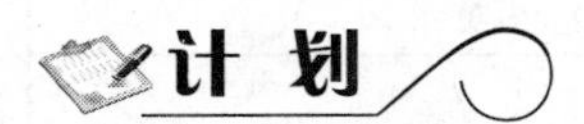

计划

利用前面学到的知识完成表3-1。

表3-1　记录表

序　号	基本术语/参数	含　义	符　号	计算公式

实施

1. 实践准备

场地/器具准备： 8 人用实习场地一块、对应数量的课桌椅、黑板一块、计算器四个	资料准备： 教材、笔记本

2. 实践计算

请参考教科书与所给资料独立完成以下题目。

（1）计算出丰田 3S 发动机与北京生产的 BJ492QA 型发动机的排量。

已知：

公式与计算：

结果：

（2）利用所学知识填全资料里的空格（见表 3-2）。

发动机　　发动机机械系统–2.5升（LB8）和3.0升（LW9）　　6–15

表3-2　发动机机械系统规格（LW9）

应　用	规　格	
	公　制	英　制
一般数据		
发动机类型		60° 六缸V型
排量	2.986升	182立方英寸
常规选装件（车辆识别码）	L46（W）	
缸径		
冲程		
压缩比	9.0：1	
点火顺序	1→2→3→4→5→6	
机油压力	103千帕	15磅/平方英寸@1100转/分
缸径		
直径	89.016～89.034毫米	3.5046～3.5053英寸
最大失圆	0.014毫米	0.0005
锥度—止推侧最大值	0.020毫米	0.0008

注：上表头两行内容是指该表在维修资料中的位置与编号，目的是能够让学生有查阅与处理资料的能力。

（3）计算出上题资料中发动机的单缸燃烧室容积。

已知：

公式与计算：

结果：

检 验

由教师对学生所完成的题目进行批改并讲评。

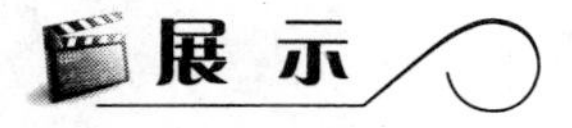

展 示

1．填全图 3-8 中的方格部分。

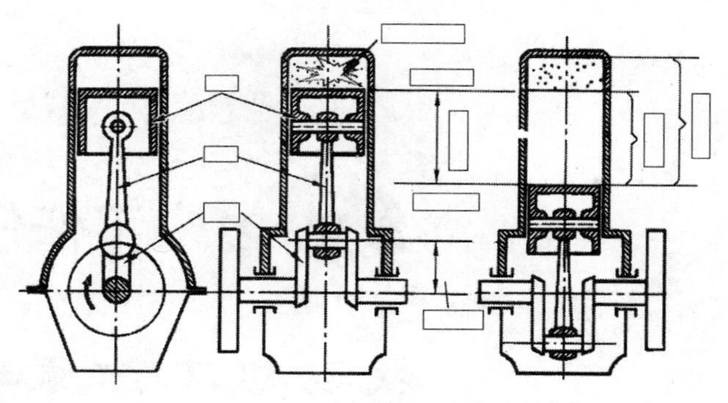

图3-8　发动机基本术语示意图

2．请每位同学根据图 3-8，准备一份在全班同学面前用 15 分钟时间、以发动机基本术语与参数为题的讲演稿。

工作任务 4

发动机工作原理的学习

导向

要求学生通过本次任务的学习能够熟悉汽油 / 柴油发动机的工作原理，能理解发动机工作过程中各主要零部件之间的位置配合关系。

信息

往复活塞式发动机依靠曲柄连杆机构将活塞的直线运动转变为曲轴的回转运动。当外力推动活塞沿汽缸轴线作直线运动时，活塞通过连杆带动曲轴做回转运动。其详细的工作过程可以通过对工作循环的分析来加以说明。

1．四冲程汽油机的工作原理

对于内燃机而言，能量转换是直接在汽缸内部进行的。汽油机的动力来源于汽油燃烧产生的热能。四冲程汽油机的工作过程可分为进气行程、压缩行程、做功行程和排气行程，四冲程汽油机的工作过程如图 4-1 所示。

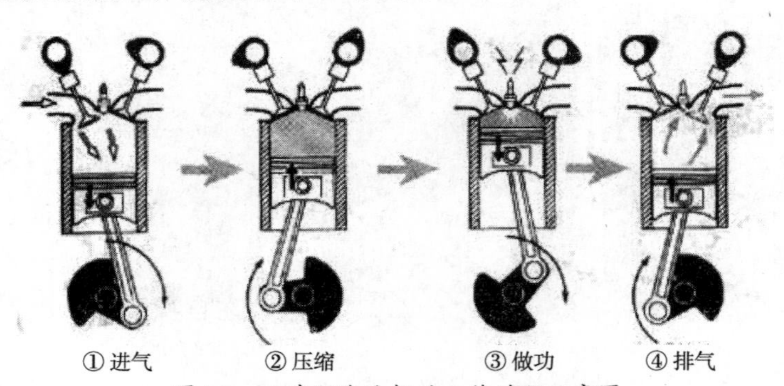

图4-1　四冲程汽油机的工作过程示意图

（1）进气行程

活塞在曲轴带动下从上止点向下止点运动。此时，排气阀关闭，进气阀开启。活塞移动过程中，汽缸容积逐渐增大，形成一定真空度，于是进气系统供给的汽油混合气从进气门被吸入汽缸，至曲轴转过半圈（180° ），活塞到达下止点时，进气门关闭，进气行程结束。

（2）压缩行程

进气结束时，活塞在曲轴带动下，从下止点向上止点运动，此时，汽缸容积逐渐减小，由于进、排气门均关闭，可燃混合气被压缩，至活塞上止点，压缩行程结束。

压缩终了时缸内可燃混合气的压力和温度越高，点火后燃烧速度也越快，因而发动机发出的功率就越大。压缩终了时缸内压力和温度过大，点火后会出现爆燃和表面点火等不正常现象，对此必须加以控制。

1）爆燃

爆燃是由于缸内可燃混合气压力和温度过高，燃烧室内远离点火中心的某处在火焰前锋未传到之前发生自燃而造成的一种异常燃烧现象。发生爆燃时火焰以极高的速度向外传播，形成很强的冲击波，撞击燃烧室内壁和活塞顶面，发出尖锐的金属敲击声和振动。爆燃同时会引起发动机过热，功率下降，油耗增加，严重时可能会造成活塞开裂，火花塞绝缘体击穿等机件损坏现象。

正常燃烧与爆燃燃烧过程的比较：正常燃烧过程中，在火花塞点火后，火焰由点火中心逐步向外传播，依次完成燃烧过程。而爆燃破坏了上述正常的燃烧顺序，末端混合气处在火焰前锋，于未传到之前出现了自燃点，形成了另外的燃烧中心，使燃烧过程发生了变化。

2）表面点火

表面点火与爆燃不同，是另外一种不正常的燃烧现象，又分为早燃与后燃两类。

早燃是在火花塞正常点火之前，燃烧室内壁炽热表面（如排气门头、火花塞电极、积炭处等）提前点火引起的一种异常燃烧现象。表面点火时也伴有强烈的敲击声（较沉闷），产生的压力波会加重发动机机件负荷，降低使用寿命。

（3）做功行程

做功行程也叫膨胀行程。这时进、排气门仍关闭，当活塞接近上止点时，火花塞发出电火花，点燃被压缩的可燃混合气，使气体的温度、压力迅速升高而膨胀，推动活塞从上止点向下止点高速运动，通过连杆使曲轴转动对外输出动力做功，至活塞下止点，做功行程结束。

（4）排气行程

混合气燃烧后生成的废气必须从汽缸中排出。活塞到达下止点前，进气门关闭，排气门打开，曲轴推动活塞从下止点向上止点运动。废气在自身压力和活塞推动下，被排出汽缸，至活塞到达上止点时，排气阀关闭，一个工作循环结束。

四冲程汽油机具有以下工作特点：

1）在一个工作循环中，曲轴旋转两周（720°），活塞上下往复运行四个单程。一个工作循环进、排气门各关闭一次。

2）所有四个行程中，只有做功行程是有效行程，其余都是辅助行程，靠消耗飞轮储备的能量来完成。

3）可燃混合气在汽缸外形成，靠电火花点火燃烧。

4）发动机的运转，开始启动时必须靠外力转动曲轴，带动活塞完成进气压缩行程，转入作功行程之后，靠飞轮储备的能量使发动机持续工作。

2. 四冲程柴油机的工作原理

四冲程柴油机与四冲程汽油机一样，每个工作循环也包括进气、压缩、做功和排气四个过程。但由于柴油与汽油性质不同，柴油黏度大，不易蒸发，而其自燃温度却比汽油低。因此，柴油机在可燃混合气的形成及着火方式等方面与汽油机有较大的区别。

四冲程柴油机的工作过程如图 4-2 所示。柴油机进气行程中吸入的是纯空气。在压缩行程接近终了时，柴油经喷油泵将油压提高到 10MPa 以上，通过喷油器喷入汽缸，在很短时间内与压缩后的高温空气混合，形成可燃混合气，因此，这种发动机的可燃混合气是在汽缸内形成的。

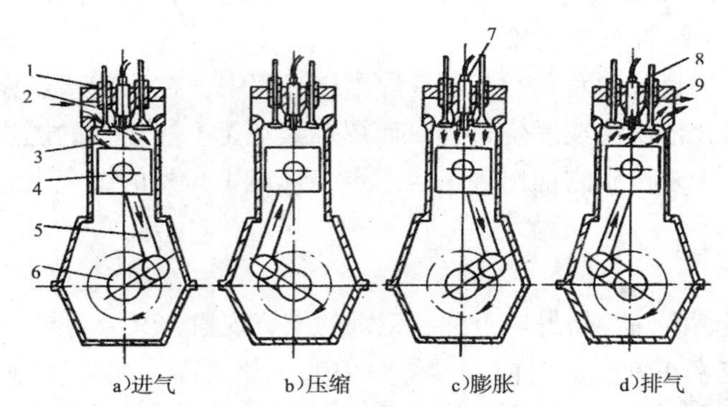

1—进气门；2—进气管；3—汽缸；4—活塞；5—连杆；6—曲轴；7—喷油器；8—排气门；9—排气管

图4-2　四冲程柴油机的工作原理示意图

由于柴油机压缩比高，所以压缩终了汽缸内的压力可达 3.5 ～ 4.5MPa，温度可达 750 ～ 1000K，大大超过柴油自燃温度（630K）。故喷入汽缸内的柴油与空气在很短的时间内混合后便立即自行着火燃烧，使汽缸内压力和温度急剧升高，在高压气体推动下，活塞向下运动并带动曲轴旋转而作功，废气同样经排气管排入大气。

3. 汽油机和柴油机的比较

对于四冲程汽油机与柴油机的工作过程进行比较可以得知，两者的工作原理基本相似，但不完全相同，其主要区别在于：

（1）所用燃料不同。

（2）混合气形成方式不同。柴油机进气行程进入汽缸的是纯空气，压缩行程接近终了时，喷入的柴油在汽缸内与空气混合形成可燃混合气。汽油机的可燃混合气在汽缸外形成，进气行程进入汽缸的是可燃混合气（指传统的化油器式汽油机）。

（3）压缩比高低不同。柴油机压缩比高于汽油机。柴油机压缩比一般为 16 ～ 22，汽油机压缩比一般为 7 ～ 10。

（4）着火方式不同（如图 4-3 所示）。柴油机压缩比高，压缩终了时混合气温度已超过柴油的自燃温度即自行着火，故柴油机为压燃式发动机。汽油机则靠火花塞点火燃烧。因此，在结构上汽油机有点火系，柴油机则没有。

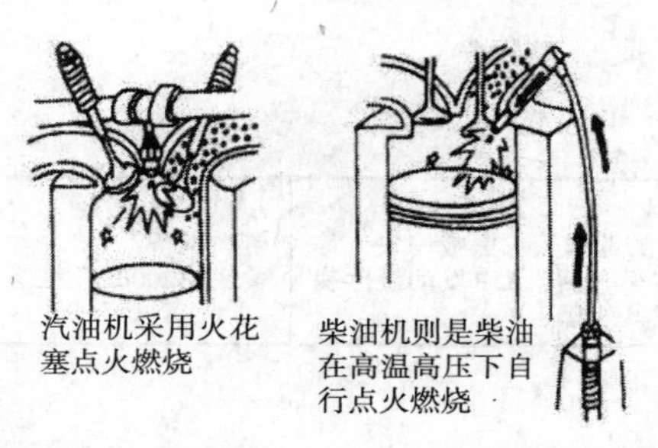

图4-3 汽油机与柴油机点火方式的比较图

由于汽、柴油机在工作原理与结构上都存在一定的差异，因而在使用性能与特性方面亦有所不同。

汽油机具有转速高（目前轿车用汽油机最高转速达 5500 ～ 6000r/min，货车用汽油机也高达 4000r/min 左右）、质量小、工作噪声小、容易启动、制造和维修费用较低等优点，故在小轿车和中、小型货车以及军用越野车上得到了广泛的使用。其不足之处是燃油消耗较大，因而燃油经济性较差。

柴油机因压缩比高，燃油消耗率平均比汽油机低 30%左右，且柴油价格较低，所以燃油经济性好。一般重型货车、矿山专用车等都选用柴油机。柴油机的缺点是转速较低，工作噪声大、结构笨重、制造与维修费用高。随着汽车工业技术的进步，上述缺点正不断得到解决，小型高速柴油机已经大量用于轿车和中、轻型车辆。

计 划

请根据在信息环节中学到的知识完成表 4-1。

表4-1 记录表

四冲程汽油发动机						
工作行程	活塞运动轨迹	进、排气门状况	火花塞工作情况	曲轴转角	缸内温度与压力	动力传递方向
进气行程						
压缩行程						
做功行程						

续表

四冲程柴油发动机						
工作行程	活塞运动轨迹	进、排气门状况	喷油器工作情况	曲轴转角	缸内温度与压力	动力传递方向
排气行程						
进气行程						
压缩行程						
做功行程						
排气行程						

实施

1．实践准备

场地/器具准备： 8人用实习场地一块、对应数量的课桌椅、黑板一块、常用工具一套、桑塔纳2000GSI型实车一辆、AJR发动机拆装翻转台架一个、发动机拆装专用工具一套	资料准备： 桑塔纳2000GSI维修手册一本、教材、笔记本

2．实践要求

学生在教师的指导下拆卸汽缸盖，并注意观察发动机工作过程中活塞的运动。教师在学生观察后重点讲述以下三个方面：

（1）依据实物讲解发动机的工作过程。

（2）发动机各缸之间的工作顺序。

（3）活塞与气门的位置配合关系是如何实现的。

检验

发动机工作过程还可以用 *P*-*V* 图来说明。所谓 *P*-*V* 图，*P* 代表汽缸压力、*V* 代表汽缸容积。*P*-*V* 图用曲线的形式表示了发动机工作过程中汽缸内压力、容积、活塞位置的关系，如图 4-4 至图 4-7 所示。

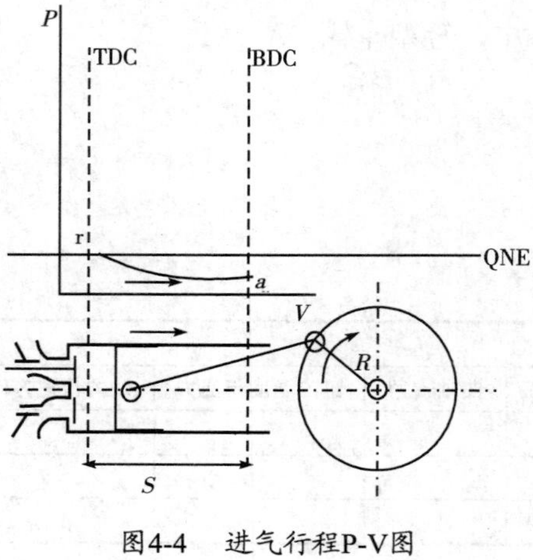

图4-4　进气行程P-V图

用学到的专业知识解释下列 *P*-*V* 图：

解释：________________________________

教师评语：________________________________

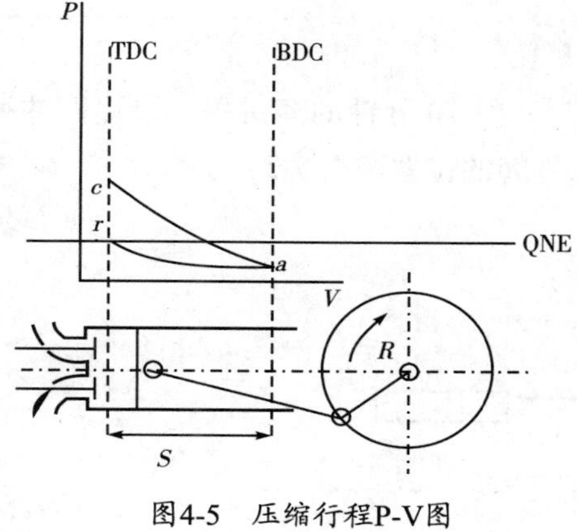

图4-5　压缩行程P-V图

解释：

教师评语：

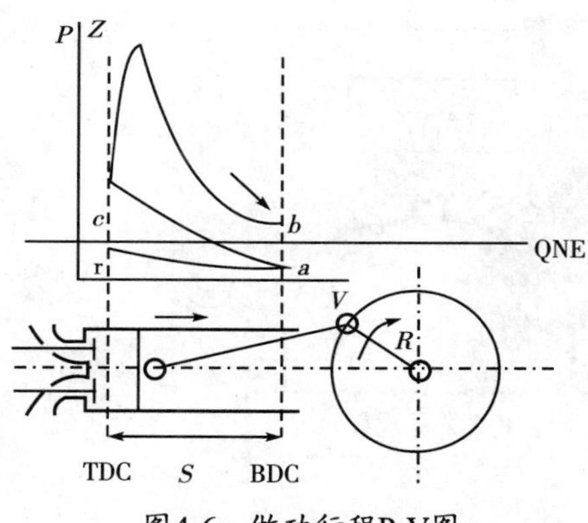

图4-6　做功行程P-V图

解释：

教师评语：

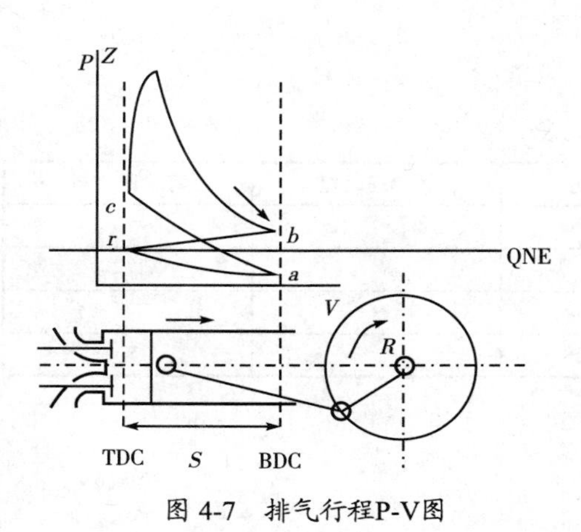

图 4-7　排气行程P-V图

解释：

教师评语：

展 示

1．请填全图 4-8 中的缺失部分，并根据下图写一份 10 分钟的演讲稿。讲述四冲程汽油发动机工作原理，以及工作过程中各主要零部件间的位置配合关系。

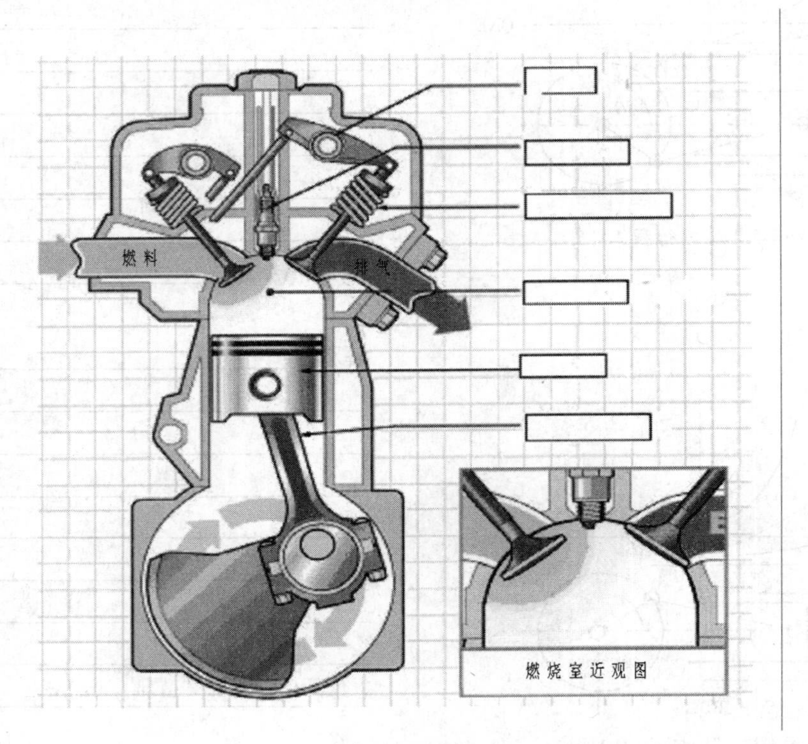

图4-8　题图

2．思考工作顺序为 1-3-4-2 的发动机工作时，各汽缸之间的工作情况，并完成表 4-2。

表4-2　记录表

曲轴转角	第 一 缸	第 二 缸	第 三 缸	第 四 缸
0～180°	做功			
180～360°				
360～540°				
540～720°				

发动机工作特性曲线的学习

要求学生通过本次任务的学习，能熟记发动机各性能指标与特性的名称与含义；并能根据资料计算动力性、经济性指标与分析特性曲线图。

信 息

1．发动机性能指标

（1）动力性能指标

1）有效转矩 M_e

发动机通过飞轮对外输出的转矩称为有效转矩，单位是 N · m。

2）有效功率 P_e

发动机通过飞轮在单位时间内对外做功量称为有效功率，单位为 kW。其计算公式为：

$$P_e = M_e \frac{2\pi n}{60} \times 10^{-3} = \frac{M_e n}{9550} (\text{kW})$$

式中 M_e——有效扭矩，单位 N · m；

n——曲轴转速，单位 r/min。

发动机铭牌上标明的功率及相应的转速称为标称功率和标定转速。按内燃机台架实验国家标准规定，发动机的标称功率有 15min 功率、1h 功率、12h 功率和持续功率四种。由于汽车发动机经常在部分负荷下工作，为了保证发动机轻量化，汽车发动机常用 15min 功率作为标称功率。

2．经济性指标

为了评价发动机的经济性，应有一个可比性指标，一般用燃油消耗率表示。它的定义为发动机在 1h 内持续发出 1kW 有效功率所消耗的燃油质量，可以按下式计算：

$$g_e = \frac{G_T}{P_e} \times 10^3 (g/kW \cdot h)$$

式中　G_T——发动机单位时间内耗油量，单位是 kg/h；

P_e——发动机的有效功率，单位是 kW。

3．发动机性能的特性

（1）发动机速度特性

发动机速度特性是指发动机的功率、转矩和燃油消耗率三者随曲轴转速变化的规律。这一特性可以通过发动机在实验台上测试得出。实验时，使发动机节气门在某一开度，用测功器施加一定的阻力矩，当发动机运转稳定时，用转速表测得转速 n，在测功器上测出有效转矩 M_e，进而计算出有效功率 P_e、燃油消耗率 g_e。用上述方法，可以得到不同转速下的各组数值，据此可画出 M_e、P_e、g_e 随转速变化的曲线。

当节气门开到最大时，得到的速度特性称为发动机外特性。图 5-1 为汽油机的外特性曲线图。节气门在其他开度情况下得到的速度特性称为部分特性。

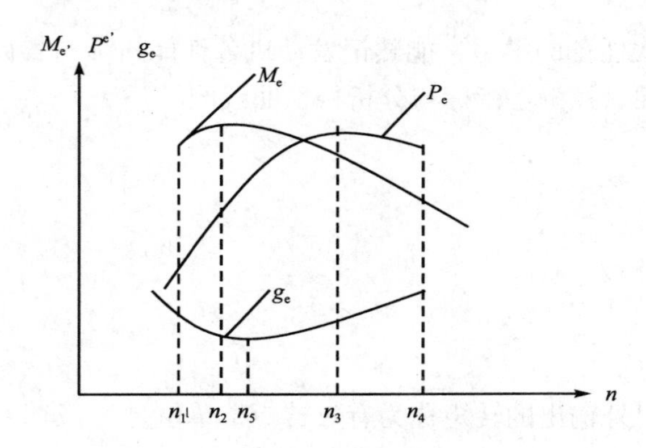

图5-1　汽油机外特性曲线图

（2）发动机负荷特性

研究负荷特性的目的是为了研究在各种负荷下工作的发动机经济性。

发动机的点火提前角和空气混合比调整在最佳状态、发动机固定在某一转速时的每小时耗油量 G_T 和有效燃油消耗率随负荷（以有效功率表示）的变化关系，称为发动机的负荷特性，如图 5-2 所示。

当汽车在行驶中道路条件改变时，驾驶员总是通过加速踏板来改变节气门的开度，使汽油机的转速（或汽车前进速度）保持不变。此时，汽油机的工作情况近似符合负荷特性的条件。当然，改变发动机的转速，就会得到又一条负荷特性曲线。所以负荷特性曲线有许多条。

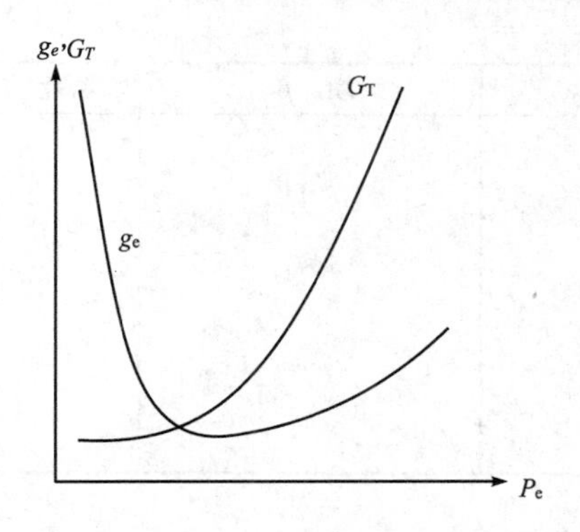

图5-2 发动机负荷特性曲线图

从负荷特性曲线可知，当发动机在较高负荷工作时，有效燃油消耗率 g_e 较低，经济性较好，但负荷也不能过高。因此，经常使汽车保持满载和合理拖带挂车是提高经济性的有效措施。

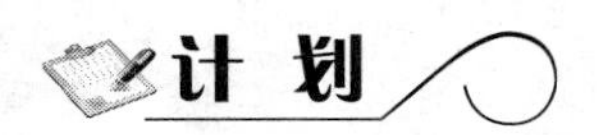

计 划

要求学生利用在信息环节中学到的知识完成表 5-1。

表5-1 记录表

发动机性能指标				
序 号	发动机性能指标名称	符 号	含 义	公 式
发动机性能的特性				
序 号	发动机性能特性名称	功 用	特性曲线图成图条件	曲 线 图

续表

序　号	发动机性能特性名称	功　用	特性曲线图成图条件	曲 线 图

实 施

1. 实践准备

场地/器具准备： 8 人用实习场地一块、对应数量的课桌椅、计算器、直尺、绘图铅笔	资料准备： 教材、笔记本

2. 实践要求

要求学生独立完成以下题目。

根据所给资料计算出该车型在最大扭矩时的功率与最大功率时的扭矩。

发动机	速腾09款1.6L 自动时尚型 发动机纠错
汽缸容积（cc）：	1595
排量（L）：	1.6
工作方式：	自然吸气
汽缸排列形式：	L
汽缸数（个）：	4
每缸气门数（个）：	2
压缩比：	10.5
气门结构：	SOHC
缸径：	81
冲程：	77.4
最大马力（Ps）：	100
最大功率（kW）：	74
最大功率转速（rpm）：	6000
最大扭矩（N·m）：	145
最大扭矩转速（rpm）：	3800
发动机特有技术：	–
燃料形式：	汽油
燃油标号：	93号
供油方式：	多点电喷
缸盖材料：	铝

a. 计算最大扭矩时的功率值。

已知：

公式与计算：

结果：

b. 计算最大功率时的扭矩值。

已知：

公式与计算：

结果：

分析发动机工作特性曲线图，如图 5-3 至图 5-5 所示。

图名：

分析：

教师评语：

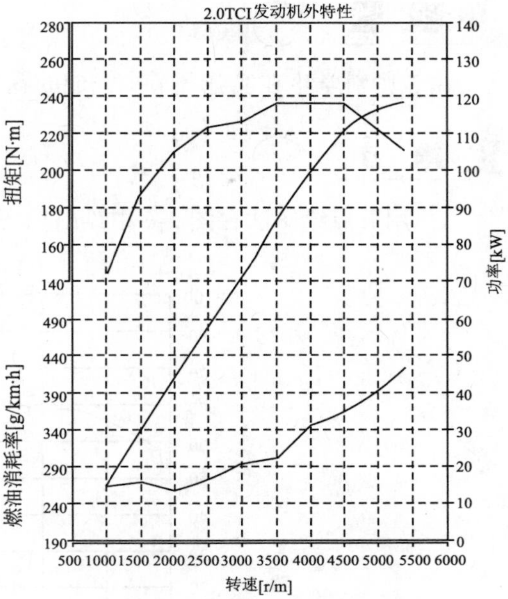

P_e,$T_{时}$,b_e

p_e

$T_{时}$

——外特性

b_e

- - -使用外特性

O

n_e

图5-4　曲线图

图名：

分析：

教师评语：

2.0TCI发动机外特性

扭矩[N·m]

燃油消耗率[g/km·h]

功率[kW]

280 260 240 220 200 180 160 140 490 440 390 340 290 240 190

140 130 120 110 100 90 80 70 60 50 40 30 20 10 0

500 1000 1500 2000 2500 3000 3500 4000 4500 5000 5500 6000

转速[r/m]

图5-3　外特性曲线图

图名：

分析：

教师评语：

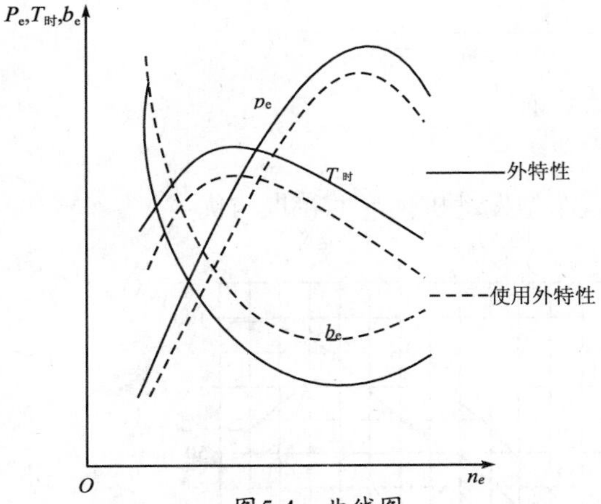

g_e (g/kW.h)

柴油

汽油

g_e

O

N_e（kW）

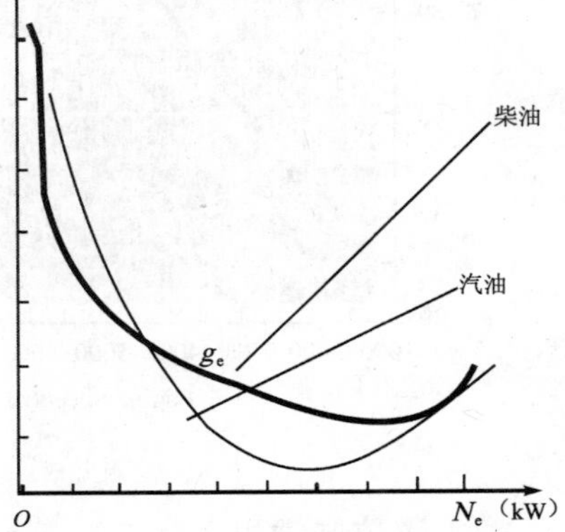

图5-5　曲线图

检　验

由教师对学生在实施环节中完成的题目进行批改与讲评。

展　示

1．用五点绘图法在图 5-6 中绘出功率特性曲线。

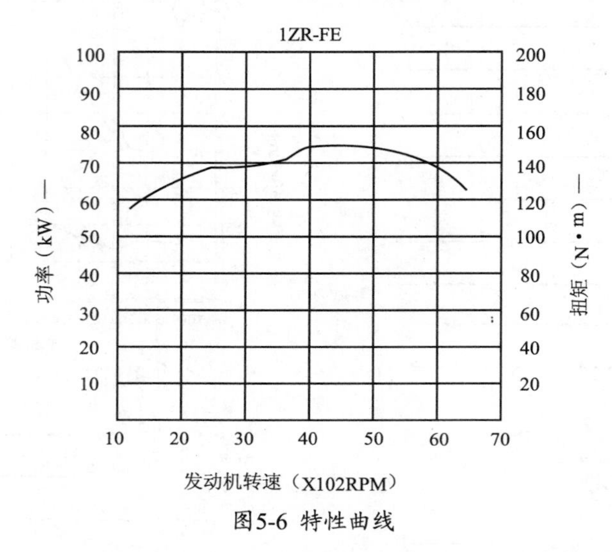

图5-6　特性曲线

2．根据图 5-7 对比分析伊兰特与骏捷两款车型发动机性能的特点与优劣。

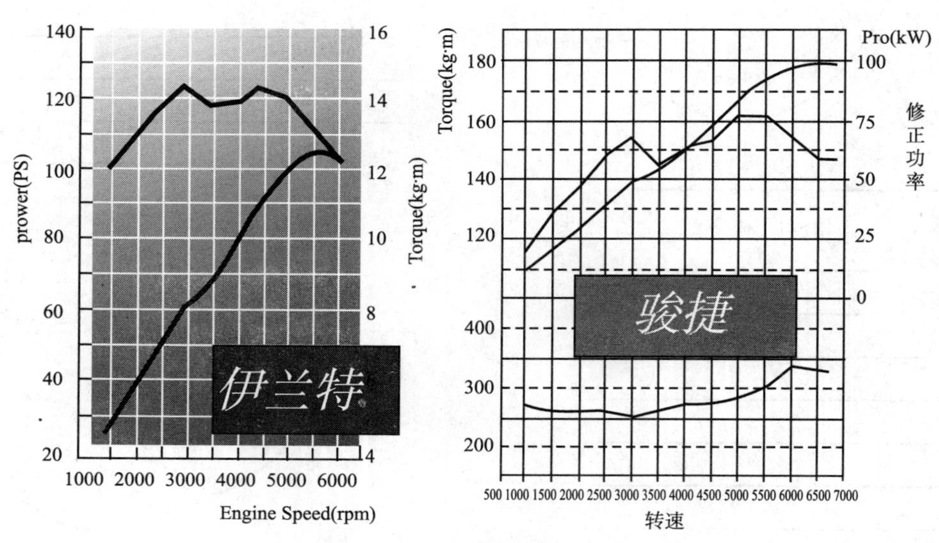

图5-7　发动机性能对比

3．每位同学思考一个，车辆每百公里的耗油量的计算方法。在小组中讨论看看谁的方法最好最实用。

工作任务 6

发动机结构的认知

导向

一辆桑塔纳2000GLI型轿车，行驶了17万千米。车主反映在前一年发现发动机排气冒蓝烟，近期冒蓝烟情况现象越发严重。行驶不到3000千米机油量减少一半。

检验人员对车辆进行了检测后决定要对发动机进行拆解测量。现将车交到你处，你的任务是拆解发动机。

信息

1．资料提供

根据桑塔纳2000GLI型轿车的原厂维修手册，将发动机拆解的信息提供如下：

上海桑塔纳2000系列轿车发动机为四冲程、四缸直列、自然吸气、火花塞点燃、二气门、电子控制喷射系统（2000GLI、2000GSI型）水冷式发动机。上海桑塔纳2000GLI轿车的发动机为采用λ闭环控制的M1.5.4P版本电控多点汽油喷射系统的AFE型发动机。

（1）AFE型发动机总成的拆卸

一般先将发动机与变速器脱开，再用吊具将发动机从汽车吊下来。发动机吊具代号为V.A.G1202，如图6-1所示。

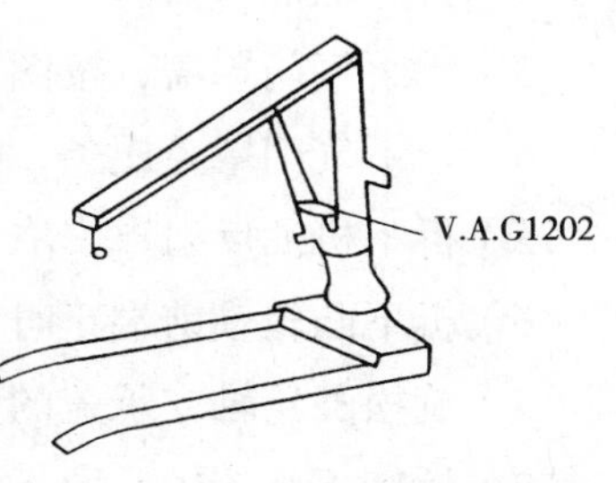

图6-1　V.A.G1202型发动机吊具

（2）正时齿带及V形带的拆卸

正时齿带及V形带的拆卸可参见图6-2所示进行，具体步骤如下：

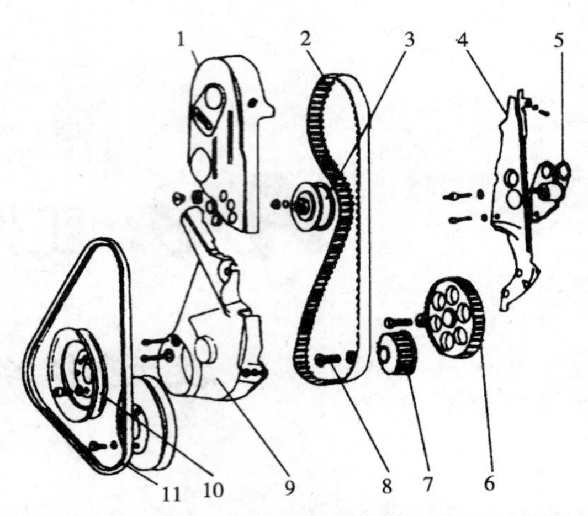

1—正时齿带上护罩；2—正时齿带；3—正时齿带张紧轮；4—正时齿带后护罩；5—塞盖；
6—中间轴正时齿带轮；7—曲轴正时齿带轮；8—曲轴正时齿带轮紧固螺栓—拧紧力矩80 N·m—
9—正时齿带下护罩；10—曲轴V形带轮；11—V形带

图6-2　正时齿带和V形带等零件的分解图

1）旋松发电机支承臂的紧固螺栓，拆下发动机上的水泵 V 形带。

2）拆下水泵 V 形带轮，拆下曲轴 V 形带轮。两种带轮的紧固螺栓的拧紧力矩为 20N · m。

3）拆下正时齿带上护罩，再拆下正时齿带下护罩。

4）旋松正时齿带张紧轮紧固螺栓，转动张紧轮的偏心轴，使正时齿带松弛，取下正时齿带。

5）拆下曲轴正时齿带轮，拆下中间轴正时齿带轮。

6）拆下正时齿带后护罩。

（3）汽缸盖部分的拆卸

1）拆卸汽缸盖附件。拆下进排气管总成，拆下火花塞及其垫圈。

2）拆下加油口盖。

3）拆下气门罩盖，按图 6-3 所示顺序逐渐松开汽缸盖紧固螺栓。

4）取下气门罩盖压条、密封衬条、衬垫。

5）拆下机油反射罩，取下半圆塞。

6）拆下凸轮轴前端正时齿带轮的紧固螺栓，取下凸轮轴正时齿带轮。

7）旋松凸轮轴支承盖的紧固螺栓，取下支座盖。

8）拆卸下凸轮轴。取下液压挺杆总成。

9）用专用工具 2036，如图 6-4 所示，压下气门弹簧，取下气门锁夹。

10）取下气门锁夹座圈、气门内外弹簧。

11）拆卸气门及气门油封。

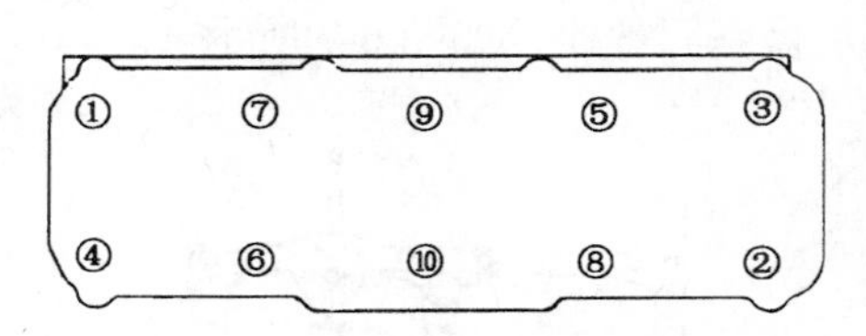

图6-3　汽缸盖螺栓的拆卸顺序

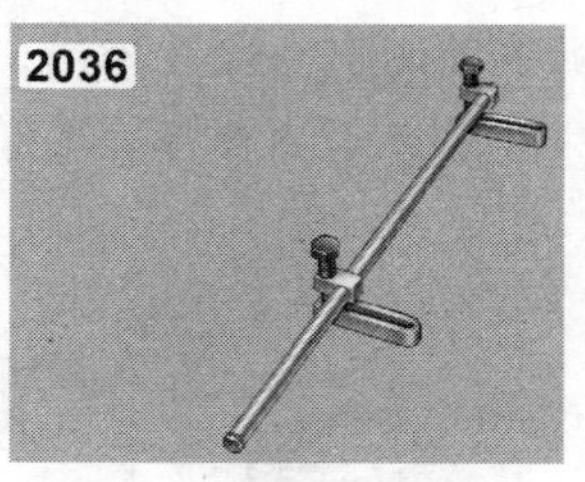

图6-4　专用工具2036

（4）活塞连杆组的拆卸

活塞连杆组的分解图如图 6-5 所示。

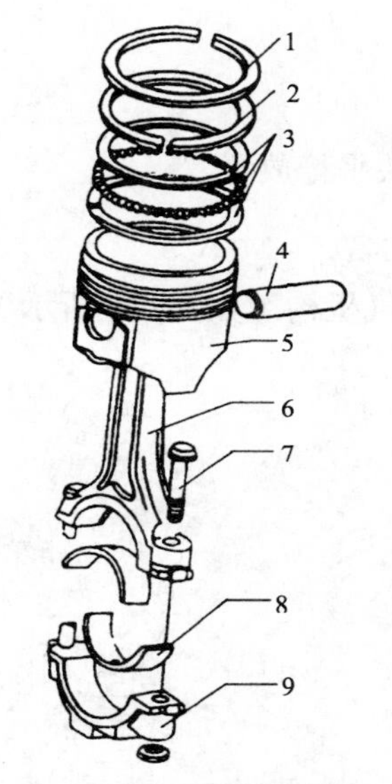

1—第一道气环；
2—第二道气环；
3—组合油环；
4—活塞销；
5—活塞；
6—连杆；
7—连杆螺栓；
8—连杆轴承；
9—连杆轴承盖

图6-5　JV形发动机活塞连杆组分解图

1）对活塞做标记时，应从发动机前端向后打上汽缸号，并打上指向发动机前端的箭头。

2）拆卸连杆和连杆轴承盖时，应打上所属汽缸号。安装连杆时，浇铸的标记须朝 V 形带轮方向（发动机前方）。

3）拆卸活塞环时应使用专用工具，如图 6-6 所示。

4）拆卸活塞销。用专用工具拆装活塞销卡簧，取出活塞销将活塞与连杆分离。

（5）汽缸体的拆卸

1）将汽缸体反转倒置在工作台上。

2）拆下中间轴密封凸缘，拆下汽缸体前端中间轴密封凸缘中的油封。

3）在汽油泵及分电器已拆卸的情况下，拆下中间轴。

4）拆下正时齿带轮端曲轴油封。

5）拆下前油封凸缘及衬垫。

6）分几次从中间到两边逐渐拧松主轴承盖紧固螺栓，如图 6-7 所示。

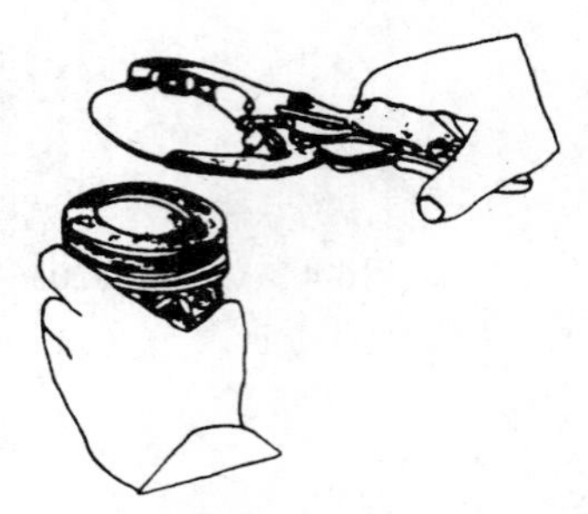

图6-6　拆卸活塞环

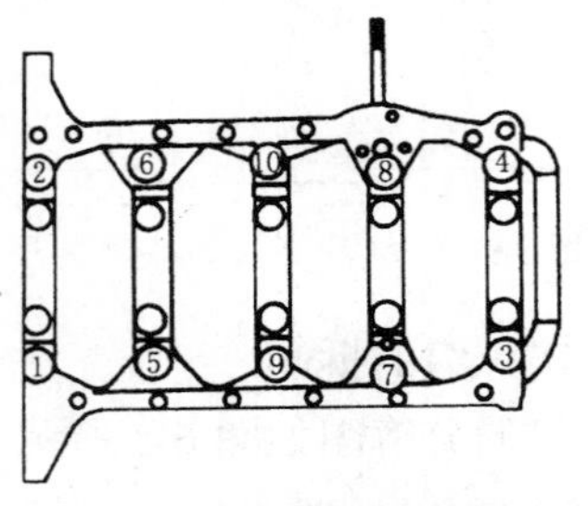

图6-7　曲轴主轴承盖的拆卸顺序

7）拆下曲轴各主轴承。

8）取下曲轴飞轮组用 V 形块平稳放置。

2．发动机主要零部件的英文名

（1）典型的顶置双凸轮轴配气机构（如图 6-8 所示）

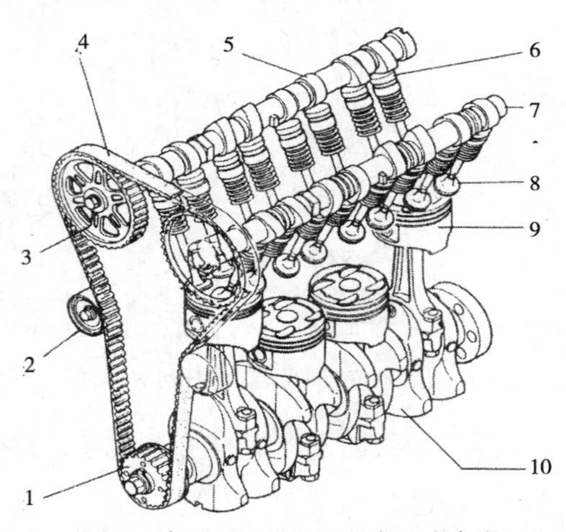

图6-8　典型的顶置双凸轮轴配气机构

* DOHC=double overhead camshaft 顶置双凸轴；
  camshaft belt drive 凸轮轴带传动机构

1—crankshaft timing pulleycrankshaft
—drive pulley 曲轴正时带轮；

2—tensioner pulley.tensioning pulley 张紧带轮；
—idler pulley 空转轮；
—belt tensioner 传动带张紧装置；
—jockey tensioner 惰轮张紧装置；

3—camshaft timing pulley 凸轮轴正时带轮；
—camshaft sprocket,camshaft drive pulley 凸轮轴带轮；
—synchronous belt pulley 同步带轮；

4—timing belt 正时带；
toothed timing belt 正时齿带；
synchronous belt 同步带；

5—intake camshaft 进气凸轮轴；

6—valve lifter，valve tappet 气门挺柱；
bucket tappet 桶形挺柱；
hydraulic valve lifter，valve tappet with hydraulic valve 液压气门挺柱；
hydraulic valve clearance adjuster 液压气门间隙节器；

7—exhaust camshaft 排气凸轮轴；

8—valve 气门；
exhaust valve 排气门；

9—piston 活塞；

10—crankshaft 曲轴

（2）（汽）缸体零部件（如图 6-9 所示）

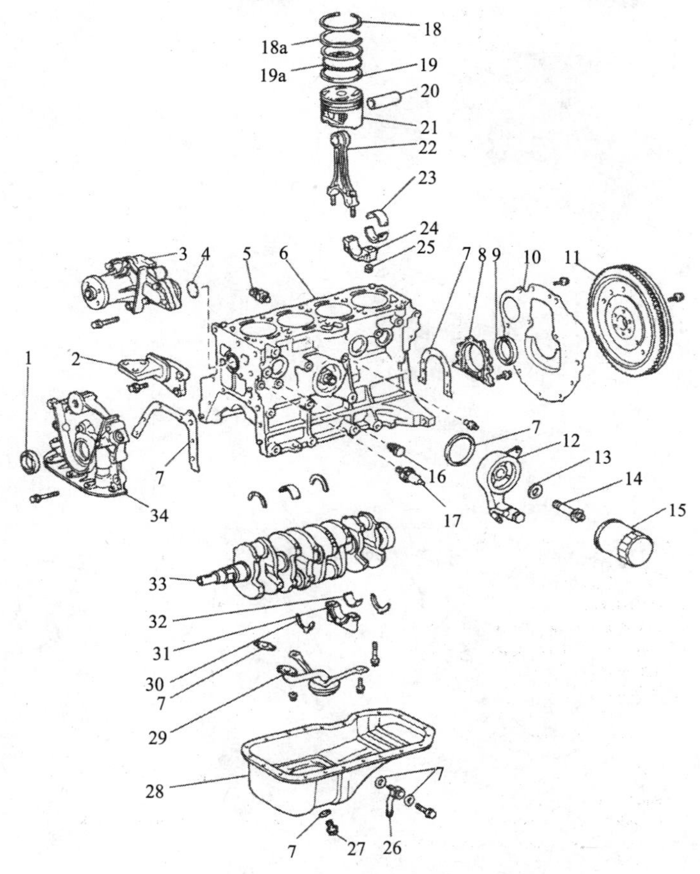

图6-9　（汽）缸体零部件

1—front oil seal 前油封；
2—RH engine mounting bracket 发动机右悬置支架；
3—water pump 水泵；
4—O-ring O型密封圈；
5—knock sensor 爆燃传感器；
6—cylinder block （汽）缸体；
7—gasket 衬垫；
8—oil seal retainer 油封座；
9—oil seal 油封；
10—rear end plate 后端板；
11—flywheel 飞轮；
—drive plate （自动变速器）传动板；
12—oil filter bracket 机油滤清器支架；
13—plate washer 平垫圈；
14—union bolt 接头螺栓；
15—oil filter 机油滤清器；
16—engine drain plug 发动机放水螺塞；
17—oil pressure switch 机油压力开关；
18—top compression ring 第一道气环；
18a—NO.2 compression ring 第二道气环；
19—side rail （油环）侧轨；
19a—expander （油环）胀簧；
20—piston pin 活塞销；
21—piston 活塞；
22—connecting rod 连杆；
23—connecting rod bearing 连杆轴承；
24—connecting rod cap 连杆轴承盖；
25—connecting rod cap nut 连杆轴承盖螺母；
26—oil cooler union 机油冷却器接头；
27—（oil）drain plug 放油螺塞；
28—oil pan 油底壳；
29—oil strainer 机油收集〔过滤〕器；
30—crankshaft thrust washer 曲轴止推垫圈；
31—main bearing cap 主轴承盖；
32—main bearing 主轴承；
33—crankshaft 曲轴；
34—oil pump 机油泵；
front cover 前盖

（3）（汽）缸盖零部件（如图6-10所示）

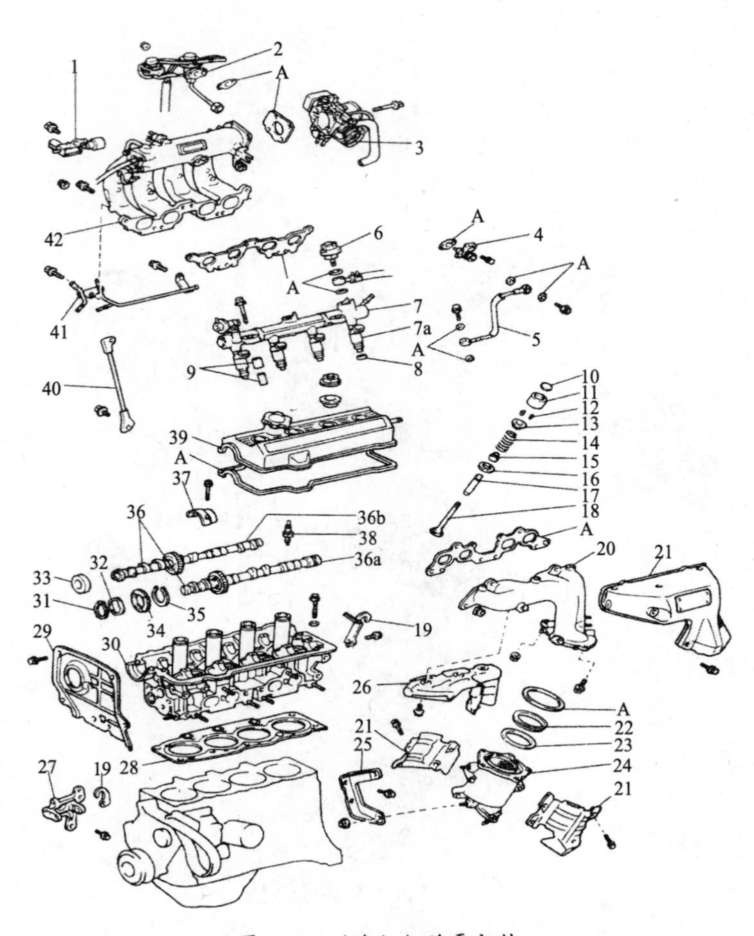

图6-10　（汽）缸盖零部件

A—gasket 密封垫圈；
B—cylinder head design （汽）缸盖结构；
B1—crossflow 横流（式）；
B2—counterflow 对流（式）；
1—EGR VSV、EGR vacuum switching
—valve EGB 真空开关阀；
2—EGR valve and vacuum modulator
—EGR 阀和真空调制器；
3—throttle body 节气门体；
4—cold start injector 冷启动喷油器；
5—cold start injector pipe 冷启动喷油器管；
6—fuel pulsation damper 燃油脉动衰减器；
7—delivery pipe 供给管，燃油轨；
7a—injector 喷油器；
8—insulator 隔热套；
9—spacer 隔套；
10—adjusting shim 调整垫片；
11—valve lifter 气门挺柱；
12—keeper 锁夹；
13—spring retainer 弹簧座〔保持器〕；
14—valve spring 气门弹簧；
15—oil seal 油封；
—valve stem seal 气门杆油封；
16—spring seat 弹簧垫圈；
17—valve guide〔bushing〕气门导管；
18—valve 气门、气阀；
19—engine hanger 发动机吊钩；
20—exhaust manifold 排气歧管；
21—heat insulator 隔热罩；
22—retainer 保持器；
23—cushion 缓冲垫；
24—catalytic converter 催化转化器；
25—catalytic converter stay 催化转化器支架；
26—lower heat insulator 下隔热罩；
27—alternator bracket 发电机支架；
28—cylinder head gasket （汽）缸盖垫片；
29—timing belt cover 正时带罩；
30—cylinder head （汽）缸盖；
31—snap ring 挡圈；
32—wave washer 波形垫圈；
33—oil seal 油封；
34—camshaft gear spring 凸轮轴副齿轮；
35—camshaft gear spring 凸轮轴齿弹簧；
36—camshaft 凸轮轴；
36a—intake camshaft 进气凸轮轴；
36b—exhaust camshaft 排气凸轮轴；
37—camshaft bearing cap 凸轮轴轴承盖；
38—spark plug 火花塞；
39—cylinder head cover （汽）缸盖罩；
40—intake manifold stay 进气歧管撑条；
41—air pipe 空气管；
42—intake manifold 进气歧管

根据在信息环节中获取的信息，列出发动机拆卸的工作计划表。表格的格式如表 6-1 所示。

表6-1　计划表

序　号	工 作 内 容	工具/辅具	注 意 事 项

1．实践准备

场地/工具准备： 8 人用实习场地一块、对应数量的课桌椅、黑板一块、常用工具一套、AFE发动机及拆装翻转台架一个、发动机拆装专用工具一套	资料准备： 桑塔纳2000GSI维修手册一本、教材、笔记本

2．实践要求

学生 4 人为一组，在教师的指导下。根据自己列出的工作计划拆卸发动机。

教师指导拆卸要求如下：

（1）强调安全文明生产。

（2）要求并监督学生用正确的拆卸顺序与方法操作。

（3）指导学生使其能够正确使用各种工具 / 专用工具。

（4）强化学生对拆卸下主要零部件名称（包括英文名）的记忆。

（5）督促学生完善自己的工作计划表。

教师收回学生完成的工作计划表。根据学生在实施环节中的表现制作评价表，对每位学生的表现进行点评。参考教师评价表如表 6-2 所示。

表6-2　评价表

学　号	姓　名	安全文明生产	拆卸顺序与方法	工具的使用	零部件的熟悉程度	工作计划的完成	总 评 语

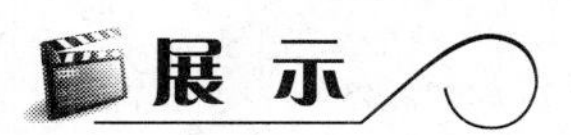

1.实施中每组同学选一名代表在全班同学面前讲解,拆卸 AFE 型发动机的工作过程。

2．填出图 6-11 中各零部件的英文名称。

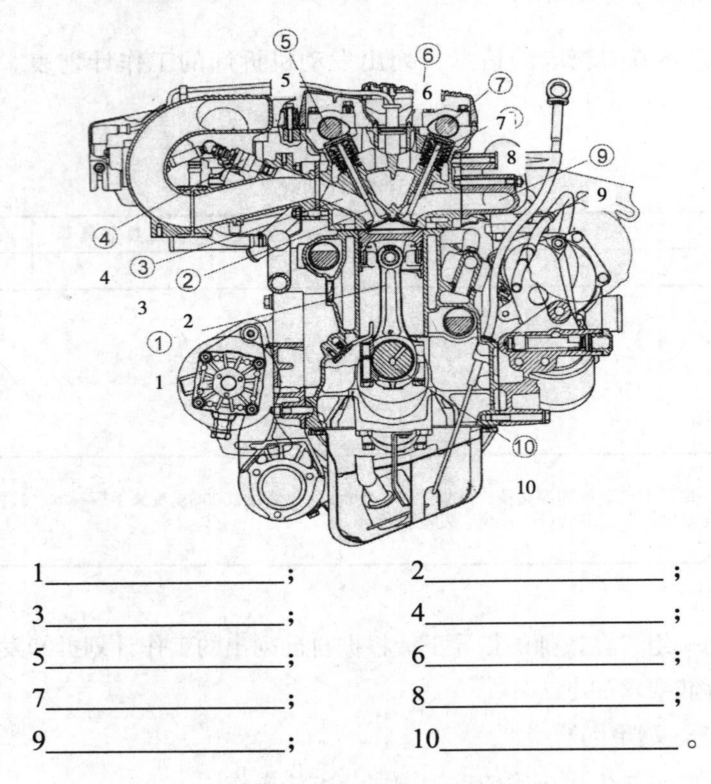

1________________；　　2________________；

3________________；　　4________________；

5________________；　　6________________；

7________________；　　8________________；

9________________；　　10________________。

工作任务 7

机体组的结构与检修

任务描述

一辆桑塔纳 2000GLI 型轿车，行驶了 17 万千米。车主反映在前一年发现发动机排气冒蓝烟，近期冒蓝烟情况现象越发严重，行驶不到 3000 千米机油量减少一半。

我们在工作任务 6 中已经完成了对发动机的拆解，现在我们的任务是对机体组各零部件进行检查并修理。

基础知识

1．机体组的结构

机体组主要由汽缸体、汽缸盖、汽缸垫、曲轴箱和油底壳等部件组成。

（1）汽缸体

汽缸体是发动机各个机构和系统的装配基体，因而也把汽缸体看做发动机的本体，是发动机中重要的一个部件。

汽缸体的工作条件十分苛刻，既要承受燃烧过程中膨胀压力周期性交变载荷的作用，又要承受活塞在缸内高速变速过程中产生的惯性力和侧压力等的作用。多采用薄壁轻型汽缸体，同时在有些部位增设加强筋，以保证在不过多增加质量的前提下，提高汽缸体的刚度。

1）汽缸体的结构

汽缸体有直列、V形和水平对置三种形式。

2）汽缸体下部——曲轴箱的结构

汽缸体下部——曲轴箱的结构有一般式、龙门式和隧道式（如图 7-1 所示）。

① 一般式：汽缸体的下端面与曲轴轴线在同一平面内。此结构较为紧凑，便于制造加工，缺点是刚度和强度较低，故常用于小型汽油机。

② 龙门式：汽缸体下端面于曲轴轴线以下。这种结构的汽缸体刚度和强度都比较好，因而多用于中型发动机。

③ 隧道式：主轴承座孔为整体结构，刚度更高。这种结构多用于安装滚动式主轴颈轴承和组合式曲轴。

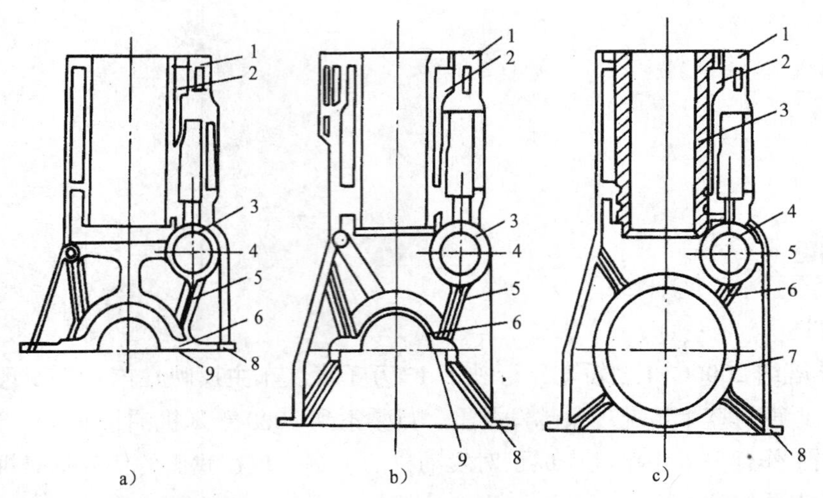

1—缸体；2—水套；3—凸轮轴孔座；4—加强筋；5—缸套；6—主轴承座；7—主轴承座孔；
8—安装油底壳的加工面；9—安装主轴承盖的加工面

图7-1　缸体结构示意图

3）汽缸壁与汽缸套

① 汽缸壁。由于汽缸工作表面直接与高温、高压燃气相接触，而且当活塞在其中做高速往复运动时，缸壁工作表面又要承受很大的侧压力，受这种交变载荷的周期作用，所以，汽缸壁必须耐高温、耐磨损、耐腐蚀，以及具备较高的耐疲劳强度。为了满足上述要求，一般可通过改进缸体材料，提高缸壁表面加工精度，采用表面强化工艺，改进结构等设施来实现。

② 汽缸套。优质材料制造汽缸体，在提高了缸体使用性能的同时也使制造成本增加。为了节约材料，降低成本，在结构设计中广泛采用缸体内镶入汽缸套的方法，汽缸套采用耐磨性好的优质合金钢来制造，而缸体则可用价格较低的普通铸铁或比重较小的铝合金等材料来制造。这样即保证了汽缸壁工作表面具有较高的耐高温、耐磨损、耐腐蚀和耐疲劳强度的性能，又节约了材料，降低了成本。铝合金汽缸体的优点是质量轻、传热性能好，缺点是材料费用高。铝合金汽缸体必须加装合金铸铁汽缸套。

汽缸套有干式和湿式两种，如图 7-2 所示。

a．干式（见图 7-2 a)）汽缸套外表面不直接与冷却水接触，其壁厚一般为 1 ～ 3mm。为了获得与缸体间足够的接触面积，保证缸套的散热和定位，缸套的外表面与其装配的汽缸体承孔的内表面都有一定的加工精度，二者采用过盈配合。

干式缸套的优点是不会引起漏水、漏气现象，缸体结构刚度大、缸心距小，整体结构紧凑。如南京依维克用索菲姆（SOFM）8140 四缸柴油机即采用合金铸铁的薄壁（壁厚仅 1.50mm）干式缸套。

b．湿式（见图 7-2 b）/c)）缸套外表面直接与冷却水接触，冷却效果好。其壁厚比干式缸套厚，一般为 5 ～ 9mm。为了防止漏水，湿式缸套的定位包括径向定位和轴向定位两部分。依靠缸套外表面上的圆环带 A 和 B 来实现径向定位，A 称为上支承定位带，B 称为下支承定位带。利用缸套上部凸缘的下平面实现轴向定位，为了防止漏水、漏气，有的缸套凸缘下平面处还加装有紫铜垫片。

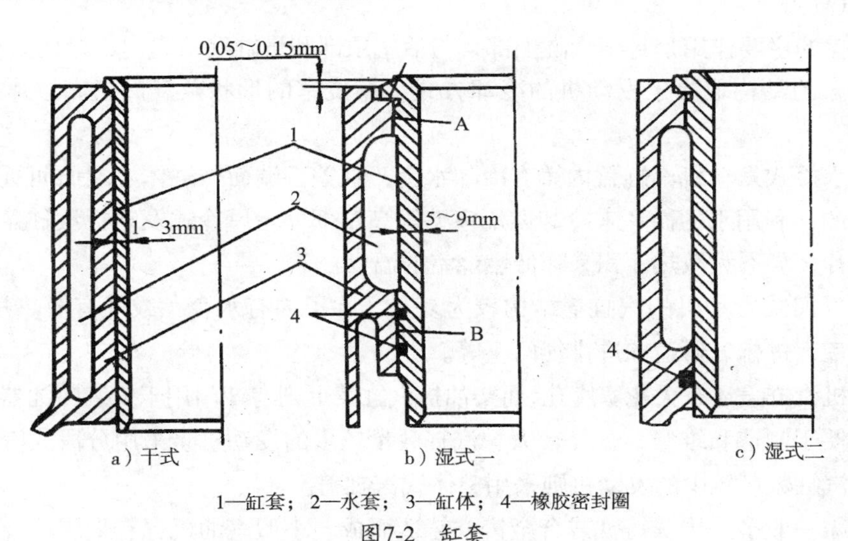

1—缸套；2—水套；3—缸体；4—橡胶密封圈

图7-2　缸套

为了便于装配，缸套上支承定位带直径略大，与承孔配合较紧；而下支承密封带直径较小，与座孔配合较松，必须加装 1 ～ 3 道橡胶密封圈来封水。常见的密封形式有涨封式和压封式。

缸套装入座孔后，缸套顶面略高出汽缸体上平面 0.05 ～ 0.15mm（见图 7-2 b)）。这样，当拧紧缸盖螺栓时可以将汽缸垫压得更紧，以保证汽缸的密封，防止漏水、漏气现象的发生。

湿式缸套的优点是简化了缸体水套结构，散热效果好，维修中便于更换。缺点是降低了刚体的刚度，易出现漏气、漏水现象。湿式缸套多用于柴油发动机上，如玉柴 YC6105QC 型柴油机就采用湿式缸套。

③ 分水套。如果汽缸内不设分水套，容易造成各缸冷却强度不均，进水口一端的汽缸冷却强度好，而远离进水口一端的冷却效果差。

为了解决这一问题，通常采用给汽缸体内增设分水套的办法，为每个汽缸提供一个冷却水旁通通路，以保证各缸均匀冷却。

④ 曲轴主轴承座。曲轴主轴承在汽缸体下部曲轴箱中加工而成，目前普遍采用全支承的方式。对于直列发动机来讲，每个汽缸两侧各有一个主轴承，对于V型发动机来说，每一对汽缸两侧各有一个主轴承。

过去多采用单个轴承盖，即每个轴承各有一个轴承盖。现在为了增强主轴承的支承刚度，采用梯形梁的结构形式，把每个轴承盖连成一体，如瑞典的沃尔沃直列六缸发动机便采用此种结构。

（2）汽缸盖与汽缸垫

1）汽缸盖

汽缸盖的主要作用是封闭汽缸上部，与活塞顶部和汽缸壁一起构成燃烧室。

汽缸盖的结构取决于发动机的冷却方式、燃烧室的形状及气门的布置形式等影响因素。

一般水冷式发动机汽缸盖内铸有冷却水套，缸盖下端面与缸体上端面间所对应的水套是相通的，利用水的循环来冷却燃烧室壁等高温部分。风冷式发动机汽缸盖上则铸有许多散热片，靠增大散热面积来降低燃烧室的温度。

顶置气门式发动机的汽缸盖结构较为复杂，除了内有水套（或外有散热片）之外，还有燃烧室，进排气通道和进排气门座等。

汽油机汽缸盖还有火花塞座孔，而柴油机汽缸盖上则有专门用于安装喷油器的座孔。

为了便于制造和维修，缸径较大、汽缸数量较多的发动机多采用分段式汽缸盖，缸径较小、汽缸数量较少的发动机则采用整体式汽缸盖。

汽缸盖一般多采用灰铸铁或合金铸铁铸造而成。小型汽油机也有采用铝合金汽缸盖的，铝合金比重小，导热性好，有利于提高压缩比，但铝合金汽缸盖刚度低，使用中易变形。

2）汽油机燃烧室

汽油机燃烧室由活塞顶部（指上止点时）与缸盖上相应的凹坑所组成。燃烧室的形状对发动机的工作和性能影响很大。因此要求燃烧室：

• 结构要紧凑，冷却面积要小，以利于减小热量损失，缩短火焰行程控制爆燃发生；

• 应能够提高换气效率，促使进气产生涡流，以便利用压缩行程终了时的涡流运动来加快混合气燃烧速度，充分燃烧；

• 应能够将火花塞布置在燃烧室的中间，以利于火焰向四周传播，快速、充分燃烧。

汽油机燃烧室的结构形式主要有以下几种，如图 7-3 所示。

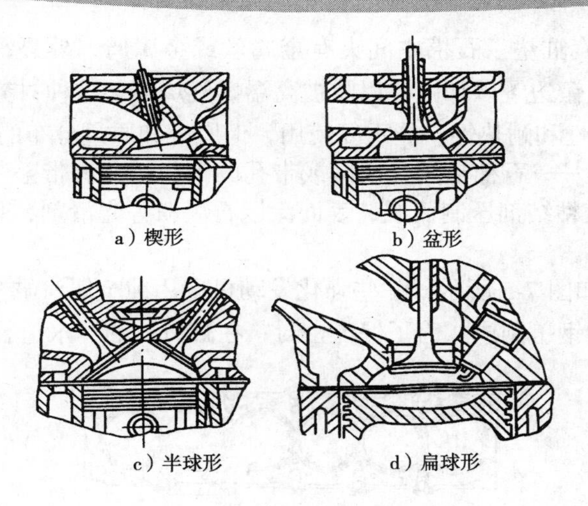

图7-3　汽油机燃烧室的结构形式

① 楔形燃烧室：楔形燃烧室结构紧凑；气门斜置，气道导流效果较好，充气效率高，易形成涡流，故动力性和经济性都比较高，并有利于减少 CO 和 HC 化合物的排放。解放 CA6102 型发动机采用这种燃烧室。

② 盆形燃烧室：盆形燃烧室结构比较紧凑，能产生挤气涡流，但盆的形状狭窄，气门尺寸受到限制，气道弧线较差均影响换气效果。因而，动力性与经济性均不如楔型燃烧室。（北京 BJ2020 配置的 492QG2 型发动机采用盆形燃烧室。）

③ 半球形燃烧室：半球形燃烧室气门成横向 V 形排列，有利于增大气门头部直径，换气效率高；火花塞多位于燃烧室的中部，火焰行程短，燃烧速度快，不易产生爆燃；结构紧凑，散热面积小，因而动力性和经济性都很好。此结构气门排成双列，配气机构较为复杂。半球形燃烧室多用于高速发动机。

④ 扁球形燃烧室与半球形燃烧室相近，结构也很紧凑，但气门仍排成一列，不影响配气机构的结构。上海桑塔纳轿车发动机采用扁球形燃烧室。

3）汽缸垫

汽缸盖与汽缸体之间装有汽缸衬垫，简称汽缸垫。其作用是保证汽缸盖与汽缸体间的密封，防止燃烧室漏气、水套漏水。

汽缸垫的构造如图 7-4 所示。目前应用较多的是金属—石棉汽缸垫。

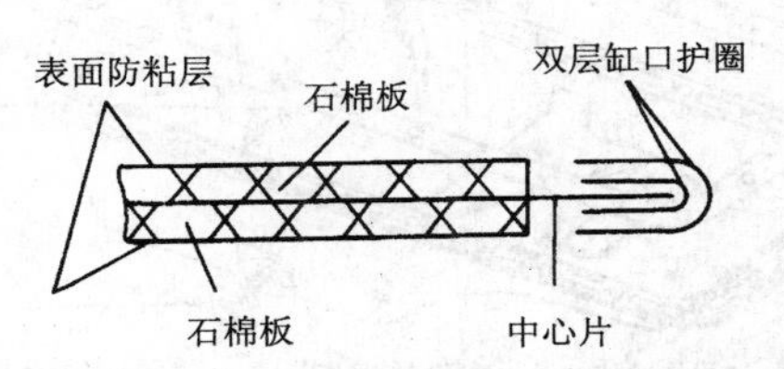

图7-4　解放CA6102型发动机缸盖垫片断面形式

① 金属—石棉汽缸垫：石棉中间夹有金属丝或金属屑，外裹铜片或钢皮。水孔和燃烧室孔周围用金属镶边予以加强，以防被高温燃气烧坏。这种衬垫压紧厚度为 1.2 ～ 2.0mm，有很好的弹性和耐热性，能重复使用，但厚度和质量分布的均一性较差。

另一种金属骨架——石棉垫用金属网或带孔的钢板（冲有带毛刺小孔的钢板）做骨架，外覆石棉及橡胶粘结剂压制而成，表面涂以石墨粉等光滑剂，只在缸口、油道口和水道口处用金属包边。

② 纯金属垫：如图 7-5 所示，一些强化发动机采用纯金属汽缸垫，由单层或多层金属片（铜、铝或低碳钢）制成。为了保证密封，在缸口、油、水道孔处有弹性凸筋。

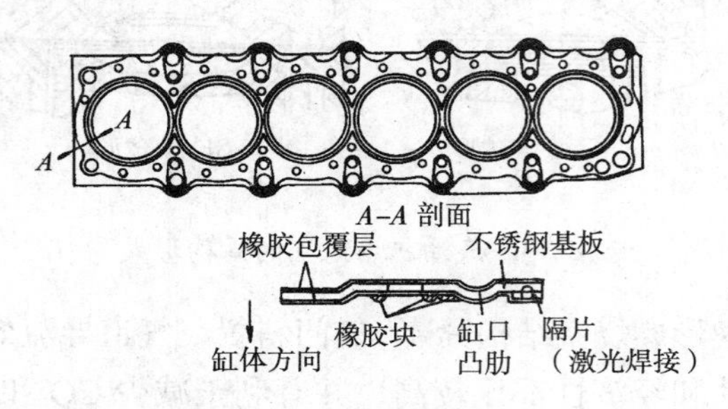

图7-5　金属缸盖垫片

随着新型密封材料的研制，一些发动机开始使用单层金属片加耐热密封胶，或只用耐热密封胶，彻底取代了汽缸垫。使用耐热密封胶或纯金属垫的发动机，对缸体与缸盖结合面的加工精度要求较高。

（3）油底壳

油底壳的主要作用是存储机油并封闭曲轴箱。油底壳受力很小，一般采用薄钢板冲压而成，如图 7-6 所示。其形状取决于发动机的总体布置和机油的容量。 为了保证发动机在纵向倾斜情况下，机油泵仍能吸到机油，油底壳后部一般较深，且在壳内设有挡油板，保证汽车颠簸时油面波动过大。底部设有放油塞，有的放油塞用磁性材料制成，能吸附机油中的金属屑，以减小发动机运动零件的磨损。有的发动机为了有利于油底壳内机油散热，采用铝合金铸造油底壳，并在壳的底部加铸散热片。油底壳与曲轴箱之间必须加装衬垫，以防漏油。近几年来，也有用密封胶取代衬垫的，防漏效果也比较理想。

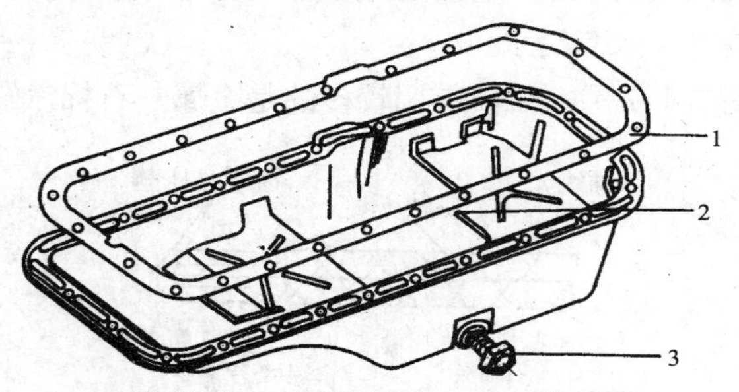

1—软木衬垫；　2—稳油挡板；　3—放油螺塞

图7-6　东风EQ6100-1型发动机油底壳

2. 汽缸测量

（1）汽缸磨损规律

汽缸磨损的程度是决定发动机是否需要进行大修的主要依据。当汽缸的磨损超过一定的允许限度后，将破坏活塞和活塞环的正常配合，使活塞环不能严密地紧压在缸壁上，造成漏气、窜油，使发动机功率下降，油耗增加，发动机不能正常工作。

汽缸的磨损程度 t 对汽车的动力性影响最大。汽缸磨损使其与活塞、活塞环的配合间隙增大,使汽缸压缩时的压力降低,导致发动机动力性下降。造成汽缸磨损的原因很多，主要有润滑不良、机械磨损、酸性腐蚀和磨料磨损等。

汽缸在使用过程中，其表面在活塞环运动的区域内形成不均匀的磨损。沿汽缸轴线方向磨成上大下小的锥形，磨损最大部位是当活塞在上止点位置时第一道活塞环相对应的缸壁，如图 7-7 所示。

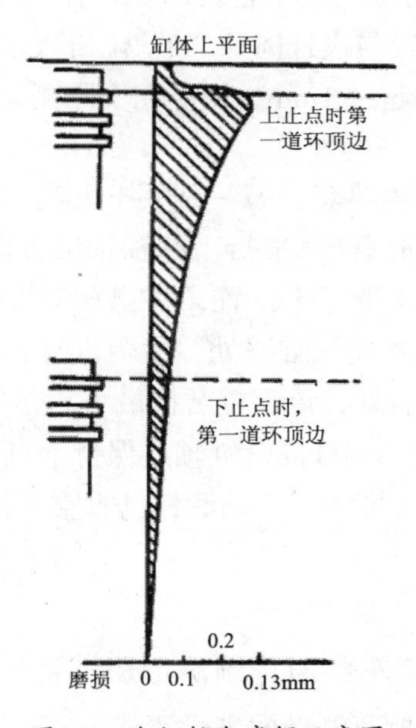

图7-7 汽缸轴向磨损示意图

活塞环不接触的上口，几乎没有磨损而形成台阶。汽缸沿圆周方向磨损也不均匀，形成不规则的椭圆形，最大径向磨损区通常接近于进气门的对面，如图 7-8 所示。

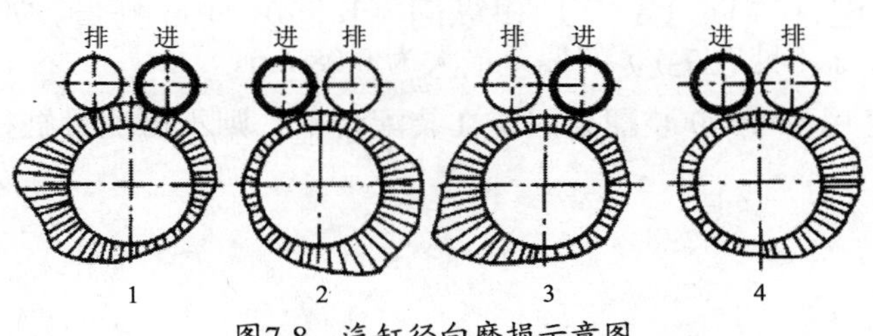

图7-8 汽缸径向磨损示意图

（2）量缸表的操作规范

1）安装、校对量缸表

① 按被测汽缸的标准尺寸、选择合适的接杆，装上后，暂不拧紧固定螺母。

② 把外径千分尺调到被测汽缸的标准尺寸，将装好的量缸表放入千分尺。

③ 稍微旋动接杆，使缸表指针转动约 2mm，使指针对准刻度零处，扭紧接杆的固定螺母。为使测量正确，重复校零一次。

2）读数方法

① 百分表表盘刻度为 100，指针在圆表盘上转动一格为 0.01mm，转动一圈为 1mm；小指针移动一格为 1mm。

② 测量时，当表针顺时针方向离开“0”位，表示缸径小于标准尺寸的缸径，它是标准缸径与表针离开“0”位格数的差；若表针逆时针方向离开“0”位，表示缸径大于标准尺寸的缸径，它是标准缸径与表针离开“0”位格数之和。

③ 若测量时，小指针移动超过 1mm，则应在实际测量值中加上或减去 1mm。

3）测量方法

① 使用量缸表，一手拿住隔热套，另一只手托住管子下部靠近本体的地方。

② 将校对后的量缸表活动测杆在平行于曲轴轴线方向和垂直于曲轴轴线方向两方位，沿汽缸轴线方向上、中、下取三个位置，共测六个数值。上面一个位置一般定在活塞在上止点时，位于第一道活塞环汽缸壁处，约距汽缸上端 15mm。下面一个位置一般取在汽缸套下端以上 10mm 左右处，该部位磨损最小。

③ 测量时，使量缸表的活动测杆同汽缸轴线保持垂直，才能测量准确。当前后摆动量缸表表针指示到最小数字时，即表示活动测杆已垂直于汽缸轴线。

@ 信 息

根据桑塔纳 2000GLI 型轿车的原厂维修手册，将发动机机体组检修的信息提供如下。在进行检修之前必须对所有测量面进行清洁。

1. 检查汽缸直径

使用 50 ～ 100mm 的量缸表检查汽缸直径，如图 7-9 所示。检查时应在上、中、下三个位置上，进行横向（A 向）和纵向（B 向）垂直测量，如图 7-10 所示。检查结果与标准尺寸（见表 7-1）的偏差最大为 0.08mm。

如果汽缸体已用 VW540 装配架固定在装配台上，则不可测量缸径，因为夹紧后测量不准。

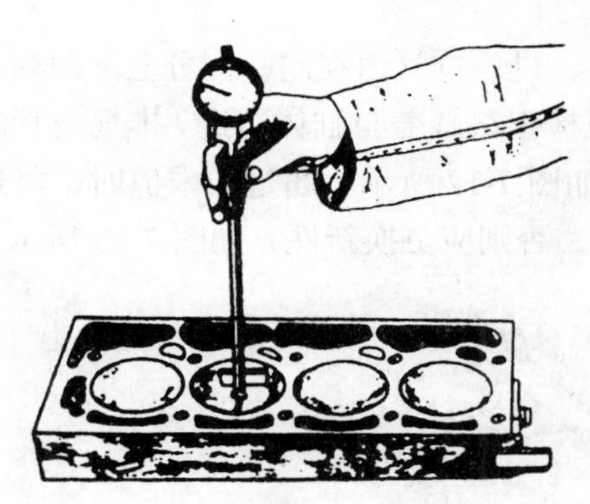
图7-9　用量缸表检查缸径

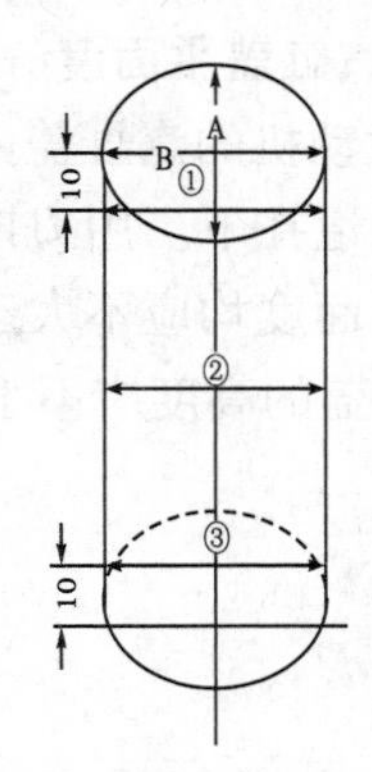

图7-10　汽缸的测量部位

表7-1　活塞与汽缸配合尺寸

磨损尺寸	活塞/mm	汽缸直径/mm
标准尺寸	80.98	81.01
第一次	81.23	81.26
第二次	81.48	81.51
第三次	81.98	82.01

搪磨后汽缸的圆度和圆柱度误差应不大于0.005mm。各缸直径之差不得超过0.05mm。将活塞倒装入汽缸中，在汽缸壁与活塞之间垂直活塞销方向插入厚0.03mm、宽12～15mm的厚薄规，再用拉力计（弹簧秤）检查拉出厚薄规时的拉力，其值应为98～245N，拉力过小或过大，则表明汽缸搪磨过量或不足。汽缸与活塞的配合间隙应为0.025～0.030mm，磨损极限值为0.11mm。

2．汽缸体上平面的平面度的检查

如图7-11所示，用刃口尺和厚薄规检查汽缸体上平面的平面度。测量汽缸体上平面的平面度均应不大于0.05mm。超过极限值时，可进行修磨。

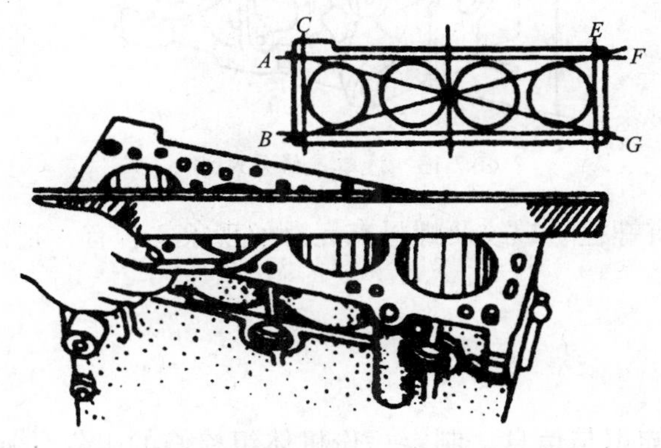

图7-11　检查汽缸体上平面的平面度

3. 检查汽缸盖平面度

AFE 型发动机的汽缸盖由铝合金铸造，进、排气道在同一侧分上下两列布置，进气道在上，排气道在下。用刃口尺和厚薄规检查汽缸盖与缸体、进 / 排气歧管的接合面的平面度，其平面度均应不大于 0.05mm，如图 7-12 所示。超过极限值时，可进行修磨。但修磨后汽缸盖的高度应不小于 132.6mm，否则应更换新件，如图 7-13 所示。

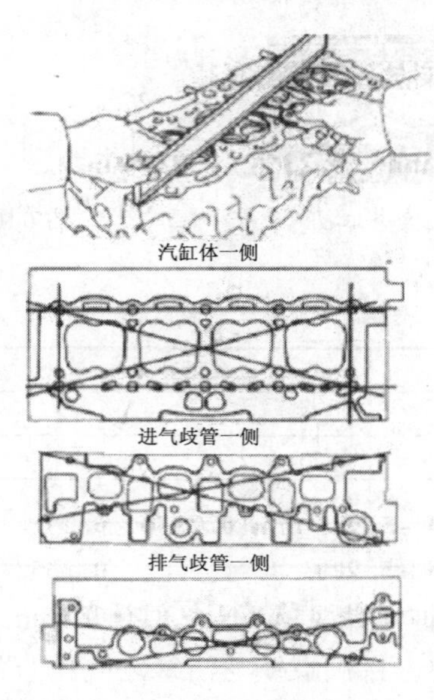

图 7-12　检查汽缸盖平面度

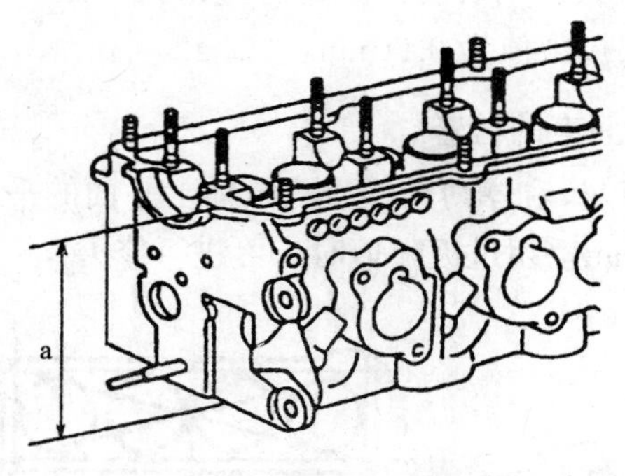

图7-13　汽缸盖修复尺寸

检查汽缸盖上所有螺栓、螺纹及螺母有无滑丝现象，若有，则视情况轻重进行修理或更换。

根据前面介绍的知识与信息，制定一份机体组检修的工作计划表，计划表格式如

表 7-2 所示。

表7-2　计划表

序　号	工 作 内 容	工具/辅具	注 意 事 项

实施

1. 实践准备

场地/工具准备： 8 人用实习场地一块、对应数量的课桌椅、黑板一块、常用工具一套、AFE发动机机体组一套、游标卡尺一把、量缸表一套、刃口尺一把、厚薄规一把	资料准备： 桑塔纳2000GSI维修手册一本、教材、笔记本

2. 实践要求

学生 2 人为一组，在教师的指导下。根据自己列出的工作计划对机体组进行检修。

教师指导要求如下：

（1）强调安全文明生产。

（2）要求并监督学生用正确流程操作。

（3）指导学生使其能够正确使用各种测量器具。

（4）要求学生将测量到的数据记录在记录表中。

（5）督促学生完善自己的工作计划表。

测量记录表如表 7-3 至表 7-5 所示。

表7-3　汽缸体上平面的平面度测量记录表

位 置 号	测 量 点 1	测 量 点 2	测 量 点 3	测 量 点 4	测 量 点 5	平 面 度
纵向1						
纵向2						
横向1						
横向2						
对角线1						
对角线2						

表7-4　汽缸盖下平面的平面度测量记录表

位 置 号	测 量 点 1	测 量 点 2	测 量 点 3	测 量 点 4	测 量 点 5	平 面 度
纵向1						
纵向2						
横向1						
横向2						
对角线1						
对角线2						

表7-5　汽缸测量记录表

千分尺校正前读数			量缸表测量杆长度		
汽缸号	位置号	直径1（纵向）	直径2（横向）	圆度	圆柱度
1	位置1（上部）				
	位置2（中部）				
	位置3（下部）				
2	位置1（上部）				
	位置2（中部）				
	位置3（下部）				
3	位置1（上部）				
	位置2（中部）				
	位置3（下部）				
4	位置1（上部）				
	位置2（中部）				
	位置3（下部）				
列出汽缸圆度、圆柱度计算公式： 圆度：　　　　圆柱度：					

检验

教师收回学生完成的工作计划表。根据学生在实施环节中的表现与记录表完成情况制作评价表，对每位学生的表现进行点评。参考教师评价表如表 7-6 所示。

表7-6　评价表

学号	姓名	安全文明生产	操作流程的遵守	量具的使用	记录表的记录	工作计划的完成	总评语

展示

1．机体组的组成，及其各组成零部件的作用与种类。

2．论述汽缸磨损的基本规律。

3．在全班同学之间举办一场以检修发动机机体组为题的技能比赛，比赛时间 20 分钟。由老师进行考评，比赛结束后公布比赛名次。

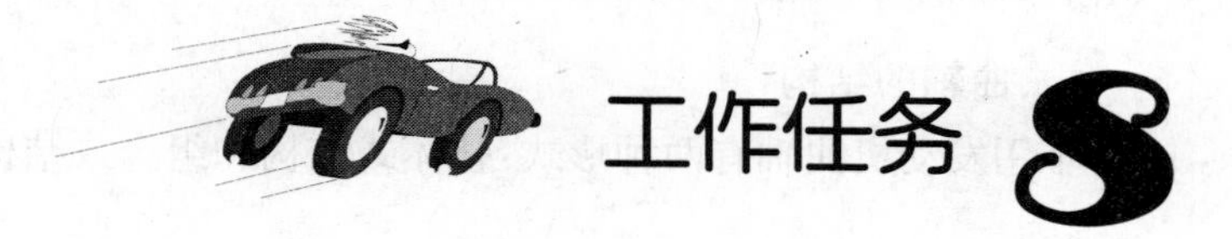

工作任务 8

曲轴飞轮组的结构与检修

导向

任务描述

一辆桑塔纳 2000GLI 型轿车，行驶了 17 万千米。车主反映在前一年发现发动机排气冒蓝烟，近期冒蓝烟情况现象越发严重。行驶不到 3000 千米机油量减少一半。

维修意见是对发动机机械部分进行检查与修理。在工作任务 7 中已经完成了对发动机机体组的检修。现在我们的任务是对曲轴飞轮组各零部件进行检查并修理。

基础知识

曲轴飞轮组主要由曲轴和飞轮以及其他不同作用的零件和附件组成。其零件和附件的种类取决于发动机的结构和性能要求。图 8-1 是直列六缸发动机曲轴飞轮组的组成。

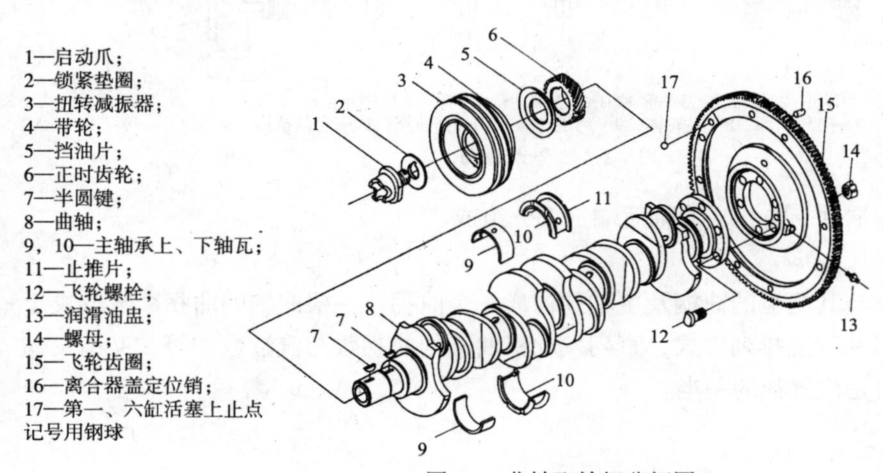

图8-1　曲轴飞轮组分解图

曲轴是发动机最重要的机件之一。其作用是将活塞连杆组传来的气体作用力转变成曲轴的旋转力矩对外输出，并驱动发动机的配气机构及其辅助装置（如发电机、水泵、风扇、机油泵、柴油机喷油泵）工作。

1. 曲轴的结构

车用发动机曲轴有两种形式:整体式结构和组合式结构,分别如图8-2与图8-3所示。

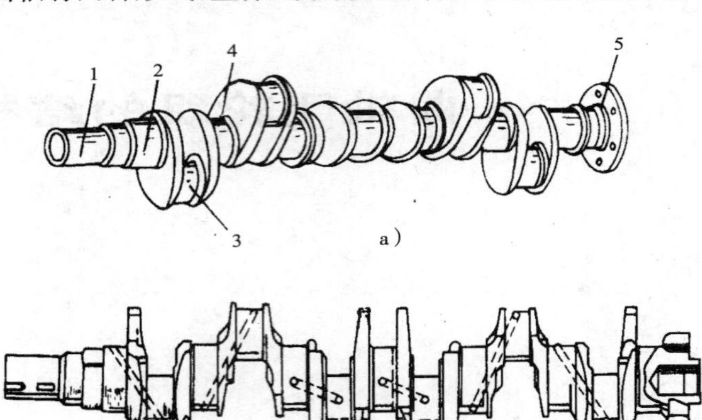

1—曲轴前端；2—主轴颈；3—曲柄销；4—曲柄；5—后端凸缘

图8-2 整体式曲轴

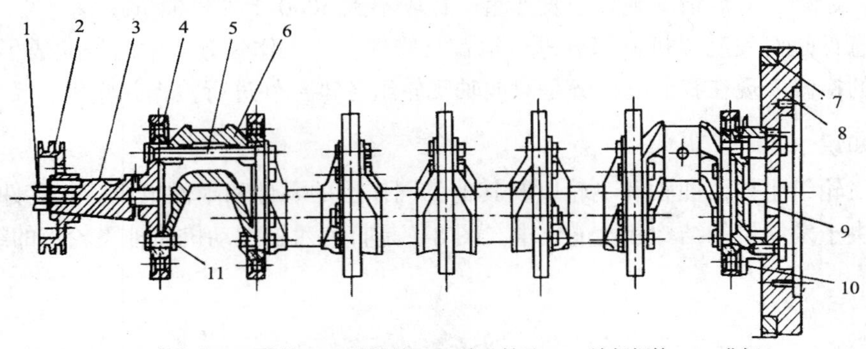

1—启动爪；2—带轮；3—前端轴；4—滚动轴承；5—连杆螺栓；6—曲柄；7—飞轮齿圈；8—飞轮体；9—后端凸缘；10—挡油圈；11—定位螺钉

图8-3 组合式曲轴

曲轴主要由前端轴、曲拐、曲轴后端三部分组成。

（1）曲拐

每个连杆轴颈与其两端的曲柄及主轴颈构成一个曲拐。一根曲轴的曲拐个数取决于发动机的汽缸数目和汽缸排列方式，直列发动机曲轴的曲拐数与汽缸数相等。V型发动机曲轴的曲拐数目是汽缸数的一半。

1）连杆轴颈

连杆轴颈也叫曲柄销，与连杆大头装配在一起。在直列发动机上，连杆轴颈数与汽缸数相同。在V型发动机上，采用一个连杆轴颈装两个连杆（装两列相对应的两个汽缸的连杆），其连杆轴颈数为汽缸数的一半。连杆轴颈一般为实心轴，有时为了减轻质量，也采用空心轴方式。

2）主轴颈

主轴颈是曲轴的支承部分。根据主轴颈的设置，可以把曲轴的支承方式分为：全支承和非全支承。全支承曲轴每个连杆轴颈两边各有一个主轴颈为支承点，故主轴颈数总是比连杆轴颈数多一个。非全支承曲轴主轴颈数等于或少于连杆轴颈数，只适合于中小负荷的发动机。

主轴颈和连杆轴颈是发动机中最关键的滑动配合副。为了提高轴颈的耐磨性，一般均进行表面淬火，轴颈过渡圆角处还须进行滚压强化等工艺，以提高其抗疲劳强度。

3）曲柄和平衡重

曲柄用来连接主轴颈和连杆轴颈。平衡重的作用是平衡连杆大头、连杆轴颈和曲柄等产生的离心力及其力矩，以使发动机运转平稳。

平衡重有两种，一种是与曲轴制成一体；另一种是制成单独的平衡重块，再用螺钉固定在曲柄上。后一种叫做装配式平衡重。如解放CA6102六缸发动机各曲拐的离心力和离心力矩本身可以平衡，虽然存在局部弯曲影响，但由于采用了全支承的方式，曲轴本身刚度较大，就不用再增加平衡重。而有的六缸发动机曲轴由于采用非全支承，曲轴刚性较弱，为了减轻主轴承的载荷，增设平衡重是完全必要的。

曲轴在装配前必须经过动平衡校验，对不平衡的曲轴，常在其偏重的一侧平衡重或曲柄上钻去一部分质量，以达到平衡的要求。

4）曲拐的布置与发动机工作循环表

① 一般规律。曲拐的布置主要取决于汽缸数、汽缸排列方式（直列、V型）和各缸的工作顺序，并应遵循以下原则：各缸的做功间隔角应均衡，以使发动机运转平衡。四冲程直列发动机做功间隔角为720°/i（i为汽缸数），即4缸机间隔角为720°/4＝180°，6缸机间隔角为720°/6＝120°。连续做功的两个汽缸应尽量远一些，以减小主轴承的载荷，同时避免相邻两缸进气门同时开启而出现进气重叠现象。V型发动机两列汽缸应交替做功。曲拐布置应尽可能对称、均衡。

② 常见的多缸发动机曲轴曲拐布置与工作循环表。四冲程直列4缸发动机曲轴曲拐布置如图8-4所示。做功间隔角为180°，4个曲拐布置在同一平面内。发火顺序有两种可能：1→3→4→2和1→2→4→3。它们的工作循环见表8-1和表8-2。

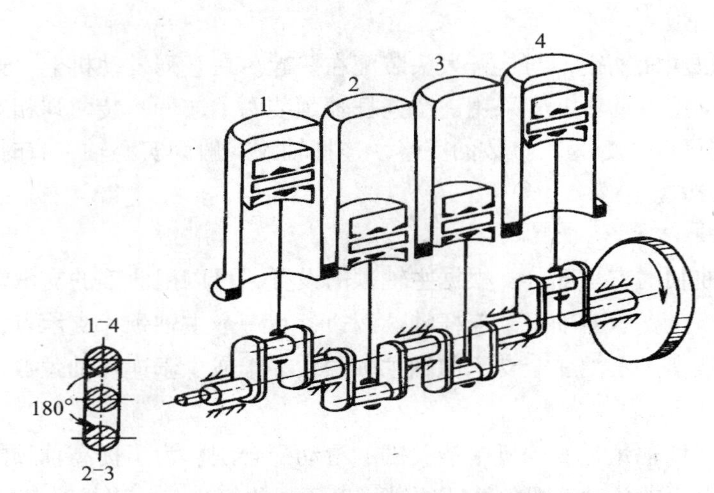

图8-4　直列四缸发动机的曲拐布置

表8-1　四冲程直列四缸发动机工作循环表（工作顺序 1 → 3 → 4 → 2）

曲轴转角/°	第　一　缸	第　二　缸	第　三　缸	第　四　缸
0～180	做功	排气	压缩	进气
180～360	排气	进气	做功	压缩
360～540	进气	压缩	排气	做功
540～720	压缩	做功	进气	排气

表8-2　四冲程直列四缸发动机工作循环表（工作顺序 1 → 2 → 4 → 3）

曲轴转角/°	第　一　缸	第　二　缸	第　三　缸	第　四　缸
0～180	做功	压缩	排气	进气
180～360	排气	做功	进气	压缩
360～540	进气	排气	压缩	做功
540～720	压缩	进气	做功	排气

（2）前端轴与曲轴后端

① 前端轴：曲轴前端主要用来驱动配气机构水泵和风扇等附属机构，故前端轴上安有正式齿轮（或齿形带轮）、风扇与水泵的皮带轮、扭转减振器及启动爪等。

② 曲轴后端：多数曲轴后端采用凸缘盘结构，用以安装飞轮。

③ 前后端的密封：曲轴前后端均伸出了曲轴箱，为了防止润滑油沿轴颈外漏，在曲轴的前后端均设有防漏密封装置。常见的密封装置有挡油盘、填料油封、回油螺纹等。一般发动机多采用两种以上防漏装置组成复合式防漏结构。

曲轴的后端防漏结构如图8–5所示。

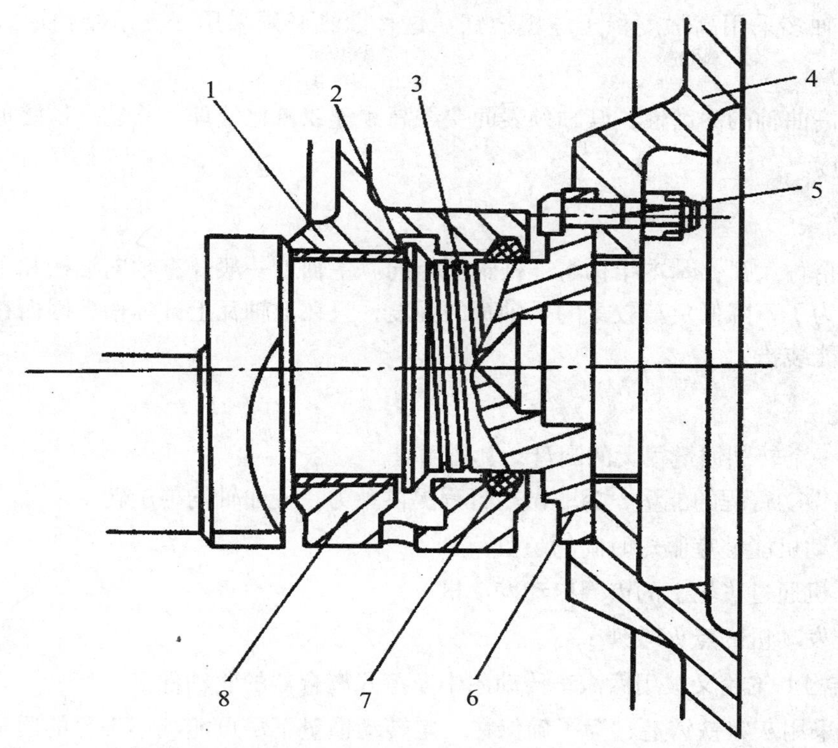

1—轴承座（曲轴箱体）；2—挡油盘（挡油凸缘）；3—回油螺纹；4—飞轮；
5—飞轮螺栓螺母；6—曲轴凸缘盘；7—分开式橡胶油封；8—轴承盖

图8-5　曲轴的后端防漏结构

（3）曲轴的轴向定位

发动机工作过程中，离合器通过飞轮作用于曲轴上的轴向力有使曲轴产生轴向窜动的趋势。曲轴的轴向窜动将破坏曲柄连杆机构各零件间正常的相互位置，故必须采取轴向限位措施加以限制。

曲轴的轴向定位一般采用止推片或翻边轴瓦。定位装置可以装在前端第一道主轴承或中部某轴承处。为了保证曲轴在受热膨胀时能够自由伸张，曲轴的轴向定位装置只能设置一处。

桑塔纳 JV 发动机采用全支承锻制曲轴，在第三道主轴承两端装止推片实现轴向定位。

解放 CA6102 型发动机在曲轴第一道主轴承座两端加装环状整体式止推片实现轴向定位。

为了满足曲轴受力要求，一般选用强度高、耐冲击韧性和耐磨性能好的优质中碳结构钢、优质中碳合金钢或高强度球墨铸铁来制造曲轴。制造方法有锻造、铸造等。

锻造曲轴多采用精选 45 号优质碳素结构钢或 40Cr、38Cr Mo 等中碳合金钢。

铸造曲轴多采用高强度稀土球墨铸铁。这种曲轴必须采用全支承结构形式以保证刚度。

为了提高曲轴的耐磨性，其轴颈表面要经高频淬或氮化处理，并进行精磨加工，达到很高的精度。

2. 主轴承

主轴承俗称大瓦，基本结构与连杆轴承相同。主轴承一般开有轴向油槽和主油孔。有的发动机为了不降低负荷较重的下轴瓦的强度，只在上轴瓦上开油槽，因而在装配时两片轴瓦不能装错。

3. 飞轮

飞轮是一个转动惯量很大的圆盘，其作用是

① 存储做功行程的能量，为非做功行程提供动力，使曲轴均匀旋转；

② 使发动机能够克服短时间的超负荷；

③ 启动机通过飞轮上的齿圈启动发动机；

④ 校准发动机的点火时刻；

⑤ 在结构上飞轮又被用做汽车传动系中摩擦式离合器的驱动件。

飞轮多采用灰铸铁铸造，为了确保在一定转动惯量下尽可能减小飞轮的质量，应尽量使较多的质量沿轮边分布，采用外厚内薄的结构。飞轮外缘上压有一个齿圈，与启动机的驱动齿轮啮合，供启动发动机时使用。

多缸发动机的飞轮应与曲轴一起进行动平衡试验，否则会造成旋转时不平衡而产生附加载荷，造成发动机运转不平衡。为了保证在拆装过程中，不破坏飞轮与曲轴间的装配关系，采用定位销或不对称螺栓布置方式，安装时应加以注意。

@信息

根据桑塔纳2000GLI型轿车的原厂维修手册，将AFE型发动机曲轴飞轮组检修的信息提供如下。在进行检修之前必须对曲轴飞轮组所有零件进行清洁。

1. 曲轴飞轮组的拆装

AFE型发动机曲轴飞轮组的拆装可如图8-6所示进行，具体操作过程中应注意以下问题：

① 飞轮拆卸时，使用专用工具10-201卡住飞轮齿圈，拧下飞轮紧固螺栓，从曲轴上拆下飞轮，如图8-7所示。

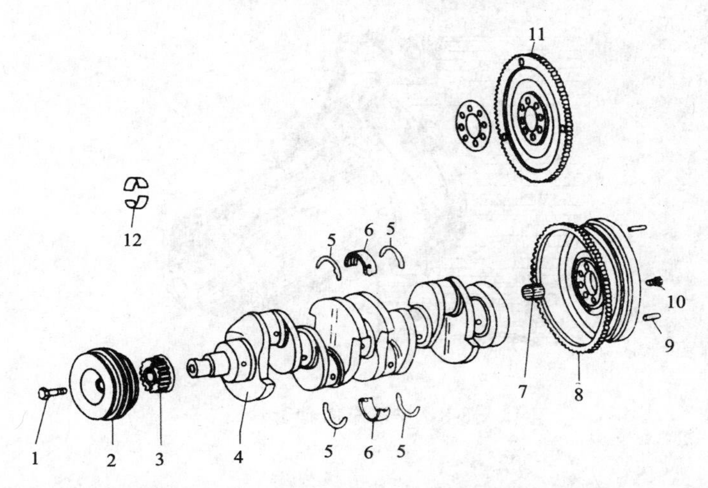

1—曲轴V形带轮、正时齿带轮的轴向紧固螺栓；2—V形带轮；3——曲轴正时齿带轮；4——曲轴；5——半圆形止推环；6—主轴承；7—滚针轴承；8—飞轮齿圈；9—定位销；10—飞轮紧固螺栓；11—飞轮；12—连杆轴承

图8-6 曲轴飞轮组分解图

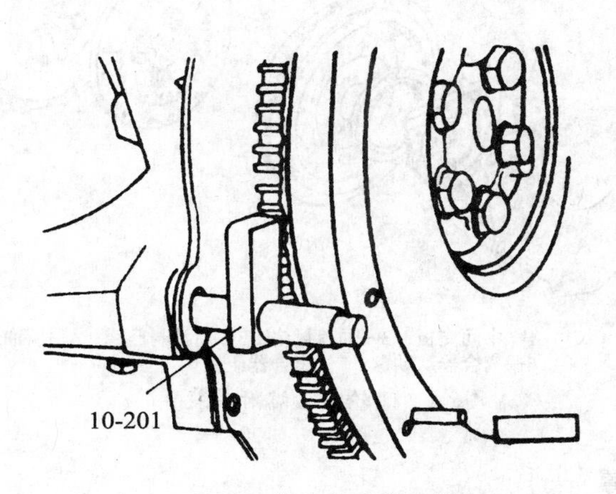

图8-7 拆卸与安装飞轮

② 拆卸飞轮内孔中滚针轴承时，使用专用工具 10-202。轴承标记必须打印在朝外一面。

安装滚针轴承时，滚针轴承有字的一面向外，安装好后应清晰可见。安装时使用专用工具 VW207C。

安装好后，滚针轴承外端面与飞轮安装孔外端面的距离为 1.5mm。

③ 用专用工具 VW10-203 安装中间轴密封圈，如图 8-8 所示。

④ 飞轮与曲轴凸缘有 6 个不对称布置的紧固螺栓，其紧固力矩为 75N · m。安装飞轮时，螺栓上应涂 D6 防松胶。

⑤ 曲轴后端飞轮与附属装置的拆卸顺序如图 8-9 所示。

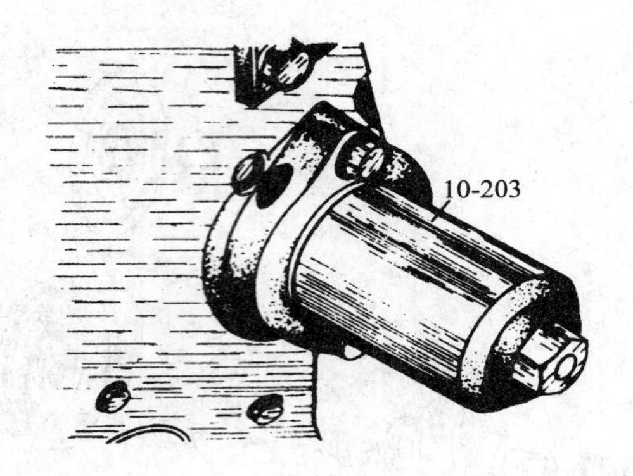

图8-8　安装中间轴密封圈

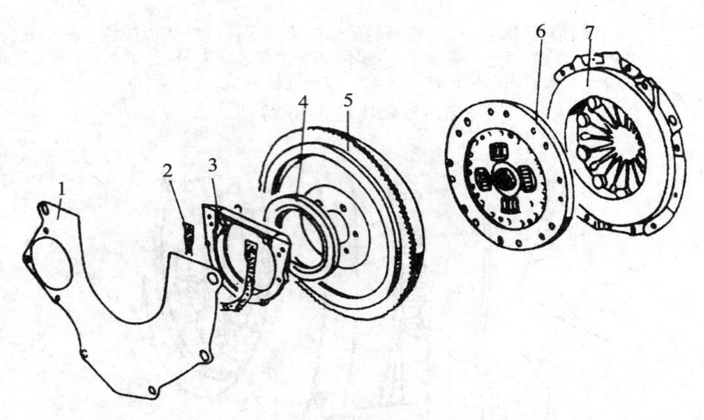

1—中间支板；2—油封衬垫；3—后油封凸缘；4—后油封；5—飞轮；
6—离合器从动盘；7—离合器压盘

图8-9　飞轮与后端附属装置

2．检查曲轴弯曲量

用V形铁将曲轴两端水平支撑在平台上，使百分表的测量触点垂直抵压到第三道主轴颈上。转动曲轴一周，百分表指针所指示的最大和最小读数差值的一半即为曲轴的直线度误差，其值应不大于0.03mm，否则应进行压校或更换曲轴，如图8-10所示。

3．曲轴的磨损量

用外径千分尺测量曲轴主轴颈和连杆轴颈的圆度和圆柱度，其标准值应为0.01mm，磨损极限值为0.02mm，如图8-11所示。

超过标准要求时，可用曲轴磨床按修理尺寸法对轴颈进行修磨，曲轴磨损后磨削数据如表8-3所示。

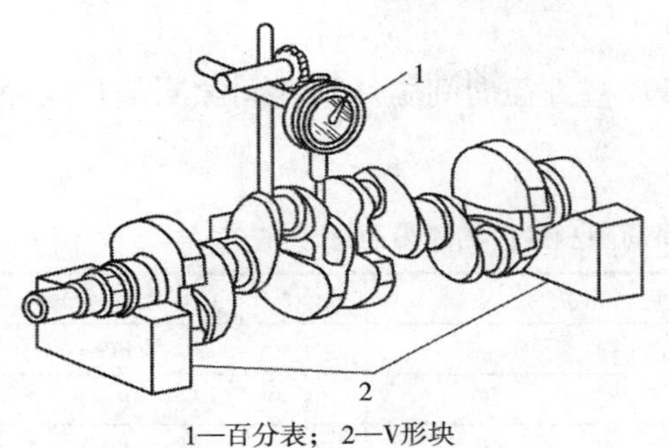

图8-10　曲轴弯曲度检测

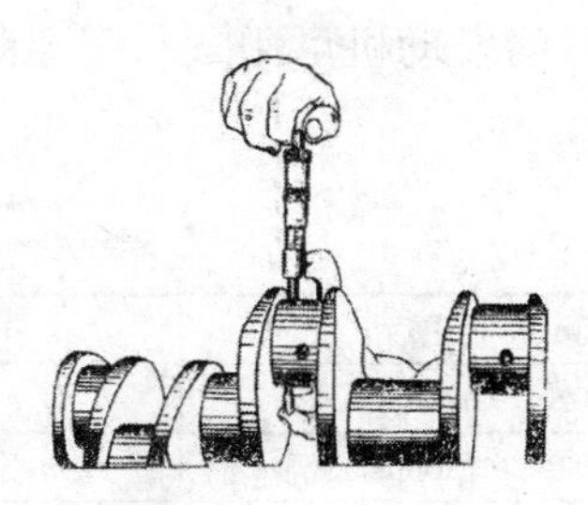
图 8-11　曲轴轴颈测量

表8-3　曲轴维修技术数据

尺　　寸	曲轴主轴承轴颈/mm		连杆轴颈/mm	
标准尺寸	54.00	−0.022 −0.042	47.80	−0.022 −0.042
第一次缩小尺寸	53.75	−0.022 −0.042	47.55	−0.022 −0.042
第二次缩小尺寸	53.50	−0.022 −0.042	47.30	−0.022 −0.042
第三次缩小尺寸	53.25	−0.022 −0.042	47.05	−0.022 −0.042

4．检查曲轴轴向间隙

将曲轴撬向一端，用厚薄规检查第三道主轴承的轴向间隙（配合间隙），如图 8-12 所示。新的轴承轴向间隙为 0.07 ～ 0.17mm，磨损极限值为 0.25mm。轴向间隙超过极限值时，应更换第三道主轴承两侧的半圆止推环。

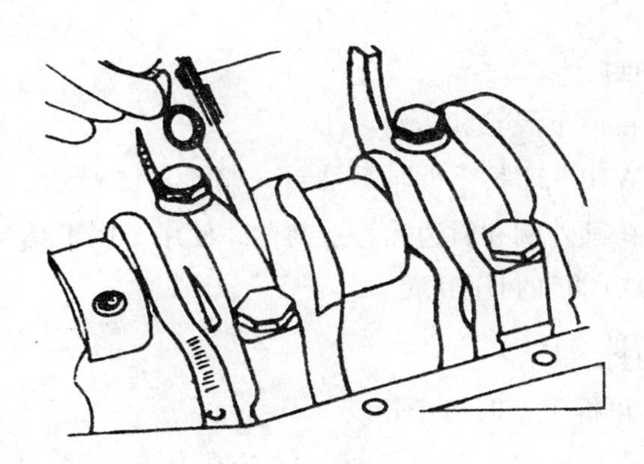
图8-12　检查曲轴轴向间隙

5．检查曲轴径向间隙

已装好的发动机可用塑料间隙测量片检查径向间隙。塑料间隙测量片的测量范围如表 8-4 所示。

表8-4　塑料间隙测量片的测量范围

测量范围	色　别	型　号
0.025～0.076mm	绿	PG-1
0.050～0.150mm	红	PR-1
0.100～0.230mm	蓝	PB-1

① 拆下曲轴轴承盖，清洁曲轴轴承和曲轴轴颈。

② 将塑料间隙测量片放在轴颈或轴承上，如图 8-13 所示。

③ 装上曲轴主轴承盖，并用 65N · m 力矩紧固，不得使曲轴转动。

④ 如图 8-14 所示，拆下曲轴主轴承盖，用测量尺测量挤压过的塑料测量片的厚度。新轴承径向间隙应为 0.03 ～ 0.08mm，磨损极限值为 0.17mm。超过磨损极限时，应对相应轴承进行更换。

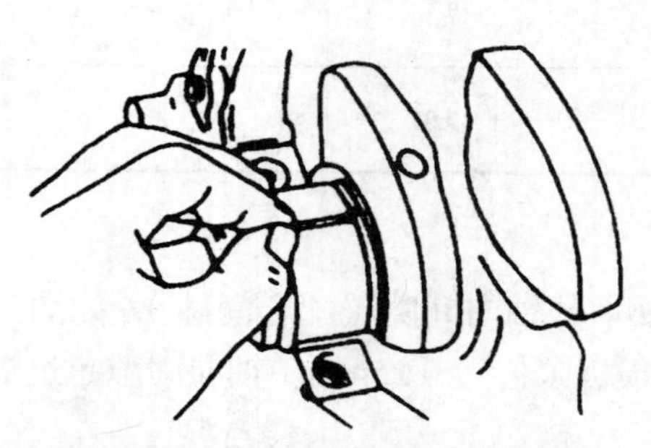

图8-13　在曲轴轴颈上放置塑料测量片

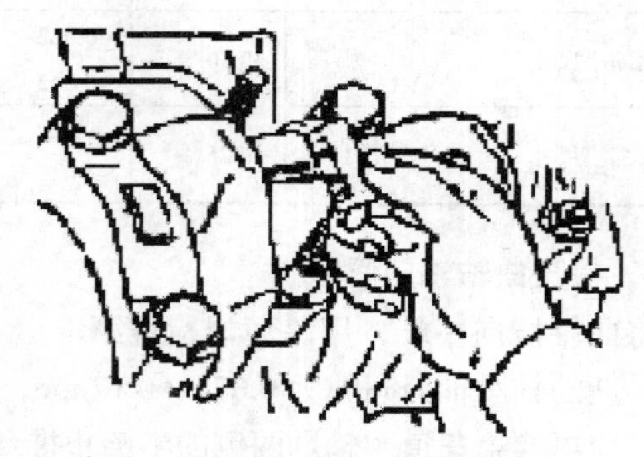

图8-14　用测量规测量曲轴径向间隙

6．更换曲轴后油封

① 拆下变速器，再拆下飞轮和压盘。

② 用专用工具 VW10-221 拆下曲轴后油封，如图 8-15 所示。

③ 安装油封时，在其外圈和唇边涂一层薄油，使用专用工具 VW2003/2A 装上油封，并用专用工具 VW2003/l 将油封压到底。

7．更换曲轴前油封

① 拆下 V 形带，再拆下正时齿带轮。

② 将油封取出器 VW2085 内件（图 8-16 箭头 A 所示）从外件中旋出 2 圈（约 2mm），并用滚花螺钉（图 8-16 箭头 B 所示）锁紧。

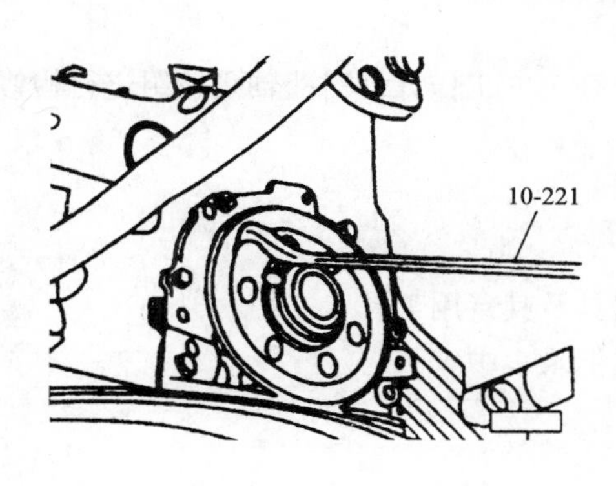

图8-15　拆卸曲轴后油封

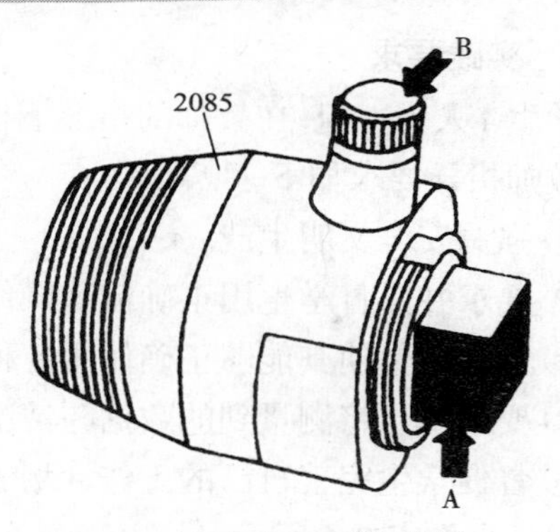

A—内件；B—滚花螺钉

图8-16　油封取出器

③ 旋出汽缸螺栓 3083，将油封取出器 VW2085 旋进曲轴，拆出油封。

④ 安装曲轴前油封时，在曲轴颈上套上导套，在油封外圈和唇边涂薄机油。

⑤ 经导套推入压套，用压套和汽缸螺栓将油封压入到底。

8. 飞轮的检修

检查飞轮工作表面是否有明显的划伤沟槽，用直尺、厚薄规或百分表检查飞轮的平面度，应不大于 0.20mm，否则应更换飞轮。

飞轮齿圈轮齿磨损严重或出现裂纹时，可将齿圈均匀加热至 50 ～ 200℃，然后轻轻敲下，再将新齿圈加热到 200℃，趁热压装到飞轮上。更换齿圈后，必须对飞轮进行静平衡试验，不平衡量不得超过 10g· cm。

计 划

根据在导向与信息环节中储备的知识与信息，在笔记本上制定一份曲轴飞轮组检修的工作计划表。计划表格式如表 8-5 所示。

表8-5　计划表

序　号	工 作 内 容	工具/辅具	注 意 事 项

实 施

1. 实践准备

场地/工具准备： 8 人用实习场地一块、对应数量的课桌椅、黑板一块、常用工具一套、AFE发动机曲轴飞轮组一套、千分尺一把、预制扭力扳一套、间隙规一套、拆装专用工具一套	资料准备： 桑塔纳2000GSI维修手册一本、教材、笔记本

2．实践要求

学生4人为一组，在教师的指导下根据自己列出的工作计划对曲轴飞轮组进行检修。

教师指导要求如下：

① 强调安全文明生产。

② 要求并监督学生用正确流程操作。

③ 指导学生使其能够正确使用各种测量器具及其专用工具。

④ 要求学生将测量到的数据与情况记录在记录表中。

⑤ 督促学生完善自己的工作计划表。

记录表如表8-6所示。

表8-6　曲轴飞轮组的检测记录表

<table>
<tr><td colspan="3">曲轴的弯曲量</td><td colspan="4">极 限 值</td><td colspan="3">实 测 值</td></tr>
<tr><td colspan="5">曲轴的磨损量</td><td colspan="5">磨损极限值</td></tr>
<tr><td></td><td>主轴颈1号</td><td>主轴颈2号</td><td>主轴颈3号</td><td>主轴颈4号</td><td>主轴颈5号</td><td>连杆轴颈1号</td><td>连杆轴颈2号</td><td>连杆轴颈3号</td><td>连杆轴颈4号</td></tr>
<tr><td>实测圆度</td><td></td><td></td><td></td><td></td><td></td><td></td><td></td><td></td><td></td></tr>
<tr><td>实测圆柱度</td><td></td><td></td><td></td><td></td><td></td><td></td><td></td><td></td><td></td></tr>
<tr><td colspan="4">曲轴轴向间隙：</td><td colspan="3">极限值：</td><td colspan="3">实测值：</td></tr>
<tr><td colspan="4">曲轴径向间隙；</td><td colspan="3">极限值：</td><td colspan="3">实测值：</td></tr>
<tr><td colspan="10">检测结论：</td></tr>
</table>

检 验

教师收回学生完成的工作计划表。根据学生在实施环节中的表现与记录表完成情况制作评价表，对每位学生的表现进行点评。参考教师评价如表8-7所示。

表8-7　评价表

学　号	姓　名	安全文明生产	操作流程的遵守	量具与工具的使用	记录表的记录	工作计划的完成	总 评 语

展 示

1．曲轴飞轮组的组成，及其各组成零部件的作用与种类。

2．实施中每组同学选一名代表根据自己的实践经历，在全班同学面前用10分钟的时间讲述在进行曲轴飞轮组检修时的流程并对自己记录表的数据进行分析。

工作任务 9

活塞连杆组的结构与检修

导 向

任务描述

一辆桑塔纳 2000GLI 型轿车，行驶了 17 万千米。车主反映在前一年发现发动机排气冒蓝烟，近期冒蓝烟情况现象越发严重。行驶不到 3000 千米机油量减少一半。

我们在工作任务 8 中已经完成了对发动机曲轴飞轮组的检修。现在我们的任务是对活塞连杆组各零部件进行检查并修理。

基础知识

活塞连杆组由活塞、活塞环、活塞销、连杆等主要机件组成，如图 9-1 所示。

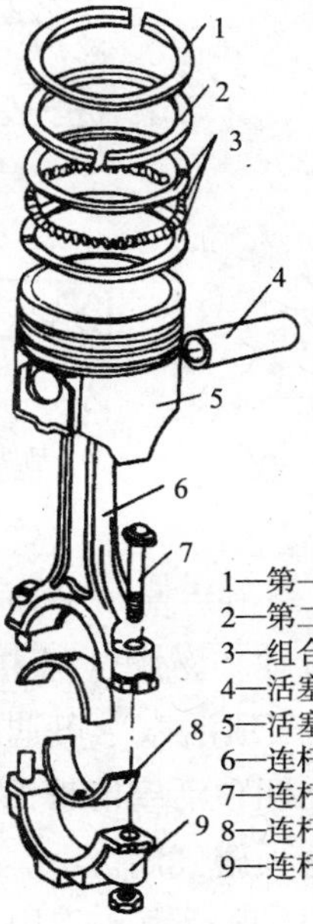

1—第一道气环；
2—第二道气环；
3—组合油环
4—活塞销；
5—活塞；
6—连杆；
7—连杆螺栓；
8—连杆轴瓦；
9—连杆盖

图9-1 活塞连杆组

1. 活塞

活塞的作用是与汽缸盖、汽缸壁等共同组成燃烧室，并承受汽缸中气体压力，通过活塞销将作用力传给连杆，以推动曲轴旋转。

（1）活塞的材料

活塞是在高温、高压、高速及润滑和散热均比较困难的条件下工作的。因此，各生产厂家在活塞的选材和结构设计方面采取了多种措施。目前，汽车发动机广泛采用铝合金制造活塞。铝合金活塞具有质量轻（约为同样结构的铸铁活塞的 50%～70%），导热性好（约为铸铁的 3 倍）的优点。缺点是热膨胀系数较大，高温下强度和硬度下降较快。为了克服这些缺点。一般在结构设计、机械加工和热处理方面采取各种措施加以弥补。

活塞用的铝合金中，硅铝合金中膨胀系数较小，且耐磨性能良好，应用较为广泛。铜、镍、镁铝合金强度高、耐热性能好，多用于高负荷发动机上。

近年来柴油机活塞重新选用优质灰铸铁，发挥灰铸铁的优势（价格低、耐热性能好、且膨胀系数小）。为了减轻活塞质量，在结构设计中采用薄顶、楔形单销座、只保留侧压力方向的裙部等措施。

（2）结构

活塞的基本结构可分为头部、环槽部和裙部三部分，如图 9-2 所示。

1）活塞头部

活塞头部是燃烧室的组成部分，因而其形状取决于燃烧室的形式。常见的活塞头部形状有以下几种，如图 9-3 所示。

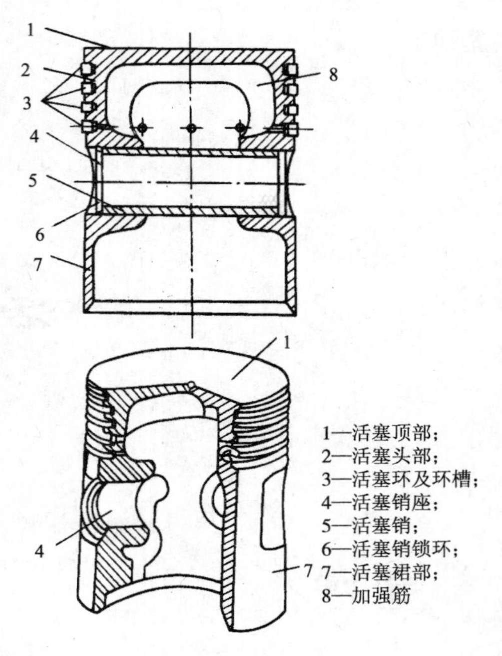

图9-2 活塞结构示意图

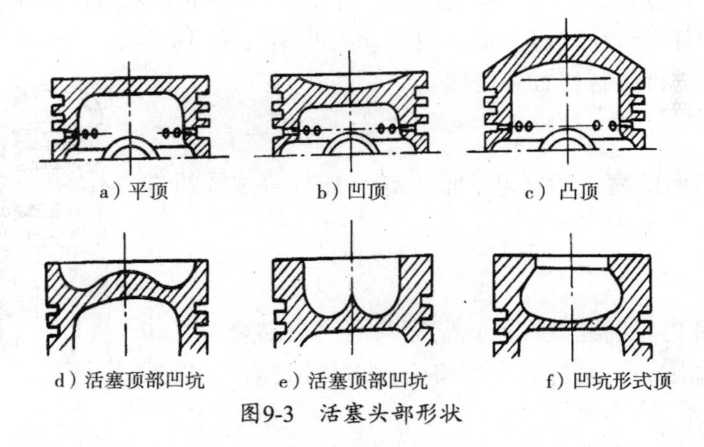

图9-3 活塞头部形状

① 平顶活塞：平顶活塞结构简单、吸热面积小，便于制造加工，且有利于缸内混合气体流动和燃烧过程中的火焰传播，因而在汽油机上得到了广泛的使用。

② 凹顶活塞：奥迪 100JW 发动机和桑塔纳 JV 发动机即采用凹顶活塞构成扁球形燃烧室。凹顶活塞能够改善混合气体流动性能，改善燃烧过程，并有利于增大气门升程，防止活塞顶碰气门。

③ 凸顶活塞：采用凸顶活塞能提高压缩比，特别是在发动机技术改造过程中，为了提高压缩比，多改用凸顶活塞，这样缸盖等复杂零件可以不改动。

④ 气门让坑：当气门升程比较大时，为了不使活塞和气门的运动出现干涉，在活塞顶平面上加工出了气门让坑。气门让坑不能过深，否则会影响混合气体的运动，从而影响燃烧过程。

2）活塞环槽

活塞环安装在活塞环槽内。汽油机一般有 2 ～ 3 道环槽，上面 1 ～ 2 道用来安装气环，实现汽缸的密封；最下面的一道用来安装油环。在油环槽底面上钻有许多径向回油小孔，当活塞向下运动时，油环把汽缸壁上多余的机油刮下来经回油孔流回油底壳。

环槽的断面形状与活塞环的断面形状相一致，一般为矩形或梯形。

第一道环工作温度过高，且容易产生积炭，易出现过热卡死现象。因而，有的活塞在第一道环槽上部切了一道较窄的隔热槽，阻止（减缓）对一环槽的热传递。

3）活塞裙部

裙部指油环以下的部分。活塞在汽缸内上下往复运动过程中靠活塞裙部起导向作用，以控制活塞头部的摆动，并承受侧压力。

裙部的基本形状为薄壁圆筒，完整圆筒称为全裙式。高速发动机为了减轻活塞质量，沿销座孔轴线两端（此两端不受侧压力）去掉裙部的一部分，这样既减轻了活塞质量，又保证了受侧压力的两侧有足够的承受面积，此结构称为拖板式，如图 9-4 所示。

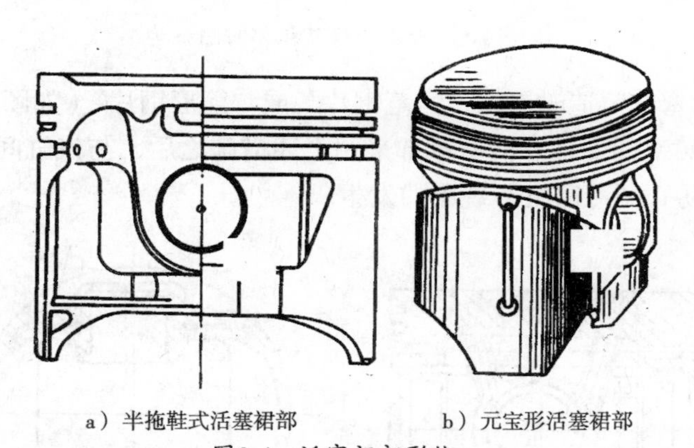

a）半拖鞋式活塞裙部　　b）元宝形活塞裙部

图9-4　活塞裙部形状

活塞销座位于活塞的中部，一般为厚壁圆筒结构，用以安装活塞销，是活塞与连杆的连接部分。为了限制活塞销在座孔中的轴向窜动，座孔外端面处加工有卡环槽，用来安装卡环。

（3）活塞变形特征及相关措施

活塞在高温下受热膨胀，并且由于裙部周围壁厚的差异（主要是销座部位）会引起不均匀性热变形。同时，活塞在气体压力和侧压力的作用下也将产生积压变形。活塞的变形直接影响发动机的正常工作，必须采取相应的措施加以控制。常见结构上的控制措施有以下几种：

① 为了消除活塞在高温下沿轴线产生上大下小的膨胀变形的不利影响，把活塞制作成上小下大的截锥形，使活塞在工作时（热态）接近于一个圆柱体。

② 针对活塞裙部受热沿圆周将产生椭圆形变形的特征，把活塞加工成反方位的椭圆形。其目的在于保证活塞在工作状态下成为圆柱体。一般把加工中带有椭圆度的活塞称为椭圆活塞。

③ 让活塞裙部座孔外端面处向内凹陷，或采用拖板式活塞，只保留垂直于孔座轴线方向的裙部，切掉孔座两端的裙部，并使座孔深陷，不再与缸壁接触。

④ 活塞裙部的绝热—膨胀槽控制活塞膨胀变形量，如图 9-5 所示。绝热—膨胀槽有“T”和“II”形，横槽叫绝热槽，竖槽叫膨胀槽。一般开在受侧压力较小的裙部一侧。

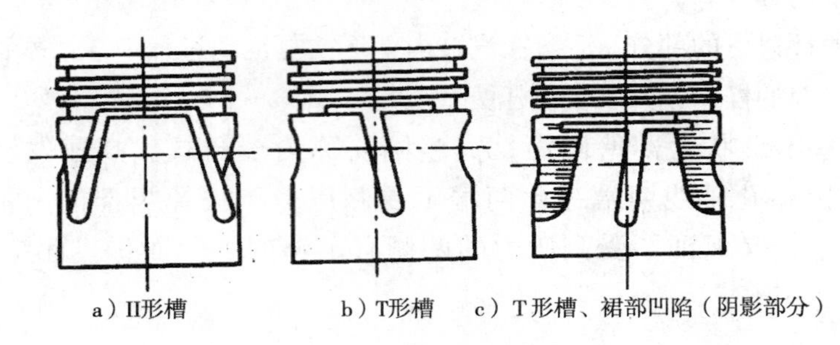

图9-5 活塞开槽与裙部凹陷结构

⑤ 铝合金活塞在铸造时嵌入“恒范钢片”或“筒形钢片”（如图 9-6 所示），来控制销座处的膨胀和裙部的变形。活塞裙部采用上述措施之后，与汽缸间的冷态装配间隙便可减小，可有效防止“冷敲缸”现象的发生。

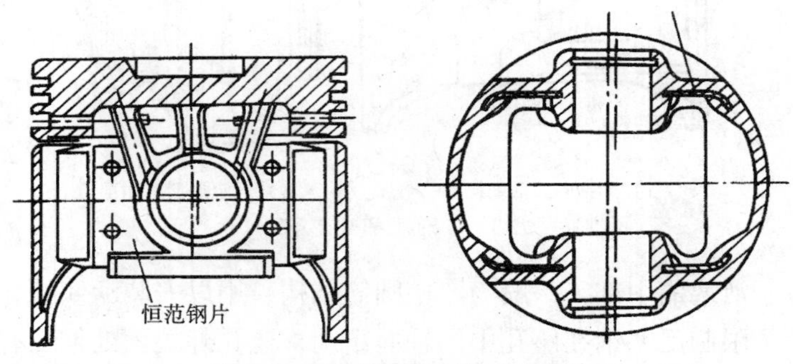

图9-6 裙部铸有恒范钢片的活塞

为了改善铝合金的磨合性，通常对活塞裙部进行表面处理。汽油机的铸铝活塞裙部外表面一般做镀锡处理；柴油机用铸铝活塞对裙部进行表面磷化；锻造铝活塞裙部表面喷涂石墨层。

2. 活塞环

活塞的热膨胀量较大，为了保证活塞在汽缸内高速往复运动，活塞和汽缸壁之间必须保留合理的技术间隙。活塞环安装在活塞环槽内，其作用就是用来密封活塞与缸壁之间的间隙，防止窜气，同时使活塞往复运动更圆滑。

活塞按用途分为气环和油环两种，两者配合使用。由于它们的作用及工作要求各不相同，因而其结构形式、所用材质、安装位置等也不相同。

（1）活塞环的工作条件

活塞环是在高温、高压、高速以及润滑困难和化学腐蚀严重的条件下工作。当活塞环严重磨损、失去弹力或密封面烧蚀失去密封作用时，将造成发动机启动困难，动力下降，曲轴箱压力升高，排气冒蓝烟，燃烧室、活塞等表面严重积碳等不良现象。

（2）气环

气环也叫压缩环，其作用是保证活塞与汽缸壁之间的密封，防止汽缸内的高温、高压燃气大量窜入曲轴箱，并将活塞所承受的热量传递给汽缸壁，再由冷却液或空气带走。

气环一般为带切口的环状结构，但不同发动机所采用的气环的切口形状、端面形状以及密封特性各不相同。

1）密封特性

环在自由状态下，切口张开成不标准的圆环形。当环随着活塞一起装入汽缸后，环受到压缩切口合拢，靠自身产生的弹力紧贴在汽缸壁上。在发动机工作过程中，活塞在燃气压力的作用下，压紧在环槽的下端面上，于是燃气便绕流到环的背面，并发生膨胀，使环更紧地贴在汽缸壁上。当压力下降的燃气从第一道气环的切口漏到第二道气环的上端面时，又会使第二道气环紧贴在环槽的下端面上。如此继续进行下去，从最后一道气环漏出来燃气，其压力和流速已大大减小，因而泄漏的燃气量也就很少了。这种由切口相互错开的几道气环所构成的“迷宫式”封气装置，足以对汽缸中的高压燃气进行有效的密封。

汽油机一般设有两道气环，柴油机由于压缩比高，采用3道气环，通常在保证密封的前提下，应尽可能减少环的数量。

2）活塞环的装配间隙

在安装活塞环时应留有一定值的端隙、侧隙和背隙（如图9-7所示），以防环受热后胀死在环槽内或卡死在汽缸内，造成损坏。

① 端隙Δ1：又称为开口间隙，是指环随活塞装入汽缸后切口端面间的间隙。Δ1一般为0.25～0.50mm。第一道气环工作温度高、热膨胀量大，故端隙大于第二、三道环；柴油机活塞环端隙值略大于汽油机，端隙值随发动机缸径的增大而增大。

② 侧隙Δ2：又称边隙，是指环高度方向与环槽之间的间隙。第一道气环因工作温度高，其值取0.04～0.10mm；其他气环一般为0.03～0.07mm；普通油环侧隙较小，一般为0.025～0.050mm；组合式油环没有侧隙。

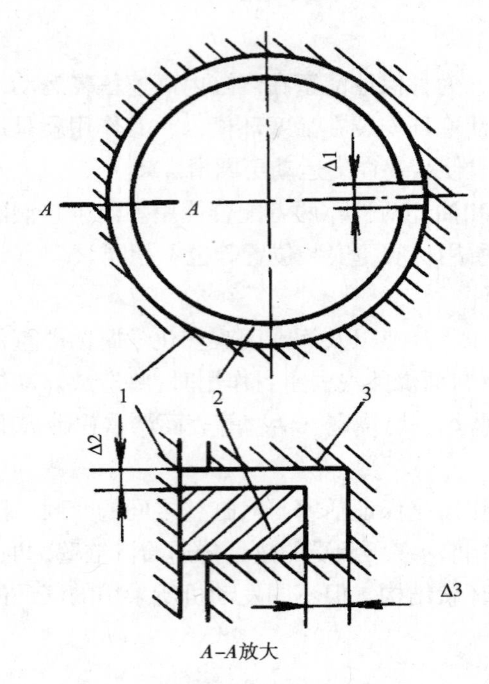

图9-7　活塞环的间隙

③ 背隙 Δ3：指环随活塞装入气环后，环的背面（即内圆柱面）与环槽底部之间的间隙。环的背隙一般为 0.5 ～ 1.0mm；普通油环的背隙比较大。为了便于测量，维修中以环的厚度与环槽的深度来表示背隙，此值比理论值小。

3）气环的切口形状

从上述气环的密封特性中可以得知：活塞环的切口是燃气泄漏的主要通道。因此，切口的形状和装入汽缸后切口端面间的间隙大小直接影响燃气的泄漏量。

气环的切口形状如图 9-8 所示。直角性切口工艺性好，密封性较差；阶梯性切口的密封性较好，但工艺性较差；斜切口的密封性和工艺性均介于前两种之间，但其锐角部位在装配过程中容易折损。

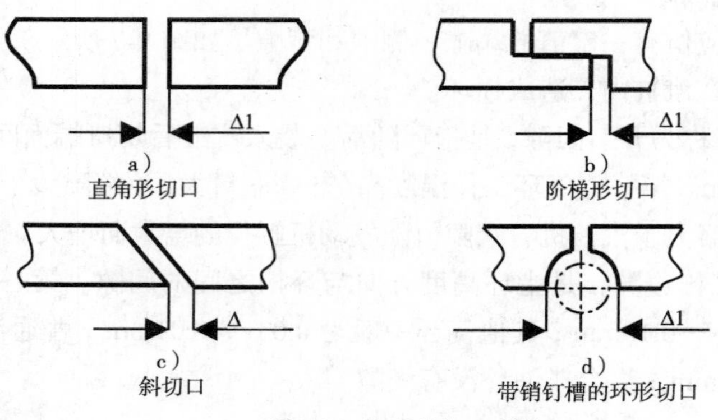

图9-8　气环的切口形状

4）气环的端面形状

气环的断面形状种类较多，如图 9-9 所示。通常习惯于按断面形状来命名活塞环，常见的有以下几种。

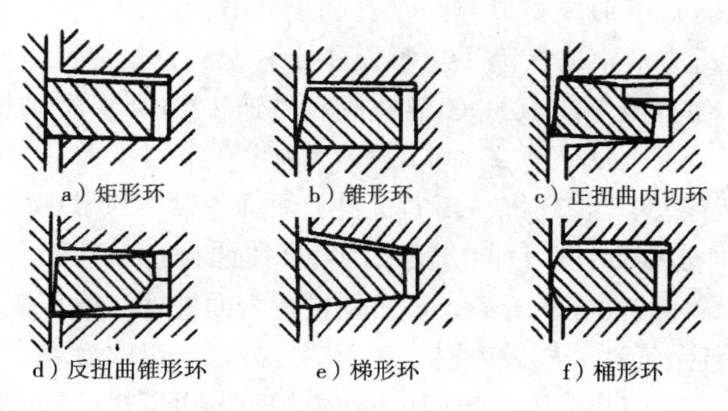

图9-9　气环的断面形状

① 矩形环：矩形断面环应用较多，其结构简单，制造方便，且与汽缸壁接触面积大，导热效果好，有利于活塞头部的散热。矩形环的不足之处是工作中会产生“泵油作用”，致使缸壁上的润滑油进入汽缸上部。为了消除或减小泵油作用的危害，除在气环下安装刮油环外，广泛采用非矩形断面环。

② 锥面环：锥面环的锥角一般为 30°～ 60°，锥形环与缸壁间形成线接触，有利于磨合和密封，且在活塞下行时有刮油作用，上行时有布油作用，可形成楔形油膜，增强润滑效果。

锥形环传热性较差，故多用于二、三道气环，如奥迪 100JW 发动机第二环即采用此结构。

③ 扭曲环：在矩形环断面的内圆上边缘或外圆的下边缘切去一部分后形成的环。这种环随同活塞装入汽缸后，由于环的内应力分布不对称造成环体发生微量的扭曲变形，从而使环的边缘与环槽上下断面接触，提高了表面接触应力，防止了活塞环在环槽中上下窜动而造成的泵油作用，同时增加了密封性。扭曲环易于磨合，有向下刮油作用。

扭曲环目前在发动机上得到了广泛的应用。安装时，应注意使内圆切槽向上，外圆切槽向下，不能装反。解放 CA6102 与玉柴 YC6105QC 发动机上都装有此种活塞环。

④ 梯形环：环的横断面成梯形，其特点介绍如下：

一是当活塞受侧压力的变化左右（沿发动机纵向观察）换向时，环的侧隙Δ 2 和背隙Δ 3 也相应地发生变化，使沉积在环槽中的结胶物被挤出，因而可以避免环被粘结在环槽中，引起折断；

二是在做功行程中，作用在梯形环上断面上的燃气压力所产生的径向分力能够增强环的密封作用。

因此，梯形环在自身弹力减弱的情况下，仍能与缸壁紧密贴合，故多用于柴油机的第一环。梯形环的不足之处是上、下环断面的精磨工艺比较复杂。

⑤ 桶形环：近十几年来兴起的一种新型结构，它的外圆面为凸圆弧形。其特点是上下运动时，均能与缸壁形成楔形空间，有利于润滑油膜的形成；环面与缸壁间为弧面接触，能很好地适应活塞的摆动；接触面积小，密封性能好。桶形环普遍用做强化柴油机的第一环。如玉柴 YC6105QC 柴油机和奥迪 100JW 形发动机第一环即采用此结构。

为了适应比较苛刻的工作环境，环的材料必须具备很强的耐热、耐磨性能，同时还应有高的强度和抗冲击性韧性。目前广泛采用合金铸铁制造活塞环。

为了进一步提高环的性能和寿命，还必须进行表面处理。第一道气环的工作表面一般进行多孔镀铬。其余气环一般做镀锡或表面磷化处理，以改善磨合性能，表面处理工艺在不断发展，新工艺不断出现，如采用表面喷钼工艺可以提高环的耐热性和耐磨性。奥迪 100JW 型发动机气环采用喷钼工艺。

在高速强化柴油机上也有采用合金钢片环的。合金钢片环弹性好，抗冲击韧性比较高，更能适应功能强化柴油机的工作要求。

除此之外，用新型复合材料制成的活塞环亦开始试用，比如用金属陶瓷和聚四氟乙烯制造的活塞环耐磨性能十分好。

（3）油环

油环的作用是刮除汽缸壁上多余的润滑油，并在汽缸壁上形成一层均匀的油膜。此外，油环也能起到辅助性的密封作用。通常发动机装 1 ～ 2 道油环。

油环按结构分为普通油环和组合式油环两种。

1）普通油环

普通油环的结构如图 9-10 所示，为一整体结构，故也称为整体式油环，其外圆柱面的中部切有一道凹槽。凹槽底部开有多个回油用的小孔或狭缝。

普通油环一般用耐磨合金铸铁制造。

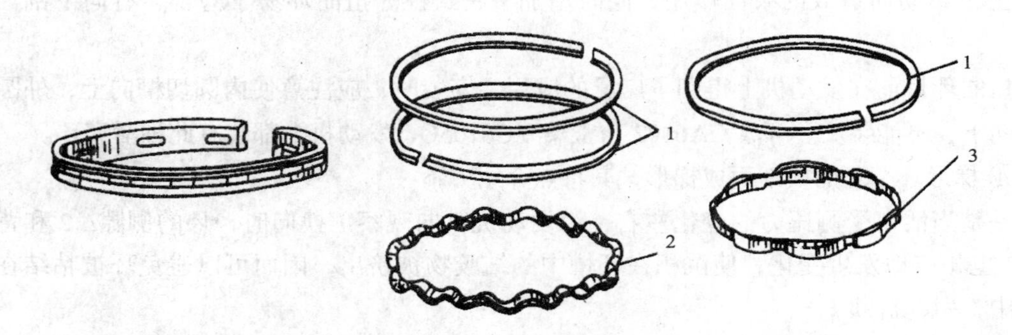

1—刮油环；2—轴向衬簧；3—径向衬簧

图9-10　油环

2 ）组合式油环

组合式油环由刮油钢片和产生轴向、径向弹力作用的衬簧组成，刮油钢片因结构的不同，可分别采用两片、三片或四片。组合式油环的合金钢片采用表面镀铬工艺，以减小磨损。组合式油环的刮油效果好于普通油环，在高速发动机上得到了广泛使用。奥迪100JW 发动机就采用组合式油环。

组合式油环的制造成本高于普通油环。

3．活塞销

活塞销的作用是连接活塞和连杆小头，并将活塞所受的气体作用力传给连杆。

活塞销在高温下承受很大的周期性冲击载荷，润滑条件较差（一般靠飞溅润滑），因而要求有足够的刚度和强度，表面耐磨，质量小。

（1）结构

活塞销的结构通常为空心圆柱体，有时也按等强度要求做成变截面管状体结构，如图 9-11 所示。

活塞销一般采用低碳钢或低碳合金钢制造。

（2）连接方式

活塞销与活塞销座孔和连杆小头衬套孔的连接方式有以下两种。

1 ）全浮式

全浮式连接（如图 9-12 所示）是指在发动机正常工作过程中，活塞销与活塞销座孔及连杆小头衬套之间有适量的配合间隙，活塞销可以在孔内自由转动。采用全浮式连接，活塞销的磨损比较均匀，使用寿命较长。

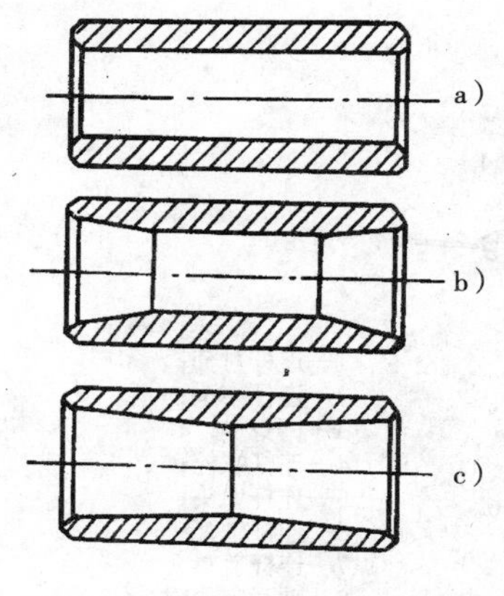

图9-11　活塞销的内孔形状

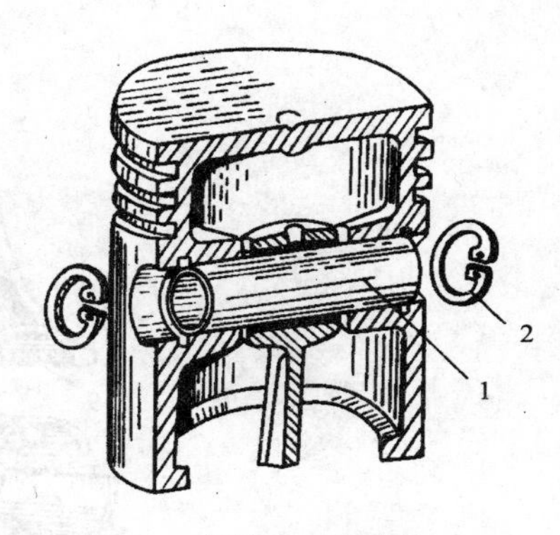

1—卡环；2—活塞销

图9-12　活塞销的连接方式

当采用铝活塞时，活塞销座的热膨胀量大于钢制活塞销。为了保证高温下工作时有正常的配合间隙，在冷态装配时两者间为过渡配合。装配时，必须先对活塞进行加热，即把活塞放入 70 ～ 90°C 的水中加热后，再将活塞销装入。为了防止活塞销工作中发生轴向窜动而刮伤汽缸壁，在销座两端还加装卡簧。

2 ）半浮式

半浮式连接是指活塞销与活塞销座孔和连杆小头孔之间，一处固定（过盈配合），一处浮动（间隙配合）。通常销与连杆小头之间为过盈配合，工作中不发生相对转动；销与活塞销座孔之间为间隙配合。

半浮式连接，连杆小头孔内无衬套，不会发生窜轴现象，故活塞销座孔两端无须装轴向限位卡簧。这种连接方式结构简单，适用于轻型高速发动机。

4. 连杆

连杆的作用是将活塞承受的力传给曲轴，并将活塞的往复运动转变为曲轴的旋转运动。

（1）连杆体与连杆盖

1）基本结构

连杆体与连杆盖的基本结构可分为三个组成部分：小头、杆身和大头。

① 小头：用来安装活塞销，以连接活塞。采用全浮式连接方式的连杆小头内装有青铜衬套或铁基粉末冶金衬套，其运动副的润滑方式有两种：一种是在连杆小头开有集油槽或集油孔，靠收集曲轴旋转时飞溅起来的机油来润滑，通常把这种润滑方式称为飞溅润滑；另一种是在连杆杆身内钻有纵向压力油道，采用压力润滑方式。

连杆由连杆体、连杆盖、连杆螺栓和连杆轴瓦等零件组成，如图 9-13 所示。

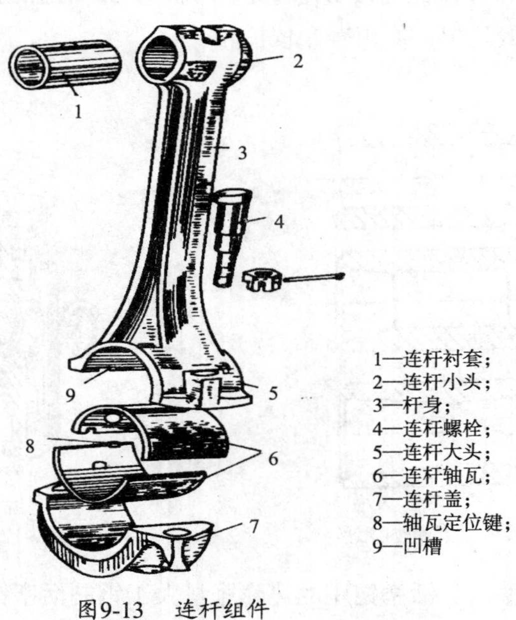

图9-13　连杆组件

② 杆身：通常做成“工”形断面，以求在满足强度和刚度的前提下减小质量。

③ 大头：连杆大头与曲轴的连杆轴颈相连。为了方便安装一般做成分开式，与杆身切开的一半称为连杆盖，二者靠连杆螺栓连接为一体。

连杆大头的剖切面有两种形式。

① 平切口：剖切面与杆身中心线垂直。一般汽油机连杆大头的尺寸都小于汽缸直径，故多采用平切口。如解放 CA6102 发动机、奥迪 100 型 JW 发动机和桑塔纳 JV 发动机等汽油机连杆均采用平切口。

② 斜切口：柴油机大功率发动机连杆大头尺寸较大，为了便于拆卸、装配时杆身从汽缸中通过，多采用斜切口。剖切面与杆身中心线一般成 30° ~ 60° 夹角（以 45° 夹角最常见）。如玉柴 YC6105QC 柴油机连杆采用 45° 斜切口；二汽引进生产的 EQB 系列康明斯柴油机连杆则采用 68° 的斜切口。

连杆大头的装合有严格的定位要求，常见的定位方式有以下几种。

① 连杆螺栓定位：依靠连杆螺栓上的精加工圆柱凸台或光圆柱部分与经过精加工的螺栓孔来定位。这种方式定位精度较差，一般用于平切口连杆。

② 锯齿型定位：依靠锯 齿型结合面实现定位。这种方式定位可靠，结构紧凑。

③ 套筒（或销）定位：依靠定位套筒或定位销来定位，这种方式定位可实现多向定位，定位可靠。

④ 止口定位：这种方式结构简单。

上述后三种定位方式多用于斜切口连杆。

2）V形发动机连杆的构造

V形发动机汽缸排成两列，两列相对应两连杆装在同一个连杆轴颈上。其结构有以下三种形式。

① 并列连杆式：如图 9-14 所示，相对应两缸的连杆其结构与尺寸是完全一样的，且一前一后地装在同一个连杆轴颈上，这种形式的结构相同，互换性好。

② 主副连杆式：如图 9-15 所示，一列汽缸的连杆为主连杆，其大头直接安装在曲轴的连杆和轴颈上。另一列汽缸的连杆为副连杆，其大头与对应的主连杆大头上的两个凸耳做铰链连接。

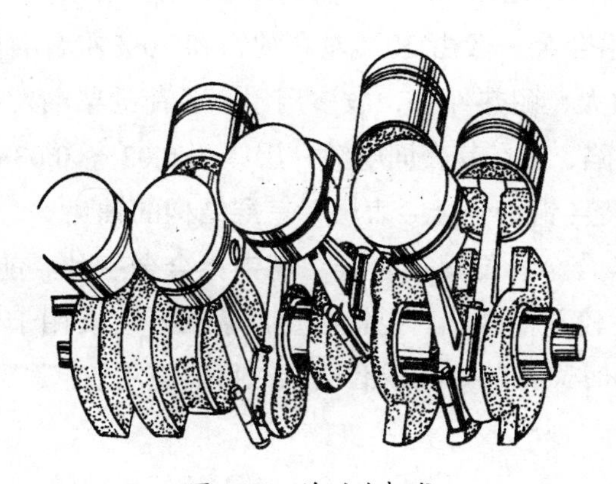

图9-14　并列连杆式

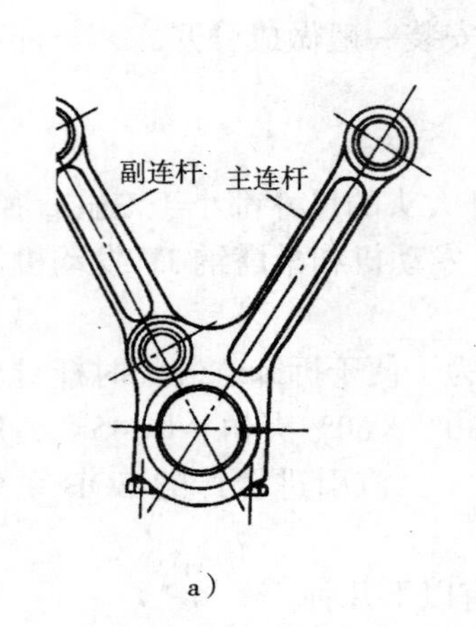

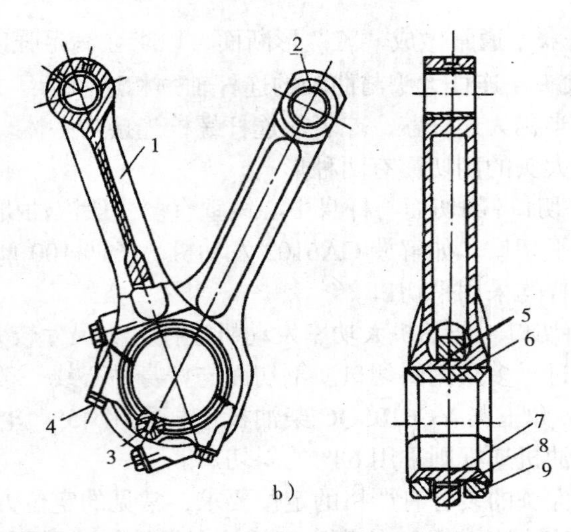

1—叉形连杆；2—片形连杆；3—销钉；4—连杆螺栓；5—片形轴瓦；6，7—叉形轴瓦；8—片形连杆盖；9—叉形连杆盖

图9-15　主副连杆式与叉形连杆式

③ 叉形连杆式：左右两列对应的两 个连杆，一个制成叉形，另一个制成薄片形，叉形连杆的大头装在片形连杆的两端。为了满足连杆强度和刚度要求，一般选用优质中碳钢或中碳合金钢制作连杆。

（2）连杆轴承

连杆轴承通常采用薄壁滑动轴承，俗称连杆轴瓦。连杆轴承安装在连杆大头孔座中，与曲轴上的连杆轴颈装合在一起，是发动机中最重要的配合副之一。

1）常用的耐磨合金材料及其特性

目前，汽车发动机轴承采用的减磨合金主要有白合金、铜铅合金和铝基合金。

① 白合金。白合金又叫巴氏合金，有锡基和铅基两种，应用较多的是锡基白合金，其主要成分是锡，同时含有锑、铜等金属成分。锡基合金减磨性好，但机械强度较低，耐热性不高，故多用于中小型汽油机连杆轴承和主轴承。

② 铜铅合金。铜铅合金一般由30%左右的铅和70%左右的铜组成。其主要特点是机械强度高，承载能力大，耐热性好，故多用于高负荷的柴油发动机。铜铅合金的减磨性能较差，为改善此缺陷，常在其表面电镀一层厚约0.02 ～ 0.03mm的软金属（如铅锡、铅锡铜等），制成“钢背－铜铅合金－表层”三层结构的轴瓦。

铝基合金有铝锑镁合金、低锡铝合金、高锡铝合金三种。前两种合金机械性能好，负荷能力强，但减磨性较差，因此，也镀软金属表层，主要用于柴油机。高锡铝合金具有较好的机械性能，同时又有较好的减磨性能，目前应用较广。

2）轴承（轴瓦）的结构

发动机轴瓦采用剖分成两半的滑动轴承，其结构如图 9-16 所示，是在 1 ～ 3mm 厚的钢背内圆柱面上浇铸 0.3 ～ 0.7mm 厚的减磨合金层制成。按照材料的不同有二层结构和三层结构。

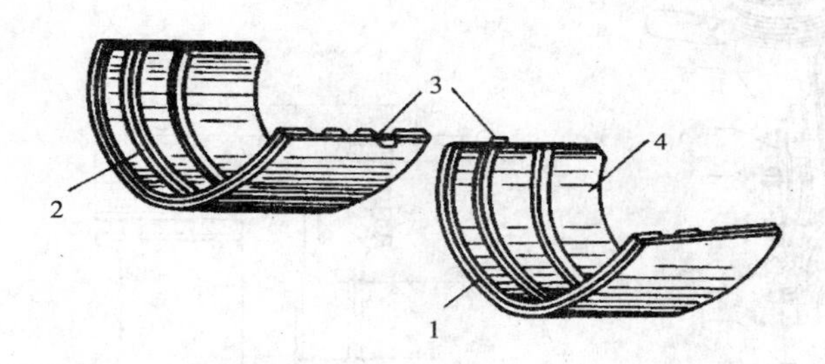

1—钢背； 2—油槽； 3—定位凸键； 4—减磨合金层

图9-16　连杆轴瓦

轴瓦在自由状态下的曲轴半径略大于孔座的半径，且轴瓦的背面应具有高的表面粗糙度，以保证轴瓦装入座孔后，靠自身产生的张紧力紧贴座孔。为了防止工作中轴瓦在座孔内发生转动或轴向移动，分别在轴瓦的剖分面和座孔的结合端制有定位唇和定位槽，以确保装配中的准确定位。

桑塔纳 JV 发动机主轴承和连杆轴承均采用钢背铜基结构，靠钢背的一层为铅锡铜底层，其上为很薄的镍层，上表层为巴氏合金。使用中不允许对轴承的合金层表面进行刮削或搪削等，以免破坏轴承的表面质量，减少合金层的厚度，缩短其使用寿命。

@ 信 息

根据桑塔纳 2000GLI 型轿车的原厂维修手册，将 AFE 型发动机活塞连杆组检修的信息提供如下。在进行检修之前必须对活塞连杆组所有零件进行清洁。

1．活塞连杆组的拆装

活塞连杆组的分解图如图 9-17 所示。活塞、活塞销及连杆的结构分别如图 9-18、图 9-19 和图 9-20 所示。活塞连杆组的拆装可按图 9-17 所示进行，但应注意以下几点：

① 对活塞做标记时，应从发动机前端向后打上汽缸号，并打上指向发动机前端的箭头。

② 拆卸连杆和连杆轴承盖时，应打上所属汽缸号。安装连杆时，浇铸的标记必须朝 V 形带轮方向（发动机前方）。

1—第一道气环；
2—第二道气环；
3—组合油环；
4—活塞销；
5—活塞；
6—连杆；
7—连杆螺栓；
8—连杆轴承；
9—连杆轴承盖

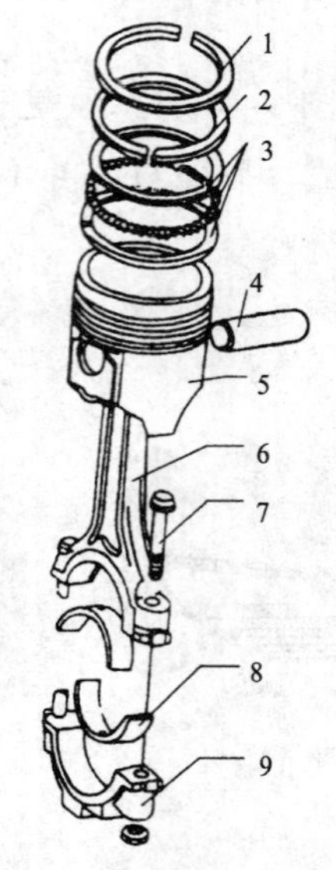

图9-17 JV形发动机活塞连杆组分解图

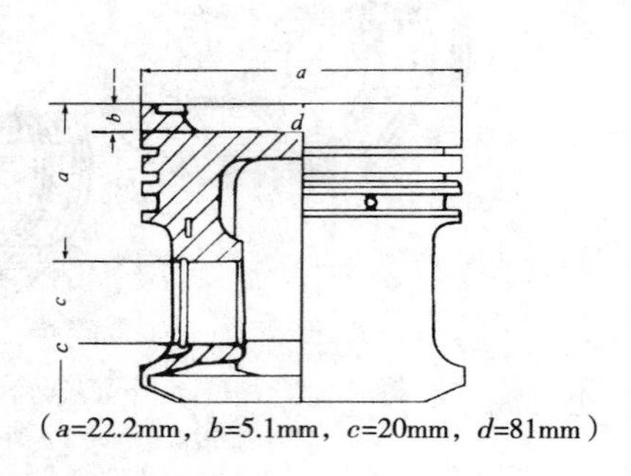

（a=22.2mm，b=5.1mm，c=20mm，d=81mm）

图9-18 活塞的结构

③ 连杆螺母为 M8×1，拧紧连杆螺母时，应在接触面涂机油，用 30N · m 力拧紧，接着再转动 180° 。

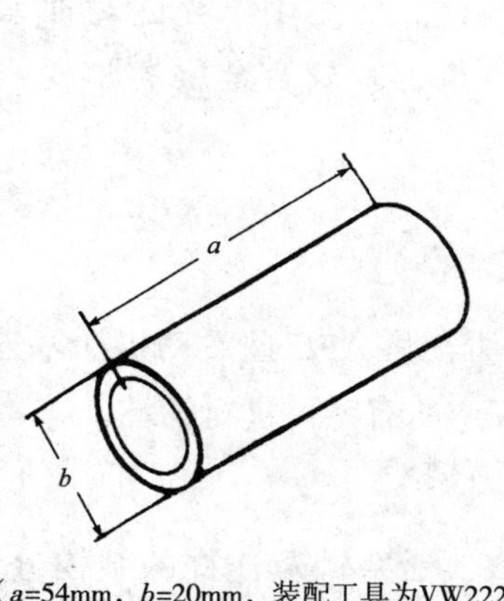

（a=54mm，b=20mm，装配工具为VW222a）

图9-19 活塞销的结构

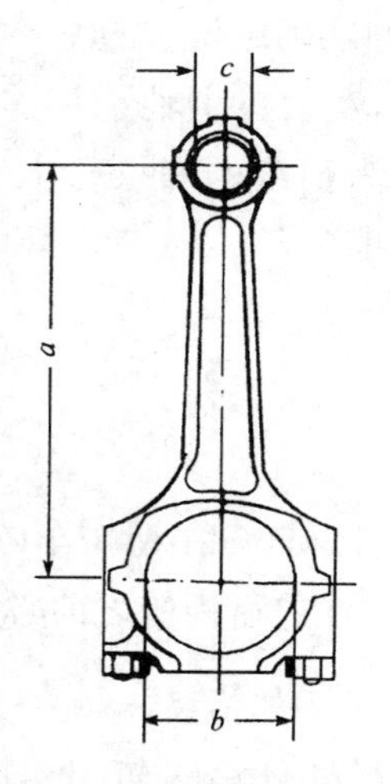

（a=144mm，b=50.6mm，c=20mm）

图9-20 连杆的结构

④ 拆装活塞环时应使用专用工具，如图 9-21 所示。安装活塞环时，应使活塞环开口错开 120° ，有“TOP”标记的一面朝活塞顶部。

⑤ 拆装活塞销时，应将活塞加热至 60℃，用拇指仅需较小的力就应能将涂有机油的活塞销压入活塞销座孔中，如图 9-22 所示。而且在垂直状态时，活塞销不能在自重作用下从销座孔中自行滑出，用手晃动活塞销时应无间隙感，这表明活塞销与销座孔配合

适宜。拆装活塞销卡簧时需用专用工具。

图9-21　拆装活塞环

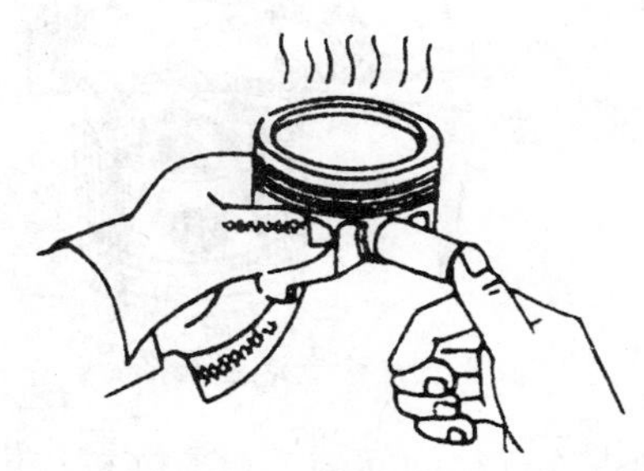

图9-22　装配活塞销

2．活塞环

检查活塞环的步骤如下。

① 检查活塞环侧隙。活塞环侧隙是指活塞环与环槽的间隙，用厚薄规检查活塞环侧隙，如图 9-23 所示。新活塞环侧隙应为 0.02 ～ 0.05mm，磨损极限值为 0.15mm。

② 检查活塞环开口间隙。活塞环端隙是指将活塞压入汽缸后，活塞开口的间隙，测量时，将活塞环垂直压过汽缸约 15mm 处，用厚薄规检查活塞环端隙，如图 9-24 所示。新环时，第一道气环开口间隙应为 0.30 ～ 0.45mm，第二道气环开口间隙应为 0.25 ～ 0.40mm，油环开口间隙应为 0.25 ～ 0.50mm。活塞环开口间隙磨损极限值为 1.00mm。

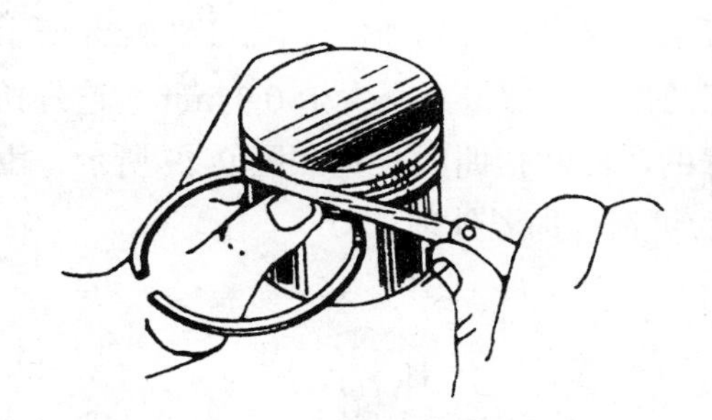

图9-23　检查活塞环侧隙

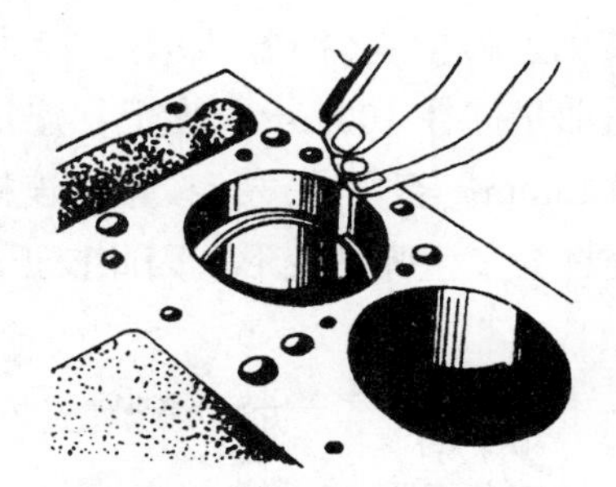

图9-24　检查活塞环开口间隙

3．活塞

检查活塞直径。在活塞下部离裙部底边约 15mm、与活塞销垂直方向处测量，如图 9-25 所示。活塞直径与标准尺寸的最大偏差量为 0.04mm。

4．连杆

① 检查连杆轴向间隙。连杆的轴向间隙检查，如图 9-26 所示。连杆的轴向间隙磨损极限值为 0.37mm。

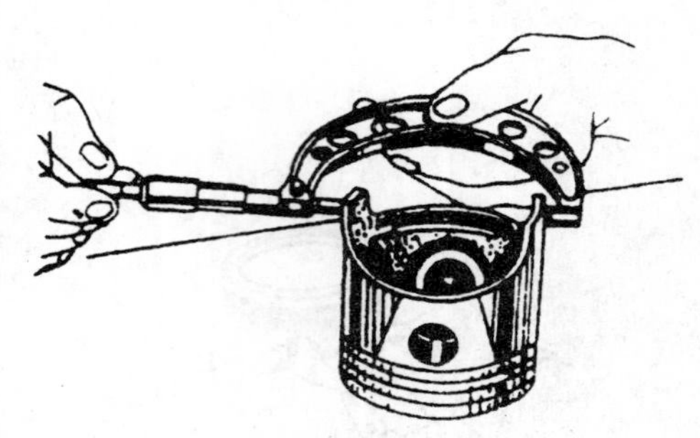

图9-25　检查活塞直径

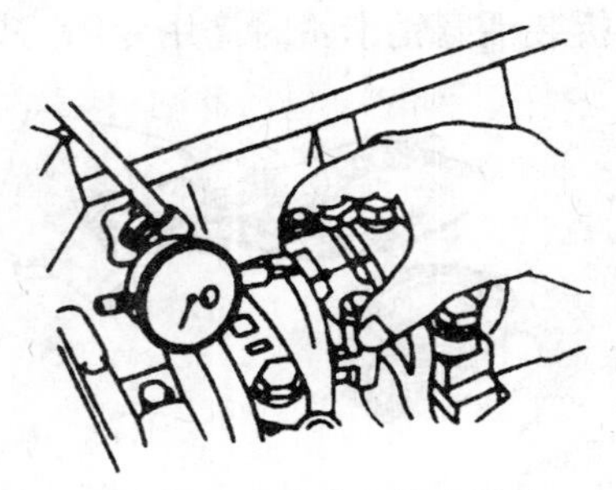

图9-26　检查连杆轴向间隙

② 检查连杆径向间隙。检查连杆径向间隙时，可用塑料间隙测量片对装好的发动机进行检查。具体测量方法如下：

a. 拆下连杆轴承盖，清洁连杆轴承和轴颈。

b. 将塑料间隙测量片沿着轴向置于轴颈和轴承上。

c. 装上连杆轴承盖，并用 30N · m 力矩紧固螺栓，不要转动曲轴。

d. 拆下连杆轴承盖，测量压扁后塑料间隙测量片的厚度，与规定值相比较。连杆径向间隙应为 0.024 ～ 0.048mm，磨损极限值为 0.12mm。

e. 径向间隙在装配完毕的发动机上进行检查，则螺栓允许重复使用一次，但须在螺栓头上打标记，有此标记的螺栓下次必须更换。

f. 安装轴承盖时，在轴承盖螺母接触面涂机油，并用 30N · m 的力矩紧固，接着再转动 180°。

③ 检查连杆的弯曲量和扭曲量。使用连杆检验器，把活塞销试装到连杆上，再把连杆大端装到连杆检验器上。如图 9-27 所示，测量连杆的弯曲量。如图 9-28 所示，测量连杆的扭曲量。在 100mm 长度上，连杆的扭曲变形量不得大于 0.05mm，连杆扭曲量不得大于 0.15mm。否则应进行校正，连杆的弯曲和扭曲的校正如图 9-29 所示，由于常温下校正连杆会发生弹性变形，因此校正后可稍许加温处理。

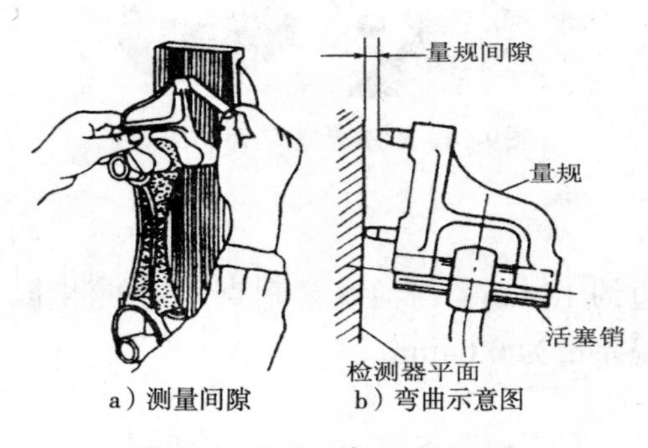

图9-27　检查连杆的弯曲量

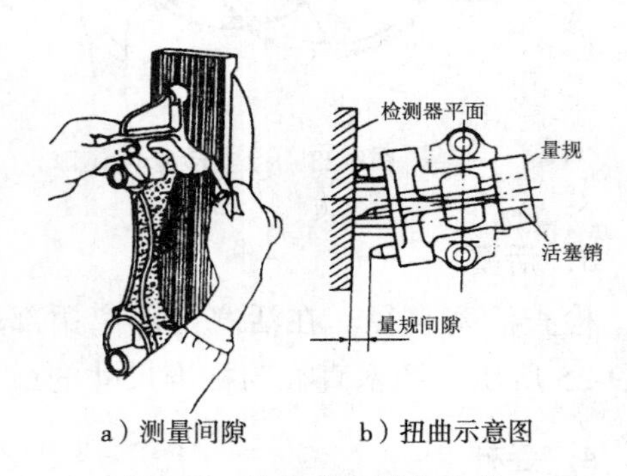

图9-28　检查连杆的扭曲量

5．连杆衬套

① 连杆衬套的选配。发动机在大修时，在更换活塞、活塞销的同时，必须更换连杆衬套，以恢复其正常配合。

连杆衬套与连杆小头应有 0.06 ～ 0.10mm 的过盈量,以保证衬套在工作时不走外圆。分别测量连杆小头内径（如图 9-30 所示）和新衬套外径（如图 9-31 所示），其差值就是衬套的过盈量。

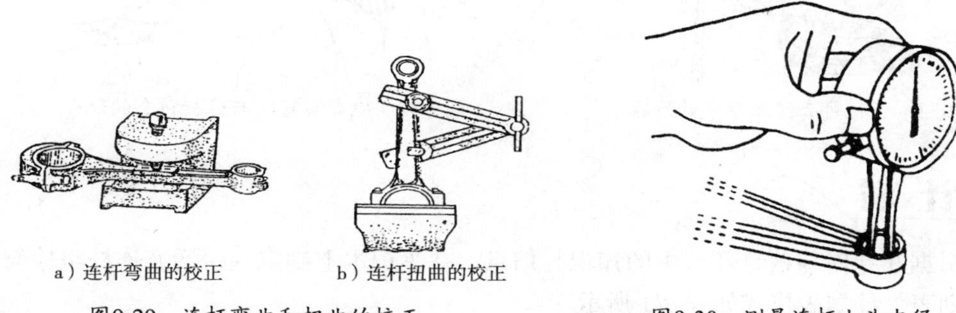

a）连杆弯曲的校正　b）连杆扭曲的校正

图9-29　连杆弯曲和扭曲的校正　　图9-30　测量连杆小头内径

新衬套的压入可在台虎钳上进行。压入前，应检查连杆小头有无毛刺，以免擦伤衬套外圆。压入时，衬套倒角应朝向连杆小头倒角一侧，并将其放正，同时对正衬套的油孔和连杆小头油孔，如图 9-32 所示，确保润滑油畅通。

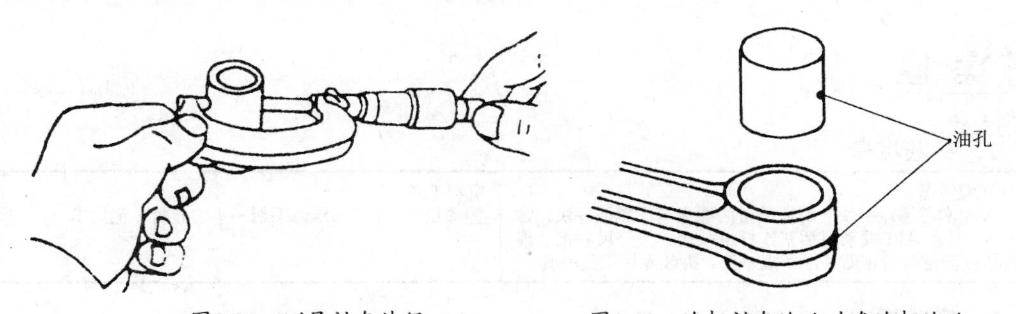

图9-31　测量衬套外径　　图9-32　连杆衬套油孔对准连杆油孔

② 连杆衬套的修配。活塞销与连杆衬套的配合，在常温下应有 0.005 ～ 0.010mm 的间隙，接触面积应在 75%以上。配合间隙过小，可将连杆夹到内圆磨床上进行磨削，并留有研磨余量。再将活塞销插入连杆衬套内配对研磨，研磨时可加少量机油，将活塞销夹在台虎钳上,沿活塞销轴线方向扳动连杆,应有无间隙感觉。加入机油扳动时无“气泡”产生,把连杆置于与水平面成 75° 角时应能停住,轻拍连杆徐徐下降（如图 9-33 所示），此时配合间隙为合适。

经过镗削加工的衬套，应能用大拇指把活塞销推入连杆衬套内，并有无间隙感觉，如图 9-34 所示。

图9-33　连杆衬套修配质量的检验

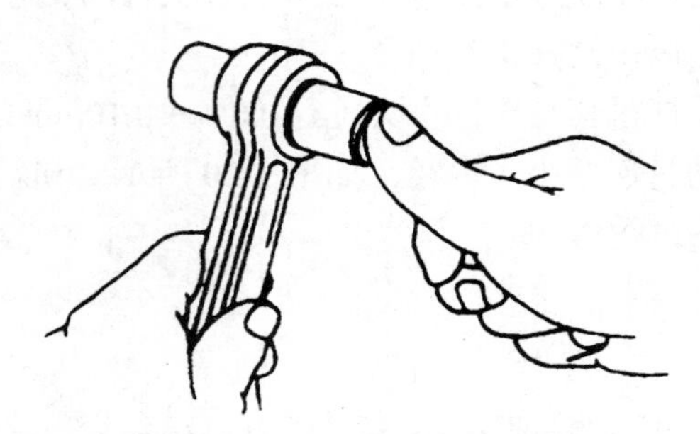

图9-34　检查活塞销与连杆衬套的配合

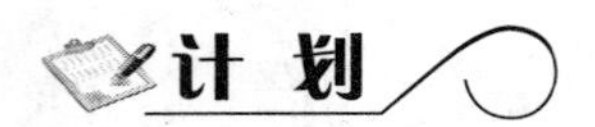

计 划

根据在导向与信息环节中的知识与信息，在笔记本上制定一份活塞连杆组检修的工作计划表。计划表格式如表 9-1 所示。

表9-1　计划表

序　号	工 作 内 容	工具/辅具	注 意 事 项

实 施

1．实践准备

场地/工具准备： 8 人用实习场地一块、对应数量的课桌椅、黑板一块、常用工具一套、AFE发动机活塞连杆组一套、千分尺一把、连杆弯扭度测量与校正器、厚薄规一把、拆装专用工具一套	资料准备： 桑塔纳2000GSI维修手册一本、教材、笔记本

2．实践要求

学生4人为一组，在教师的指导下，根据自己列出的工作计划对活塞连杆组进行检修。

教师指导要求如下：

（1）强调安全文明生产。

（2）要求并监督学生用正确流程操作。

（3）指导学生使其能够正确使用各种测量器具及其专用工具。

（4）要求学生将测量到的数据与情况记录在记录表中。

（5）督促学生完善自己的工作计划表。

记录表如表 9-2 所示。

表9-2　活塞连杆组的检测记录表

测量项目 \ 缸号		第一缸	第二缸	第三缸	第四缸
活塞环的测量	气环1端隙				
	气环2端隙				
	气环1侧隙				
	气环2侧隙				
	油环上下刮片端隙				
活塞直径 标准值：					
连杆轴向间隙 标准值：					
连杆弯曲量 标准值：					
连杆扭曲量 标准值：					
检测结论：					

检验

教师收回学生完成的工作计划表。根据学生在实施环节中的表现与记录表完成情况制作评价表，对每位学生的表现进行点评。参考教师评价表如表9-3所示。

表9-3　评价表

学号	姓名	安全文明生产	操作流程的遵守	量具与工具的使用	记录表的记录	工作计划的完成	总评语

展示

1．活塞连杆组的组成，及其各组成零部件的作用与种类。

2．论述活塞的外形与结构特种。

3．论述活塞环的横截面形状对其工作的影响。

4．实施中每组同学选一名代表根据自己的实践经历，在全班同学面前用10分钟讲述在进行活塞连杆组检修时的流程，并对自己记录表的数据进行分析。

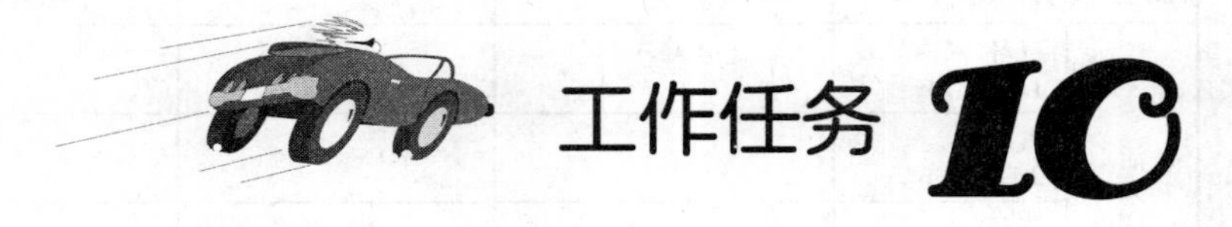

配气机构气门组的修理

任务描述

一辆桑塔纳2000GLI型轿车，行驶了17万千米。车主反映在前一年发现发动机排气冒蓝烟，近期冒蓝烟情况现象越发严重。行驶不到3000千米机油量减少一半。

我们在工作任务9中已经完成了对发动机活塞连杆组的检修。现在我们的任务是对配气机构气门组各零部件进行检查并修理。

基础知识

1. 配气机构概述

配气机构是控制发动机进气和排气的装置，其作用是按照发动机的工作次序和各缸工作循环的要求，定时开启和关闭进、排气门，以便在进气行程使尽可能多的可燃混合气（汽油机）或空气（柴油机）进入汽缸，在排气行程将废气快速排出汽缸。配气机构是发动机的两大核心机构之一，其结构和性能的优劣直接影响发动机的总体性能。

四冲程车用发动机采用气门式配气机构。其结构形式多种多样，一般按气门布置形式的不同，可分为：侧置气门式和顶置气门式；按照凸轮轴的布置形式的不同，又可分为：下置式、中置式和顶置式凸轮；按照发动机每缸其气门数量的不同，可分为二气门、三气门、四气门、五气门配气机构，每缸超过二气门的发动机称为多气门发动机。

（1）气门的布置形式

1）侧置气门式配气机构

侧置气门式配气机构由于其气门侧置造成燃烧室结构不紧凑，导致发动机动力性与高速性较差、经济性不高。目前，这种配气机构已经淘汰。

2）顶置气门式配气机构

① 结构特点：气门安装在汽缸盖上，处于汽缸的顶部，如图 10-1 所示。

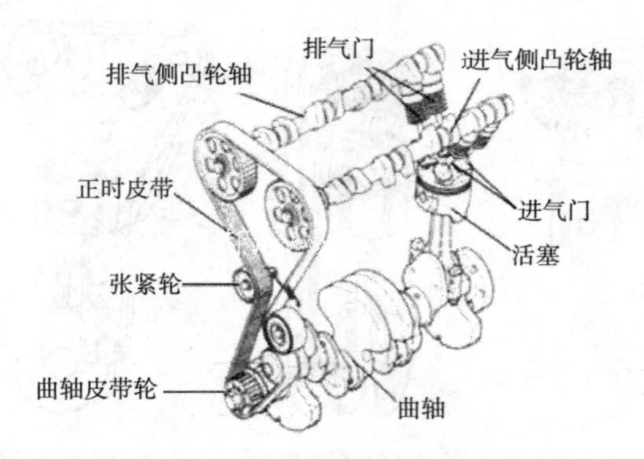

图10-1　DOHC配气机构结构图

② 工作原理：发动机工作时曲轴通过正时齿轮驱动凸轮轴旋转，当凸轮的凸起部分顶起挺柱时，挺柱推动推杆一起上行，作用于摇臂上的推动力驱使摇臂绕轴转动，摇臂的另一端压缩气门弹簧使气门下行，打开气门。随着凸轮轴的继续转动，当凸轮的凸起部分离开挺柱时，气门便在气门弹簧张力作用下上行，关闭气门。

③ 传动比：四冲程发动机每完成一个工作循环，曲轴旋转两周，各缸的进、排气门各开启一次，此时凸轮轴只旋转一周。因此，曲轴与凸轮轴间的传动比应为 2:1。

（2）凸轮轴的布置形式

凸轮轴的布置形式是根据凸轮轴在机体中安装位置的不同，划分为顶置式、中置式和下置式三种，如图 10-2、图 10-3 和图 10-4 所示。

1）凸轮轴顶置式

顶置凸轮轴、顶置气门式配气机构的结构如图 10-2 所示。

① 结构特点：凸轮轴和气门都布置在汽缸的顶部，气门装在汽缸盖之中，凸轮轴则安装在汽缸盖的上端面上。凸轮轴直接通过摇臂驱动气门，凸轮轴与气门之间没有了挺柱和推杆等中间传动机件，使配气机构往复运动质量大大减小。因此，此结构多用于高速发动机。

由于凸轮轴与曲轴相距较远，必须采用链传动或齿形带传动的方式来取代正时齿轮传动。

② 工作原理：发动机工作时，曲轴通过链条或齿形带机构驱动凸轮轴旋转。在进气行程开始时，进气凸轮突起部分开始推动摇臂绕轴转动，摇臂的另一端则克服气门弹簧的弹力推动气门离开气门座圈下行，使进气门打开；随着凸轮轴的继续旋转，当凸轮的凸起部分离开摇臂时，气门在气门弹簧弹力的作用下上行而落座，使进气门关闭。同样在排气行程，由凸轮轴上的排气凸轮驱动排气门打开。顶置凸轮轴的另一种

形式是用凸轮轴来直接驱动气门，去掉了摇臂机构，使气门传动机构更加简练。一汽奥迪 100 型 JW 发动机和桑塔纳 JV 发动机以及桑塔纳 2000 型 AEE 发动机都采用这种形式的配气机构。

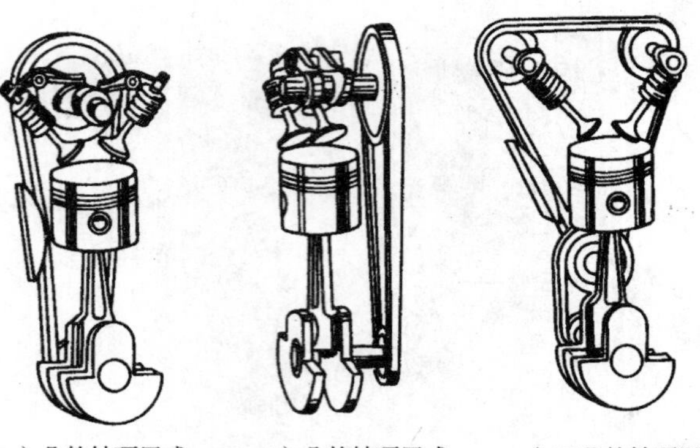
a）凸轮轴顶置式　b）凸轮轴顶置式　c）双凸轮轴顶置式

图10-2　凸轮轴的布置形式（一）顶置式

2）下置凸轮轴与中置凸轮轴的比较

① 结构特点：凸轮轴位于曲轴箱中部，距离曲轴很近，曲轴通过一正时齿轮直接驱动凸轮轴，传动方式简单，且利于发动机整体布置，这是下置式凸轮轴的突出特点，如图 10-3 所示。但凸轮轴与气门相距较远，气门传动组的零部件较多，特别是细而长的推杆容易变形，冷机运转噪声大，往复运动质量大，影响发动机转速的提高。

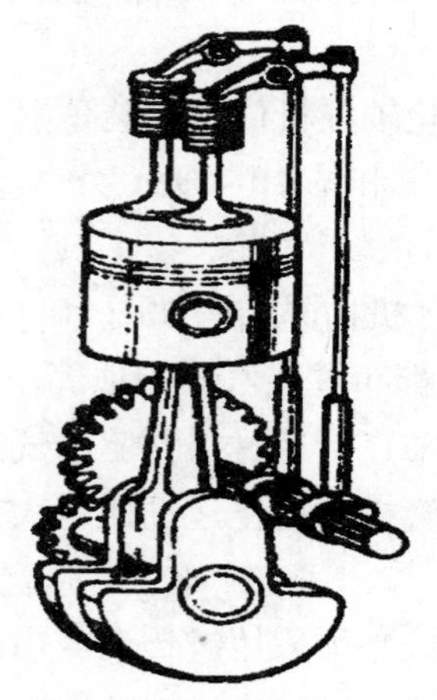

图10-3　凸轮轴的布置形式（三）下置式

为了消除下置凸轮轴存在的上述缺陷，设计人员将凸轮轴的安装位置移到了汽缸体的上部，缩短推杆或适当加长挺柱后去掉推杆，让凸轮通过挺柱直接驱动摇臂，这种形式称为凸轮轴中置式，有的称为高位凸轮轴，如图 10-4 所示。

凸轮轴上移后，由于凸轮轴与曲轴间的距离增大，已不可能直接采用正时齿轮来传动，需增加中间齿轮（惰性轮）或采用链传动方式。

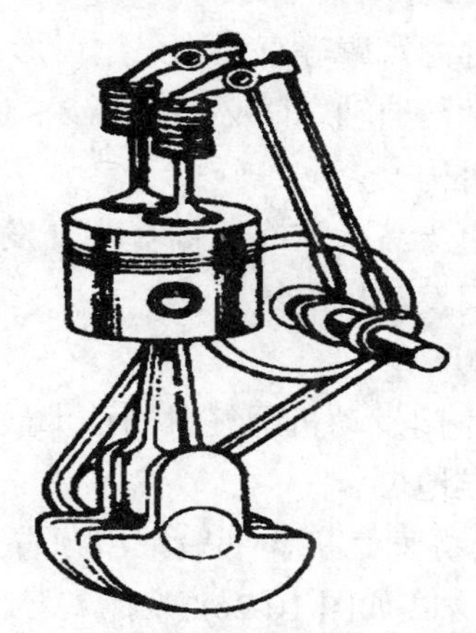

图10-4　凸轮轴的布置形式（二）中置式

（3）凸轮轴的传动方式

曲轴与凸轮轴的传动方式有：齿轮传动、链传动和齿形带传动三种方式。凸轮轴下置式、中置式配气机构大多采用圆柱形正时齿轮传动。一般只需要一对正时齿轮，必要时可增设中间齿轮。为了啮合平稳，降低噪声，多采用斜齿圆柱齿轮。齿轮传动正时精度高，传动阻力小且无需张紧机构，但不适合顶置凸轮轴式配气机构。顶置凸轮轴采用链传动或齿形带传动，如图 10-5 所示。

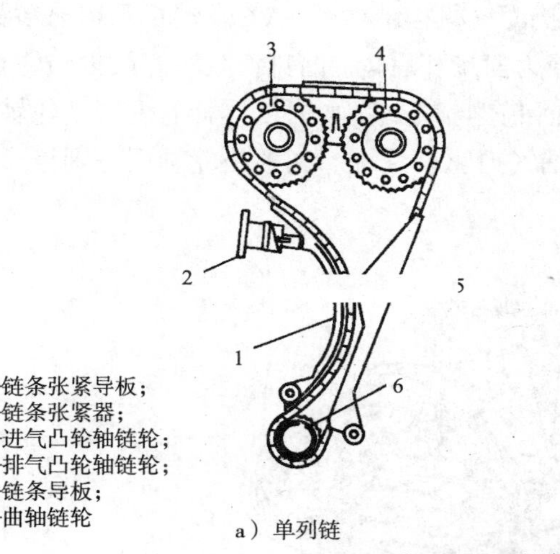

a）单列链

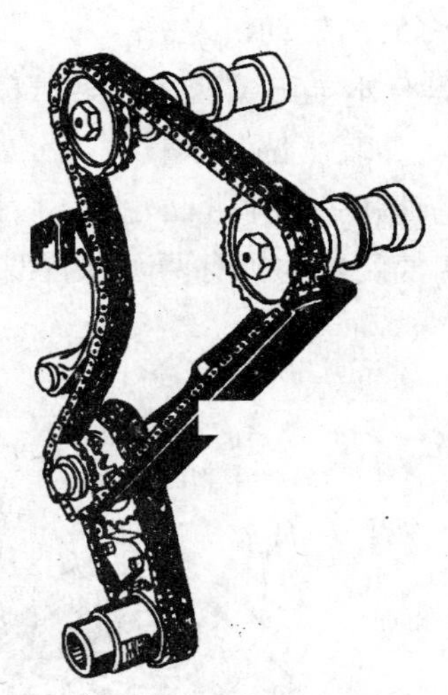

b）双列链

图10-5　凸轮轴的链条传动方式

链传动的可靠性和耐久性不如齿轮传动。其传动性能主要取决于链条的制造质量。齿性带传动与链条传动相比，传动平稳，噪声小，不需要润滑，且制造成本低，广泛应用于中高速发动机上。齿性带一般用氯丁橡胶制成，中间夹有玻璃纤维和尼龙织物，以增加强度。随着材料性能的提高和制造工艺的改进，齿性带寿命已提高到 10 万 km 以上。

一汽奥迪、上海桑塔纳、神龙富康等车型均采用齿形带传动。

无论哪种传动方式，凸轮轴与曲轴之间必须保证 2 : 1 的传动比。

（4）单缸气门发动机配气机构

从 20 世纪 80 年代开始，世界各大汽车厂商竞相开发多气门发动机，先后推出了三气门、四气门和五气门等多气门发动机配气机构。

1）四气门发动机配气机构

在多气门发动机中尤以四气门发动机配气机构技术最完善，动力性能和经济性能最好，使用最广泛，目前处于主导地位。

① 结构特点：四气门发动机配气机构一般采用顶置双凸轮轴式结构，结构形式如图 10-2 所示，双凸轮轴的传动方式如图 10-2c) 所示。

② 驱动方式：顶置双凸轮轴驱动气门的方式有两种：直接驱动方式；摇臂驱动方式。

日本丰田公司采用 2Z-GE 型直列六缸、顶置双凸轮轴、四气门、凸轮轴直接驱动进排气门式配气结构图。日本丰田公司采用 B20A 直列四缸、顶置双凸轮轴、四气门配气机构布置情况，凸轮轴通过摇臂间接地驱动气门运动，因而称为摇臂驱动方式。

一汽大众捷达王轿车引进国外先进技术率先在国内市场上推出了国产四缸 20 气门（每缸五气门）发动机。

2）V 型多气门发动机

图 10-6 是日本丰田 V 型六缸四气门发动机配气机构结构图。V6 发动机采用前横置、前轮驱动布局，从装车位置来看，六个汽缸可分为前排和后排。前排汽缸装有两根凸轮轴，一根进气凸轮轴和一根排气凸轮轴。后排汽缸和前排汽缸完全一样，同样有两根凸轮轴。因此，V 型四气门发动机有两套顶置双凸轮轴气门驱动系统。四根凸轮轴用一副齿形带来传动。

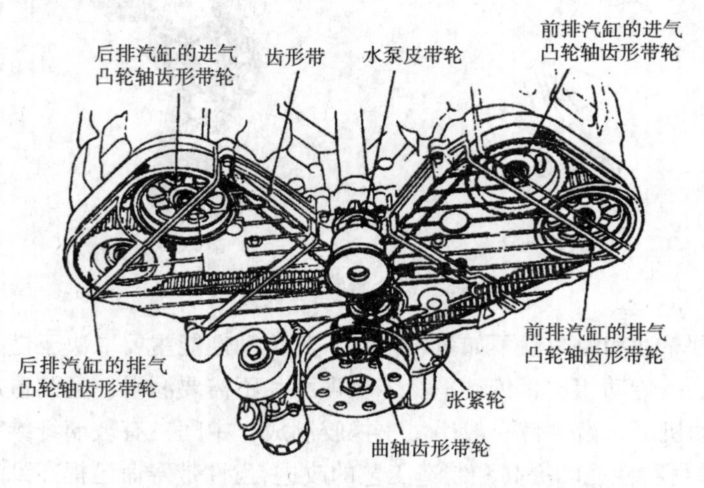

图10-6　V型六缸四气门发动机配气机构结构图

2．配气机构的主要零部件

配气机构通常由气门组和气门传动组组成。下面以上海桑塔纳 JV 发动机为例介绍配气机构的组成及其主要零部件。

桑塔纳 JV 发动机、桑塔纳 2000 型 AF 发动机以及一汽奥迪 100JW 发动机配气机构基本相同，均采用同步齿形带驱动的单根顶置凸轮轴、单列顶置气门、液压筒形挺柱、直列式配气机构。

（1）组成及结构特点

配气机构与其他顶置凸轮轴式配气机构相比，取消了凸轮轴支架、摇臂和摇臂轴等零件。凸轮轴直接安装在汽缸盖上平面和五个轴承盖组合而成的承孔内，凸轮通过液压挺柱直接驱动气门。整个配气机构的组成十分简练，零部件很少，是轿车发动机中一种较为先进的配气机构。

配气机构主要由气门组与气门传动组组成。气门组包括进排气门、气门导管、气门弹簧、弹簧座、锁片、及气门座圈等零件。气门传动组主要有凸轮轴、液压挺柱、正时齿形带和齿带轮等零件。

（2）气门组主要零件

气门组件包括进、排气门及其附属零件。气门组的组成情况如图 10-7 所示。

1）气门

气门分进气门和排气门两种。进、排气门结构相似，都由头部和杆部两部分组成。

① 气门头部

气门头部的形状一般有三种形式，如图 10-8 所示。

平顶：结构简单，受热面积小，便于制造。进、排气门都可采用，目前应用最广。

凸顶：呈球面形，中央加厚，强度增加，适合用于排气门。与平顶气门相比，受热面积大，质量增加，较难加工。

凹顶：呈喇叭形，头部与杆部过渡曲线呈流线型，进气阻力小，适合用于进气门，凹顶受热面积最大，不宜用于排气门。

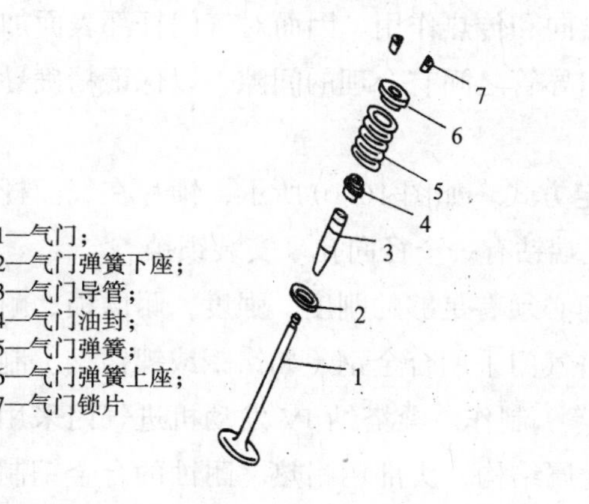

图10-7　气门组的组成情况

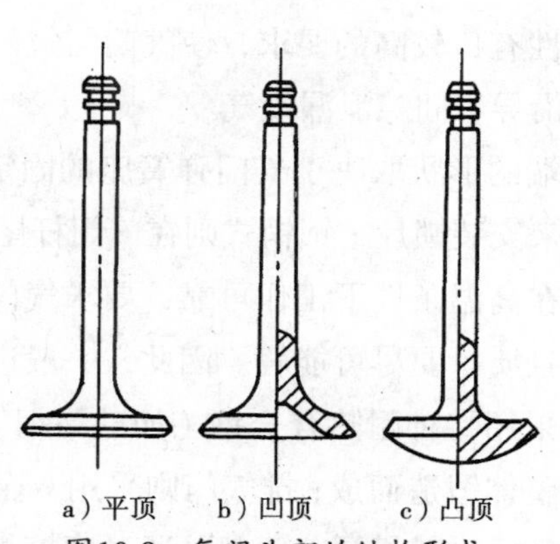

图10-8　气门头部的结构形式

② 气门锥角

为了保证气门与气门座贴合紧密，将气门密封面做成锥面，通常把气门密封锥面的锥角称为气门锥角。一般排气门锥角为 45° ，进气门锥角为 30° ，如图 10-9 所示。

在气门升程一定的情况下，减小气门锥角，可以增大气流通道断面，减小进气阻力。但锥角减小会引起头部边缘厚度变薄，致使气门密封和导热性变差。因此，多数发动机进气门用小锥角，而排气门采用大锥角。

气门与气门座密封锥面相接触时形成的环状密封带，也叫接触带，应位于气门密封锥面的中部，其宽度应符合厂家的设计要求。桑塔纳 JV 发动机规定：进气门为 2mm，排气门为 2.40mm。接触带过窄，散热效果差，影响气门通过接触面向气门座圈传递热量；接触带过宽则会降低接触面上的比压值，使气门的密封性下降。

为了保证气门与气门座间密封良好，需经过配对研磨，形成连续、均匀、宽度符合要求的接触环带，研磨后气门不能互换。

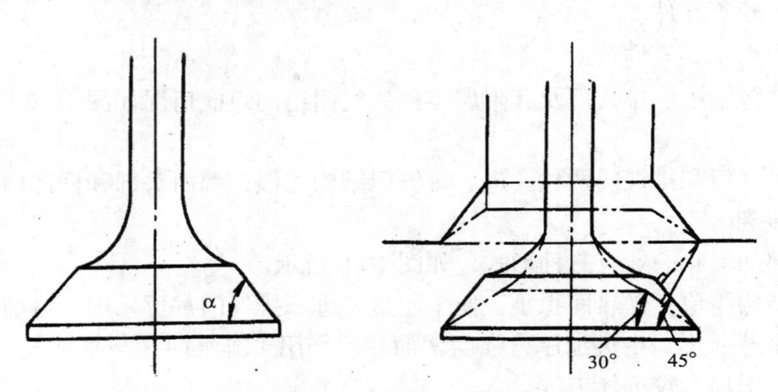

图10-9　气门锥角及其对气门口通道截面的影响

③ 气门杆部

气门在导管中上下运动，全靠气门杆部起导向和传热作用。因而对气门杆部表面加工精度和耐磨性有比较高的要求，使气门与气门导管之间有合理的间隙，以保证精确导向和排气时不沿导管间隙泄漏废气。

气门杆尾端的形状取决于气门弹簧座的固定方式。如图 10-10 所示，锁片在气门杆尾端切有环槽来安装锁片；锁销式则在气门杆尾端钻有一个径向孔来安装锁销。

为了保证在高温条件下工作可靠，要求气门必须有足够的刚度、强度，耐磨损、耐热不易变形，且质量要尽可能轻。因此，一般进气门采用合金钢（如铬钢或镍铬钢）制作，排气门则采用特种耐热合金钢（如硅铬钢等）制作。桑塔纳 JV 发动机进气门采用铬镍钴合金钢整体锻造而成；排气门则采用双金属结构，头部用耐热、耐蚀的合金钢制造，杆部与进气门材料相同，两部分通过磨擦焊接技术焊成一体。气门的密封锥角均为

45°，为了提高气门寿命，在气门密封锥面上堆焊了一层铬镍钨钴高强度合金。

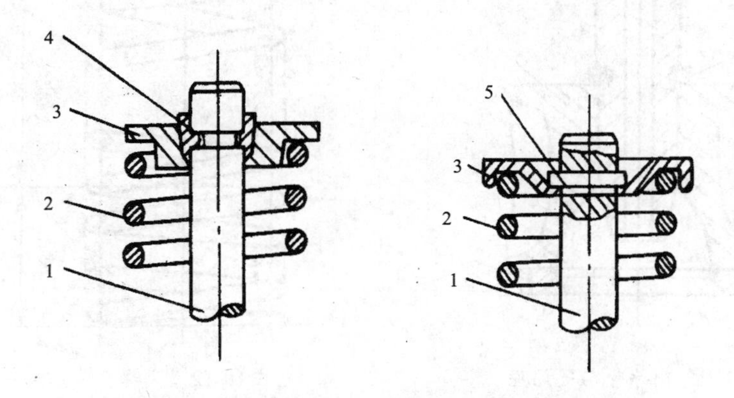

1—气门杆；2—气门弹簧；3—弹簧座；4—锁片；5—锁销

图10-10　气门弹簧座的固定方式

2）气门导管

气门导管主要作用是导向，以保证气门做上下往复运动时不发生径向摆动，准确落座，与气门座正确贴合。同时起导热作用，将气门杆的热量经气门导管传给缸盖及水套。

气门导管用耐磨性和导热性较高的材料制作，以过盈配合方式压入汽缸盖。一般在导管的上端装入骨架式氟橡胶气门油封。为了防止导管在使用过程中松动脱落，有的发动机在气门导管的中部加装定位卡环，如图 10-11 所示。

3）气门座

气门座有两种：一种是在汽缸盖上直接镗削加工而成；另一种是单独制作成气门座圈用冷缩法镶入汽缸盖中，如图 10-11 所示。

优质灰铸铁或合金铸铁汽缸盖多采用直接加工法，铝合金汽缸盖则必须采用镶入法镶入用耐磨性好的材料单独制成的气门座圈。

4）气门弹簧

气门弹簧的作用是关闭气门，靠弹簧张力使气门压在气门座上，克服气门和气门传动组件所产生的惯性力，防止各传动件彼此分离而不能正常工作。

气门弹簧一般采用圆柱形螺旋弹簧，为了防止弹簧发生共振，可采用变螺距圆柱弹簧，如图 10-12 所示。现代高速发动机多采用同心安装的内外两根气门弹簧，如图 10-13 所示，这样既提高了气门弹簧工作时的可靠性，又能有效地防止共振的发生。安装时，内外弹簧的螺旋方向应相反，以防止折断的弹簧圈卡入另一个弹簧圈内。

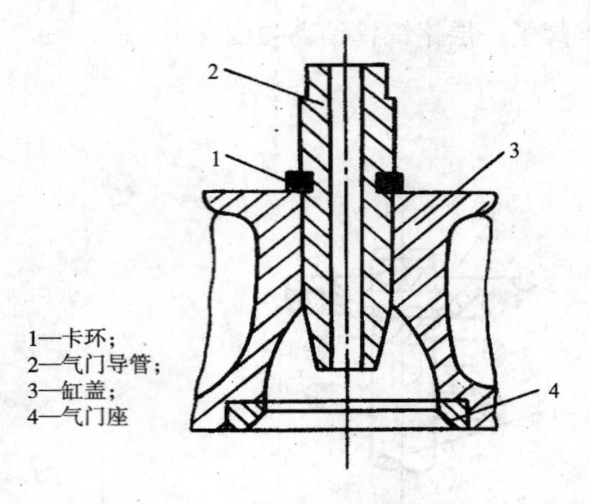

图10-11　气门导管与气门座

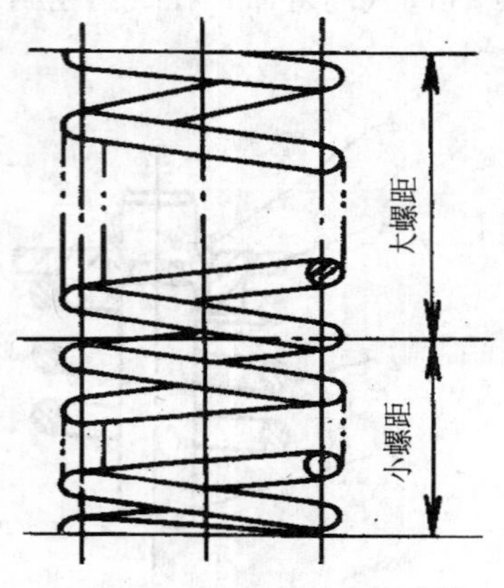

图10-12　变螺距圆柱弹簧

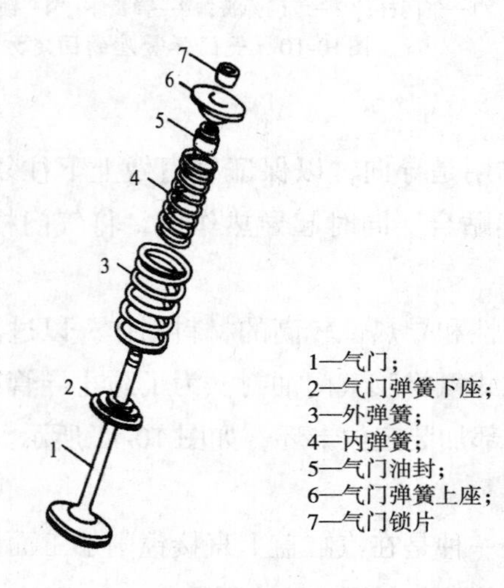

图10-13　双弹簧气门

@信息

根据桑塔纳2000GLI型轿车的原厂维修手册，将配气机构气门组检修的信息提供如下：

在进行检修之前必须对配气机构气门组所有零件进行清洁。

配气机构能按照发动机每一汽缸内所进行的工作循环和点火顺序的要求，定时开启和关闭各汽缸的进、排气门，使新鲜的可燃混合气及时进入汽缸，废气及时从汽缸排出。

桑塔纳轿车的发动机配气机构采用预置凸轮轴、直列单列顶置气门、液压挺柱式气门机构，由同步齿形带传动。结构极其简单紧凑、噪声低，具有很好的动力性和工作可靠性。AJR型发动机采用轻型配气机构。主要改进在于气门杆直径由原来8mm减为

7mm，由此引起进、排气门，气门弹簧及座，气门锁片，气门导管，气门油封，液压挺杆及汽缸盖相应结构的改进。两类气门机构运动件的质量见表 10-1。

表10-1 两类气门机构运动件的质量 单位：g

零　件	进 气 门	排 气 门	气门弹簧	弹簧上座	液压挺柱	气门锁片
原气门机构	64	60	52	18	69	1
轻型气门机构	59．6	59．7	39．4	13	55	1

配气机构由气门组（进排气门、气门座、气门导管、气门弹簧、座圈、气门锁片及气门油封等）和气门传动组（凸轮轴、液压挺杆、凸轮轴正时齿形带轮及正时齿形带等）组成。其立体关系如图 10-14 所示，在汽缸盖上的配置关系如图 10-15 所示。

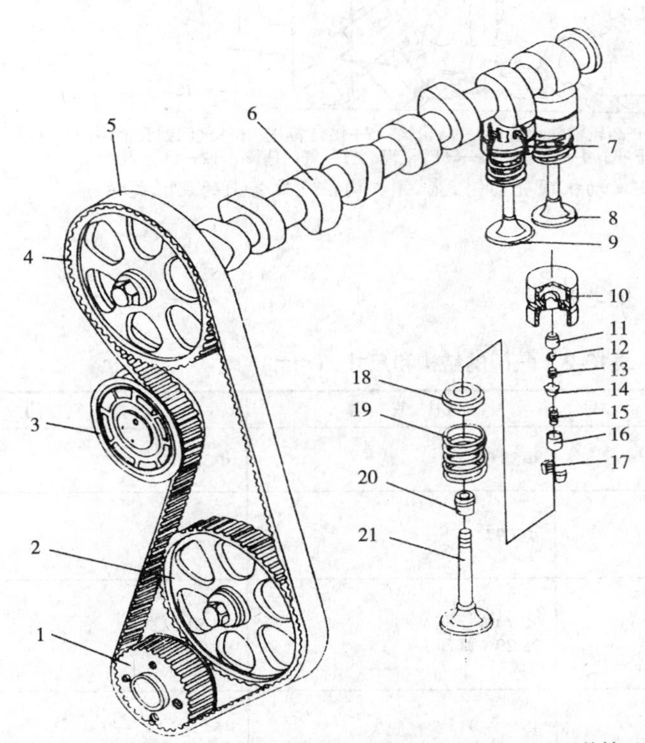

1—曲轴正时齿形带轮；2—中间轴正时齿形带轮；3—张紧轮；4—凸轮轴正时齿形带轮；5—正时齿形带；6—凸轮轴；7—液压挺杆组件；8—排气门；9—进气门；10—挺柱体；11—柱塞；12—止回阀钢球；13—小弹簧；14—托架；15—回位弹簧；16—油缸；17—气门锁片；18—上弹簧座；19—气门弹簧；20—气门油封；21—气门

图10-14 AFE发动机的配气机构立体关系示意图

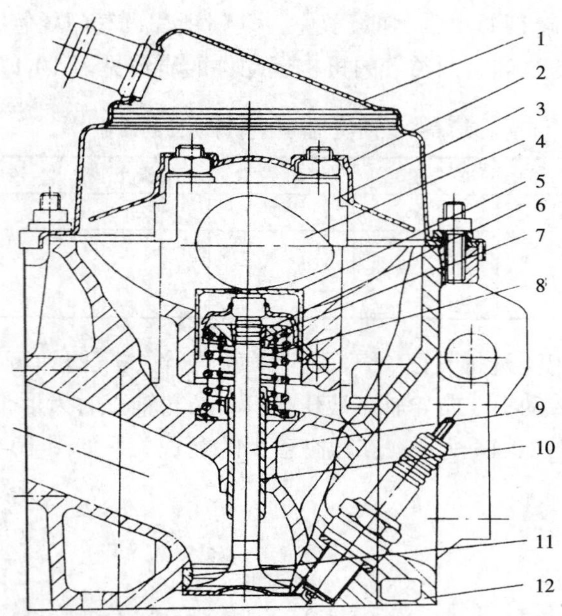

1—汽缸盖罩；2—挡油板；3—凸轮轴轴承盖；4—凸轮轴；5—液压挺柱；6—气门弹簧上座；7—锁片；
8—气门弹簧下座；9—气门；10—气门导管；11—气门座圈；12—汽缸盖

图10-15　AFE发动机顶置凸轮式配气机构在汽缸盖上的配置关系

1. 进、排气门

气门的结构与尺寸如表10-2所示。

表10-2　气门的结构和尺寸（mm）

图　示	符　号	进　气　门	排　气　门
	a	*Φ*38.00	*Φ*33.00
	b	*Φ*7.97	*Φ*7.97
	c	98.70（标准） 98.20（修理）	98.50（标准） 98.00（修理）
	α	45°	45°

进气门修理尺寸如图10-16所示，其中 α 为45°，*a* 最大为3.5mm，*b* 最小为0.5mm。如果超过规定标准，则应修理或更换气门。

排气门不得采取机械加工，只允许手工研磨。研磨气门时旋转与上下方向应始终保持一致，然后小心清除所有的磨屑。如果气门座圈加工良好，气门又是新的，则不一定要研磨。

用百分表在平台上检查气门杆的弯曲度，如图10-17所示。表针摆差超过0.05mm时，应进行校正或更换气门。

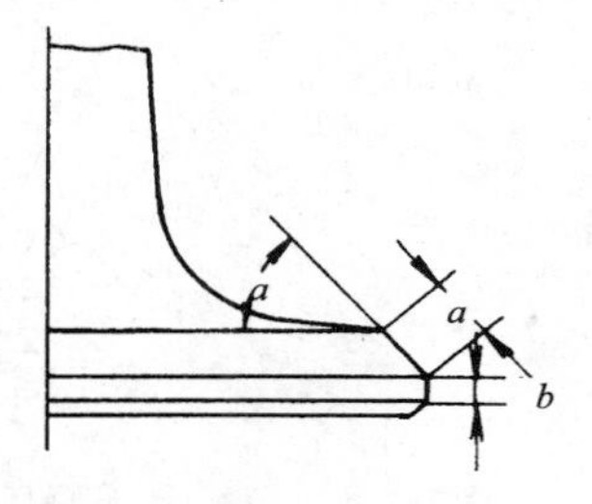

图10-16　进气门修理尺寸

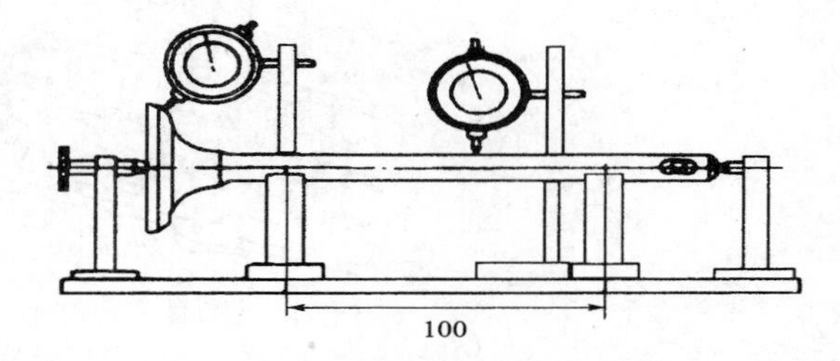

图10-17　检查气门杆的弯曲度

2．进、排气门座

进、排气门座修复尺寸如表10-3所示。

表10-3　进、排气门座修复尺寸

图　　示	尺　　寸	进 气 门 座	排　气　门　座
	a	*Φ*37.20mm	*Φ*32.40mm
	b	9.2mm	9.7mm
	30°	上修正角	上修正角
	c	2.00mm	2.40mm
	45°	气门座角	气门座角
	Z	汽缸盖底边	汽缸盖底边

3．气门杆油封

更换气门杆油封（在已装好的汽缸盖上进行）的步骤如下：

（1）拆下凸轮轴和液压挺杆。

（2）旋下火花塞，拉紧驻车制动器。

（3）将气门座调整到直立螺栓的高度。

（4）将压缩空气管旋进火花塞孔螺纹内，并送入至少0.6MPa的气压。

（5）拆下气门弹簧。用锤子轻击装配夹具的手柄，松动压得很紧的气门锥头，所用的专用工具为2036、VW541/l、VW653/3。

（6）拔出气门杆油封。

（7）装入气门杆油封，包括气门插上塑料套A，气门杆油封B涂油并用10-204顶棒小心地压入导管，如图10-18所示。注意为了防止损坏气门杆，装配时原则上要使用塑料套。

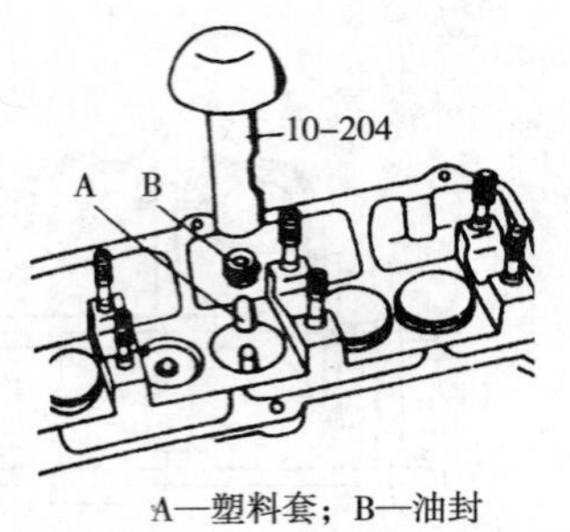

A—塑料套；B—油封

图10-18　压装气门杆油封

4．气门弹簧

气门弹簧的拆卸过程如下：

（1）拆下凸轮轴，拆卸时将液压挺杆做上标记，液压挺杆不可互换。

（2）用专用工具 VW2037 将气门弹簧座压下，取下气门锁夹，拆出气门弹簧，如图 10-19 所示。

气门弹簧座锥形孔下沿口非常锋利，可能会损伤气门杆（拉毛等）。损伤的气门应予更换，必要时在安装前就去除气门座毛边。

（3）用专用工具 3047 拆下弹簧下座，如图 10-20 所示。

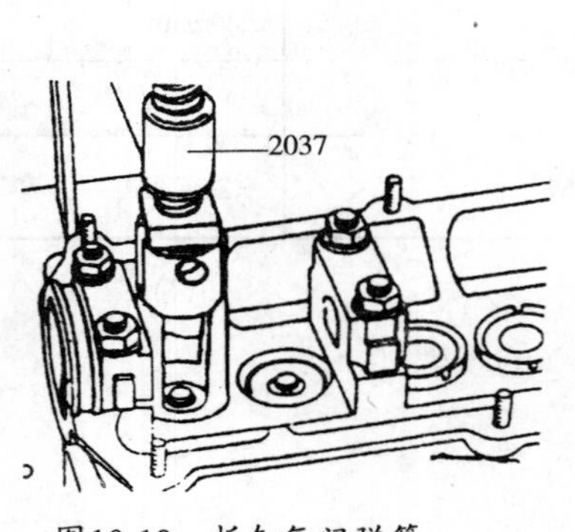

图10-19　拆卸气门弹簧

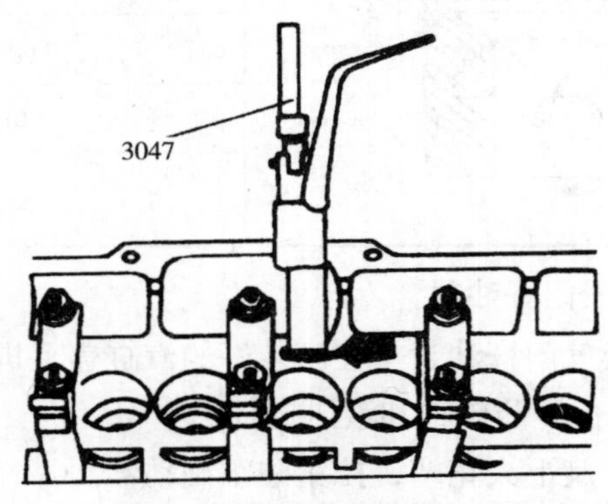

图10-20　拆卸气门弹簧下座

5．气门导管

检查气门导管前，用精铰刀除去积炭。

进气门导管磨损极限值为 1.0mm，排气门导管磨损极限值为 1.3mm（指晃动量）。如果磨损超过极限值，则应更换气门导管。

把磨损的气门导管从凸轮轴端压出（带肩的气门导管修理时从燃烧室端压出）。新气门导管涂油后，用专用工具 10-206 从凸轮轴端压入冷的汽缸盖，如图 10-21 所示。注意放上带肩气门导管后，压力不可大于 9.5kN，否则将使凸肩断裂。

把新气门装入导管，气门杆末端必须同导套平齐。由于气门挺杆的直径不同，故进气门只能与进气门导管、排气门只能与排气门导管配合使用。如用手动铰刀铰气门导管，铰时必须使用冷却液冷却，如图 10-22 所示。

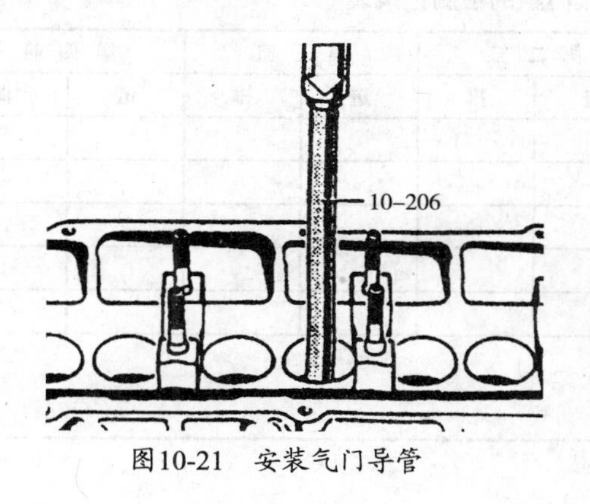

图10-21 安装气门导管

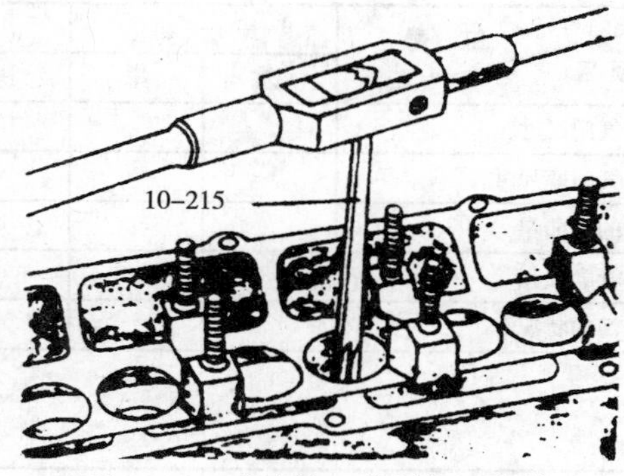

图10-22 手动铰刀铰削气门导管

计 划

根据在导向与信息环节中所介绍的知识与信息，在笔记本上制定一份配气机构气门组检修的工作计划表。计划表格式如表 10-4 所示。

表10-4 计划表

序 号	工 作 内 容	工具/辅具	注 意 事 项

实 施

1．实践准备

场地/工具准备： 8 人用实习场地一块、对应数量的课桌椅、黑板一块、常用工具一套、AFE发动机配气机构气门组、千分尺一把、气门弯曲度测量器、拆装专用工具一套、手动绞刀一套	资料准备： 桑塔纳2000GSI维修手册一本、教材、笔记本

2．实践要求

学生 4 人为一组，在教师的指导下。根据自己列出的工作计划对活塞连杆组进行检修。

教师指导要求如下：

（1）强调安全文明生产。

（2）要求并监督学生用正确流程操作。

（3）指导学生使其能够正确使用各种测量器具及其专用工具。

（4）要求学生将测量到的数据与情况记录在记录表中。

（5）督促学生完善自己的工作计划表。

记录表如表10-5所示。

表10-5 配气机构气门组的检测记录表

测量项目 \ 缸号	第一缸		第二缸		第三缸		第四缸	
	进	排	进	排	进	排	进	排
进、排气门尺寸								
进、排气门座尺寸								
气门杆的弯曲量								
气门导管磨损量								
气门弹簧的状况								
检测结论：								

检 验

教师收回学生完成的工作计划表。根据学生在实施环节中的表现与记录表完成情况制作评价表，对每位学生的表现进行点评。参考教师评价表如表10-6所示。

表10-6 评价表

学 号	姓 名	安全文明生产	操作流程的遵守	量具与工具的使用	记录表的记录	工作计划的完成	总 评 语

展 示

1. 配气机构的分类方式，及其各方式的种类。

2. 气门组的组成，及其各组成零部件的作用与种类。

3. 叙述气门的结构与外形特点。

4. 实施中每组同学选一名代表根据自己的实践经历，用10分钟时间在全班同学面前讲述在进行配气机构气门组检修时的流程并对记录表的数据进行分析。

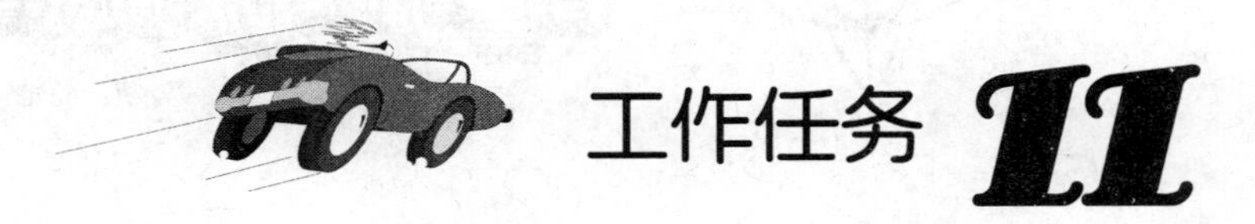

配气机构气门驱动组的结构与检修

任务描述

一辆桑塔纳2000GLI型轿车，行驶了17万千米。车主反映在前一年发现发动机排气冒蓝烟，近期冒蓝烟情况现象越发严重。行驶不到3000千米机油量减少一半。

我们在工作任务10中已经完成了对配气机构气门组的检修。现在我们的任务是对配气机构气门驱动组各零部件进行检查并修理。

基础知识

气门驱动组主要包括：凸轮轴及传动机构、挺柱、推杆和摇臂机构等零件。

（1）凸轮轴

凸轮轴是气门驱动组中的主要部件，其作用是控制气门的开闭及其升程的变化规律。下置凸轮轴式发动机还依靠凸轮轴来驱动汽油泵、机油泵和分电器等装置。

1）凸轮轴的结构

凸轮轴主要由凸轮和轴径两部分组成。

单根凸轮轴一般将进气凸轮和排气凸轮布置在同一根凸轮轴上，其结构如图11-1所示。双顶置凸轮轴配气机构的两根凸轮轴，一根是进气凸轮轴，上面布置有各缸的进气凸轮；另一根是排气凸轮轴，上面分布有各缸的排气凸轮。

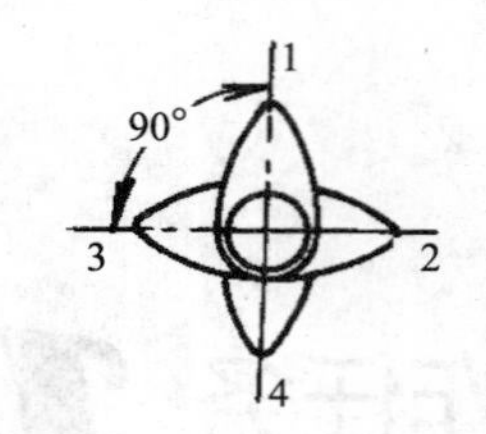

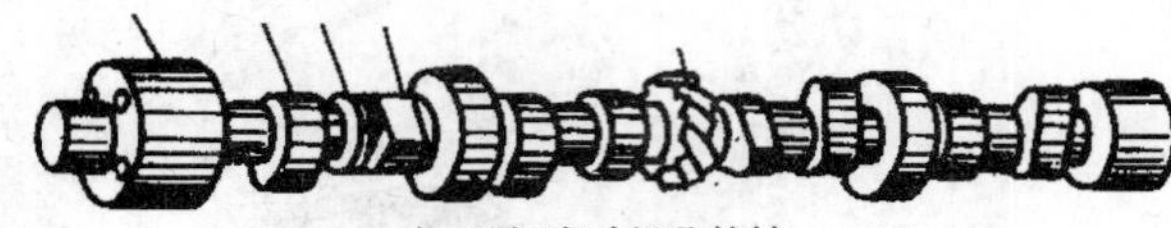

a） 四缸发动机凸轮轴

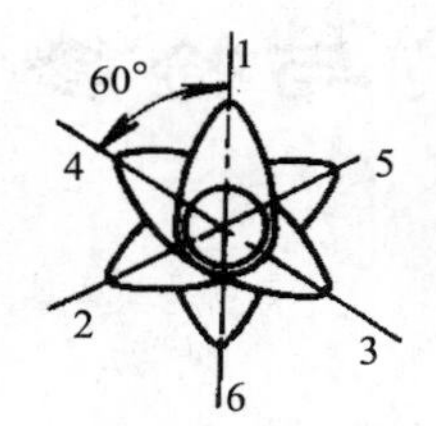

b）四缸发动机凸轮轴

1—凸轮轴轴颈；2，4—凸轮；3—偏心轮；5—齿轮

图11-1　凸轮轴的结构

① 凸轮的形状

气门的开闭时刻及其升程变化规律主要取决于控制气门的凸轮外部轮廓曲线。凸轮轮廓形状如图 11-2 所示，O 为凸轮旋转中心（也是凸轮轴的轴心），弧 EA 为凸轮的基圆，弧 AB 和弧 DE 为过渡段，弧 BCD 为凸轮的工作段。当凸轮按图中箭头方向转过弧 EA 时，挺柱不动，气门关闭；凸轮转过 A 点后，挺柱开始上移，达到 B 点时，气门间隙消除，气门开始开启；凸轮轴到 C 点时，气门升程（开度）最大；到 D 点时关闭。弧 BCD 工作段所对应的夹角 ϕ 称为气门开启持续角。

② 凸轮轴轴颈

凸轮轴轴颈用以安装支承凸轮轴，轴颈数量取决于凸轮轴的支承方式。

全支承——对应每个汽缸间设有一道轴颈，支承点多，能有效防止凸轮轴的变形对配气相位的影响；

非全支承——每隔两个（或多个）汽缸设置一个轴颈，工艺简单，成本降低，但支承刚性较差。

由于装配方式的不同，轴承的直径有的相等，有的则从前向后逐级减小，以便于安装。凸轮轴一般采用优质钢模锻而成。

2）凸轮轴的轴向定位

为了防止凸轮轴的轴向窜动，一般设有轴向定位装置。解放 CA6102 发动机采用止推凸缘实现轴向定位，其机构形式如图 11-3 所示。JV 发动机利用凸轮轴第五轴承盖的两端面实现轴向定位。

（2）挺柱

挺柱的作用是将凸轮轴旋转时产生的推动力传给推杆（下、中置凸轮轴）或气门（顶置凸轮轴）。挺柱一般用耐磨性好的合金钢或合金铸铁等材料制造。

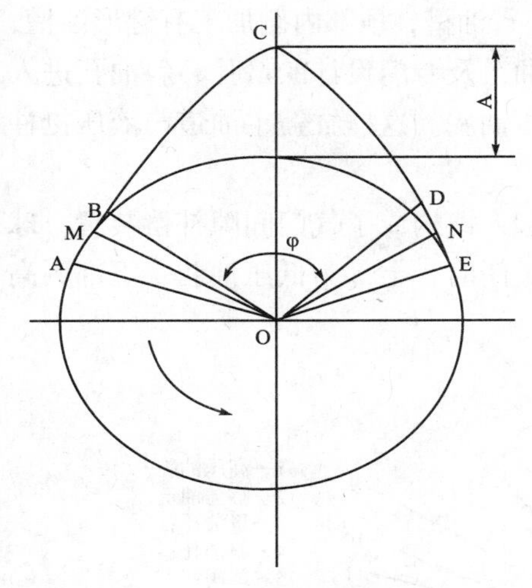

图11-2　凸轮轮廓形状

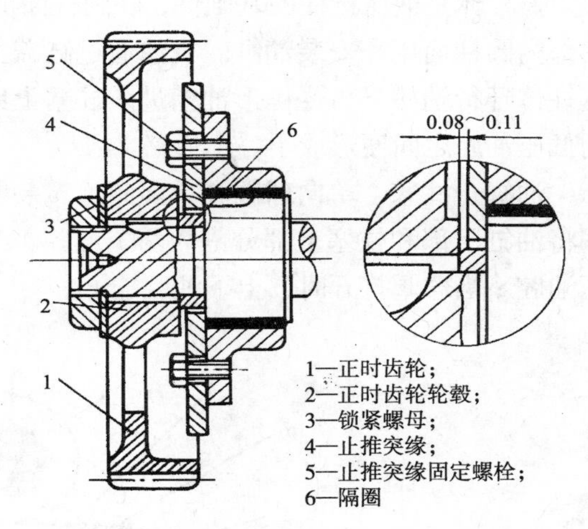

图11-3　凸轮轴的轴向定位机构形式

1）普通挺柱

常见的挺柱主要有菌形、筒形和滚轮式三种，其结构形式如图 11-4 所示。

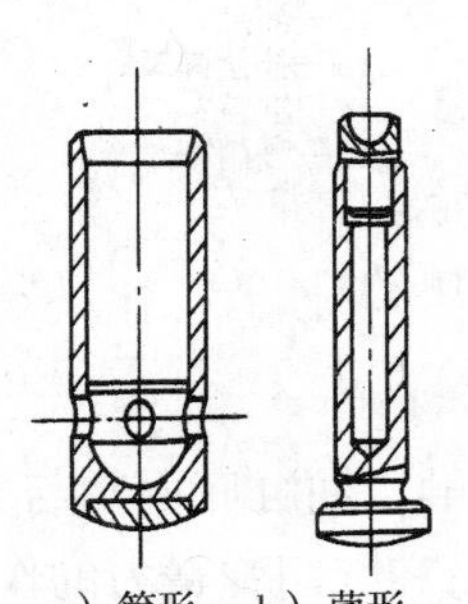

图11-4　气门挺柱的结构形式

通常把挺柱底部工作面设计为球面，并且将凸轮做成锥形，使两者的接触点偏离挺柱轴线。工作中，当挺柱被凸轮顶起时，接触点间的磨擦力使挺柱围绕自身轴线旋转，以实现均匀磨损。

菌形挺柱顶部有气门间隙调节螺钉，可以用来调节间隙。菌形挺柱质量较轻，一般和推杆配合使用。滚轮式挺柱结构较为复杂，但其与凸轮间的摩擦力最小，适合于中速大功率发动机。

挺柱可直接安装在汽缸体一侧的导向孔中，或安装在可拆卸的挺柱架中。

2）液压挺柱

前面谈到了采用预留气门间隙的方法，可以解决气门传动组件受热膨胀可能给气门工作带来的不利影响。但气门间隙的存在，会使配气机构在工作过程中出现撞击而产生噪声。为了消除这一弊端，不少发动机采用了液压挺柱。目前一汽大众奥迪 100JW 型发动机、上海桑塔纳 JV 发动机均采用液压挺柱。

① 液压挺柱的作用

具有自动补偿气门间隙作用的液压杆具有以下优点：取消了调整气门间隙的零件，使结构大为简化。

不用调整气门间隙，极大地简化了装配、使用和维修过程；消除了由气门间隙引起的冲击和噪声，减轻了气门传动组之间的摩擦。

② 液压挺柱结构

液压挺柱由挺柱体、油缸、柱塞、单向球阀、单向阀弹簧和柱塞回位弹簧等部件组成。具体结构如图 11-5 所示。

挺柱体是液压挺柱的基础件，外圆柱面加工有环行油槽，顶部内侧加工有键形油槽，中部内圆柱面用来安装油缸。机油通过缸盖上的主油道及专门设计的量孔、斜油孔进入挺柱体环行油槽，再经键形油槽进入柱塞上部的低压油腔。这样缸盖主油道与液压挺柱的低压油腔之间便形成了一个通路。

油缸、柱塞、单向球阀和单向阀弹簧装配到一起，便构成了气门间隙补偿装置。球阀将油缸下部和柱塞上部分割为两个油腔。当球阀关闭时，上部为低压油腔，下部为高压油腔；当球阀打开时，上下油腔连通。

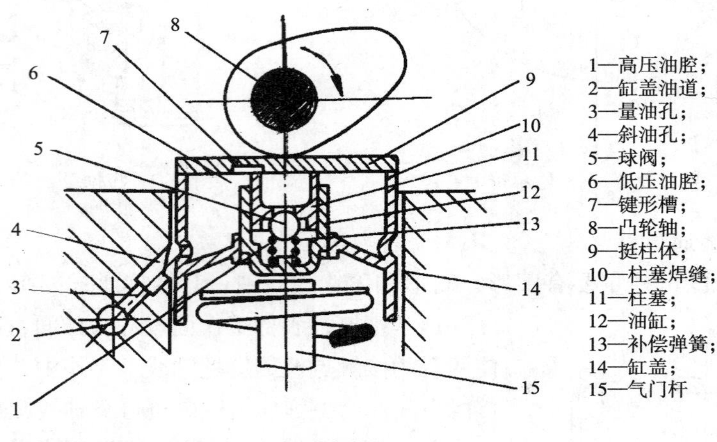

图11-5　液压挺柱

③ 液压挺柱的工作原理

杯状液压挺柱装在汽缸盖上的挺柱孔内，挺柱顶面与凸轮接触，油缸底面则与气门杆端接触。当凸轮的升程段与挺柱顶面接触时，挺柱受凸轮推动力和气门弹簧力的作用，挺柱下移，高压油腔内的机油被压缩，单向球阀在压力差和单向阀弹簧作用下关闭，高、低压油腔被分割开。由于液体的不可压缩性，油缸与柱塞成为一刚性整体，推动气门打开。

随着凸轮的转动，当凸轮升程段结束，挺柱与凸轮基圆段接触时，气门落座，挺柱不再受凸轮推动力和气门弹簧力的作用，高压油腔中的压力油与回位弹簧推动柱塞上行，高压油腔的压力下降，单向球阀打开，低压油腔的机油流入高压油腔，使两腔连通，如图 11-6 所示。这时，液压挺柱的顶面仍然和凸轮基圆接触，从而达到补偿气门间隙的作用。凸轮轴的中心线与挺柱的中心线也错开了 1.5mm，凸轮稍带锥度，使接触点偏离挺柱中心线，挺柱在工作过程中，在摩擦力的作用下绕其轴线旋转，有利于实现均匀摩擦。

（3）推杆

下置凸轮轴配气机构中有细而长的推杆，推杆的作用是将挺柱传来的凸轮推动力传递给摇臂机构。

推杆如图 11-7 所示。

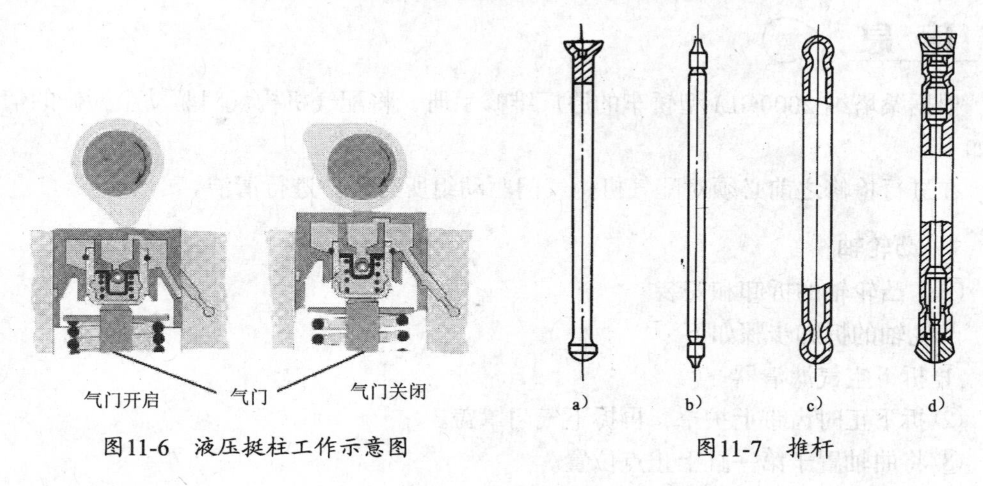

图11-6　液压挺柱工作示意图　　图11-7　推杆

（4）摇臂组件

摇臂组件主要有：摇臂、摇臂轴、支承座、气门间隙高速螺钉等零件组成，如图 11-8 所示。摇臂是一个以中间轴孔为支点的双臂杠杆，短臂一侧装有气门间隙调整螺钉，长臂一端有一圆弧工作面来推动气门。为了提高其工作寿命，长臂圆弧工作面需经淬火处理。

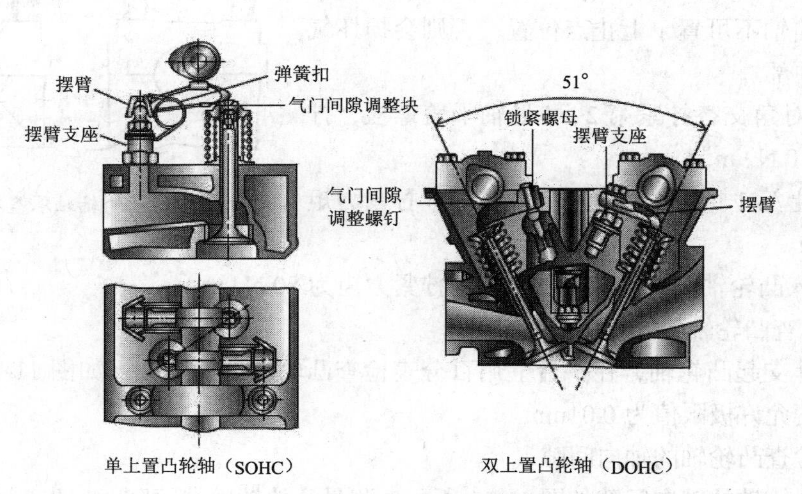

图11-8　摇臂组件结构图

气门间隙是指气门杆尾端与摇臂之间预留的间隙。气门间隙的大小对发动机动力性能和运转情况影响很大。若间隙过小，在发动机工作时，由于气门及其传动件受热伸长，易使气门关闭不严，甚至漏气、功率下降，气门工作面烧蚀。若间隙过大，则气门传动件之间产生撞击，加速磨损。而且气门开启的持续角减小，使发动机充气不足，排气不干净，为了使气门处于良好的工作状态，必须将气门间隙调到标准值。CA1091 和 EQ1092 型汽车的进排气门在发动机冷态下，气门间隙均为 0.20 ～ 0.25mm。

@ 信 息

根据桑塔纳 2000GLI 型轿车的原厂维修手册，将配气机构气门驱动组检修的信息提供如下。

在进行检修之前必须对配气机构气门驱动组所有零件进行清洁。

1．凸轮轴

（1）凸轮轴的拆卸和安装

凸轮轴的拆卸步骤如下：

① 拆下空气滤清器。

② 拆下正时齿带上护罩，再拆下气门罩盖。

③ 将曲轴置于第一缸上止点位置。

④ 放松并取下正时齿带，拆下凸轮轴正时齿带轮。

⑤ 先拆第 1、3、5 号轴承盖，然后对角交替松掉第 2、4 号轴承盖。

凸轮轴的安装步骤如下：

① 安装凸轮轴时，第一缸凸轮必须朝上。安装前放上轴承盖，确定安装位置（注意孔的上下两半部要对准，如图 11-9 所示）。凸轮轴转动时，曲轴不可置于上止点位置，否则会损坏气门和活塞顶部。

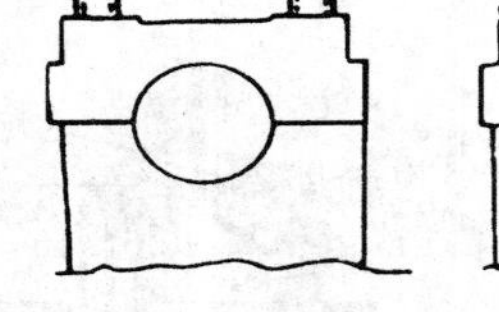

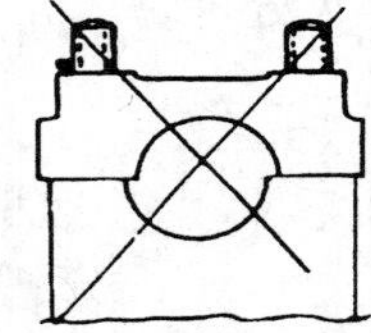

图11-9　凸轮轴轴承盖安装位置

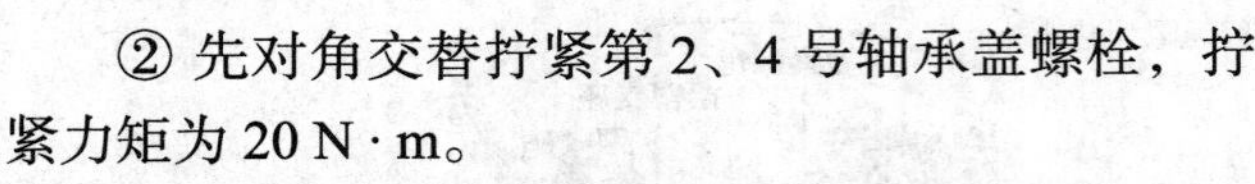

② 先对角交替拧紧第 2、4 号轴承盖螺栓，拧紧力矩为 20 N · m。

③ 装上第 1、3、5 号轴承盖，其螺栓拧紧力矩为 20 N · m。

④ 装入凸轮轴正时齿带轮并紧固，拧紧力矩为 80 N · m。

（2）检查凸轮轴的同轴度

用顶针支起凸轮轴，在平台上用百分表检查凸轮轴的同轴度，如图 11-10 所示。凸轮轴同轴度允许极限值为 0.01mm。

（3）检查凸轮轴的轴向间隙

检查凸轮轴的轴向间隙如图 11-11 所示。测量凸轮轴轴向间隙时，先拆去液压挺杆，装好 1 号和 5 号轴承盖，轴向间隙允许极限值为 0.15mm。

（4）更换凸轮轴油封

① 拆下 V 形带和正时齿带防护罩。

② 将曲轴置于第一缸上止点位置。

③ 松开张紧轮，拆下正时齿带。拆下凸轮轴正时齿带轮。

④ 把凸轮轴正时齿带固定螺栓套上垫圈拧入凸轮轴，拧紧。

⑤ 将油封取出器内件从外件旋出两圈（约 3mm），并用滚花螺钉锁紧。

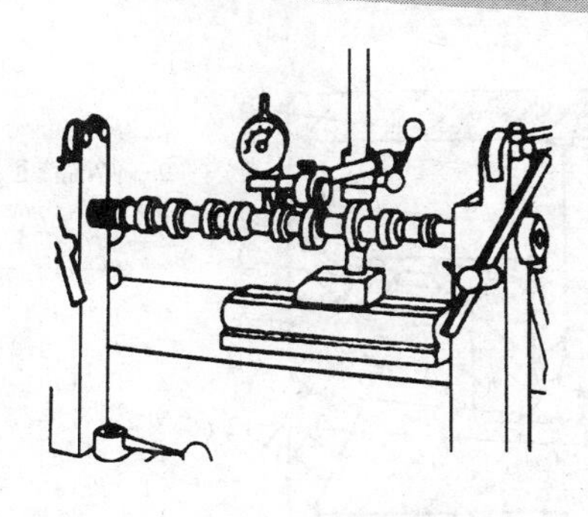

图11-10　检查凸轮轴的同轴度

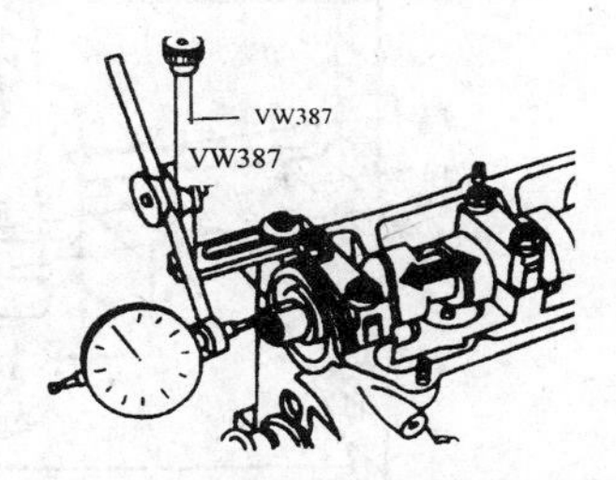

图11-11　检查凸轮轴的轴向间隙

⑥ 将油封取出器的螺纹头涂油后拧入机油封，然后用力沿着图 11-12 箭头所示方向尽可能深地旋入密封圈。

⑦ 旋松滚花螺钉，将内件对着凸轮轴旋转，直至油封取出。

⑧ 用台虎钳夹住取出器，用钳子取下密封圈。

⑨ 安装油封时，在密封圈唇边和外圈涂薄机油，将油封放入导套 VW10-203。

⑩ 将油封平整压入，如图 11-13 所示。注意不要压到头，否则会堵塞回油孔。

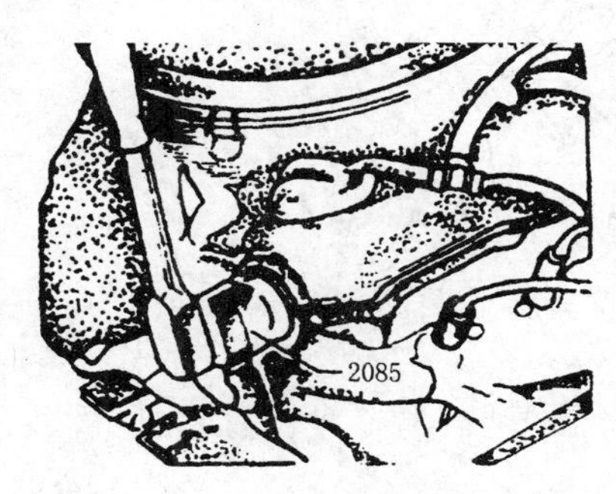

图11-12　将油封取出器拧入密封圈

图11-13　压入油封

2. 液压挺杆

液压挺杆的结构如图 11-14 所示。检查液压挺杆时，按以下步骤进行：

（1）在凸轮轴接触面（凸轮面）向下时，将取下的挺杆放在清洁的平面上。

（2）启动发动机并使其运转，直至电控冷却风扇启动。在启动发动机时产生异响是正常的。

（3）提高发动机转速，使其以 2500r/min 的转速运转 2min。

（4）如果挺杆仍有异响，应拆下汽缸盖，旋转曲轴使被检查的凸轮挺杆向上。

（5）如图 11-15 所示，用木质或塑料片下压挺杆，检查液压挺杆的自由行程，如果自由行程在气门打开前超过 0.lmm，应更换挺杆（液压挺杆不可调整及修理）。在安装新挺杆时，发动机在 30min 内不得运转，否则气门将敲击活塞。

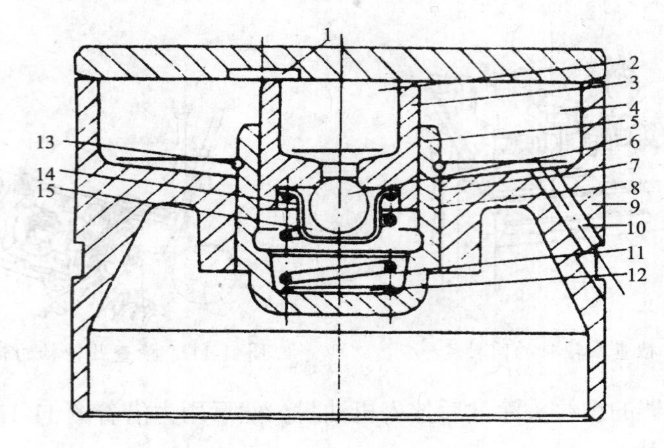

图11-14　液压挺杆的结构

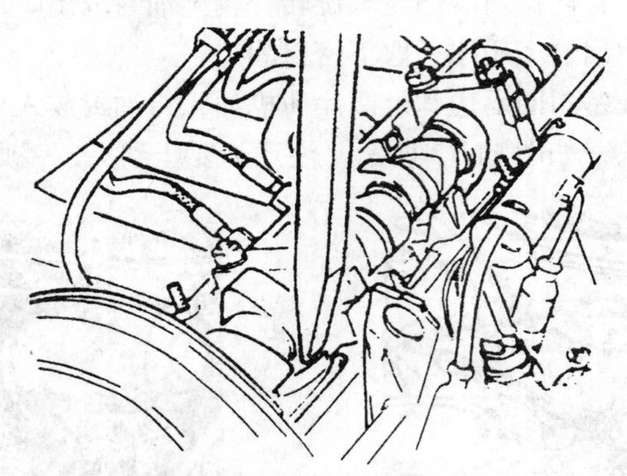

图11-15　检查液压挺杆的自由行程

计　划

根据在导向与信息环节中介绍的知识与信息，在笔记本上制定一份配气机构气门驱动组检修的工作计划表。计划表格式如表11-1所示。

表11-1　计划表

序　号	工作内容	工具/辅具	注意事项

实　施

1．实践准备

场地/工具准备： 8人用实习场地一块、对应数量的课桌椅、黑板一块、常用工具一套、AFE发动机配气机构气门驱动组一套、V形块一对、百分表及表架一套、拆装专用工具一套	资料准备： 桑塔纳2000GSI维修手册一本、教材、笔记本

2．实践要求

学生 4 人为一组，在教师的指导下。根据自己列出的工作计划对配气机构气门驱动组进行检修。

教师指导要求如下：

（1）强调安全文明生产。

（2）要求并监督学生用正确流程操作。

（3）指导学生使其能够正确使用各种测量器具及其专用工具。

（4）要求学生将测量到的数据与情况记录在记录表中。

（5）督促学生完善自己的工作计划表。

记录表如表 11-2 所示。

表11-2　配气机构气门驱动组的检测记录表

检测项目	标准值	实测值
凸轮轴同轴度		
凸轮轴轴向间隙		
液压挺杆的自由行程		
结论：		

检验

教师收回学生完成的工作计划表。根据学生在实施环节中的表现与记录表完成情况制作评价表，对每位学生的表现进行点评。参考教师评价表如表 11-3 所示。

表11-3　评价表

学号	姓名	安全文明、生产	操作流程的遵守	量具与工具的使用	记录表的记录	工作计划的完成	总评语

展示

1．气门驱动组的组成，及其各组成零部件的作用与种类。

2．叙述凸轮轴的结构特点与检测项目。

3．叙述液压挺柱的工作原理。

4．实施中每组同学选一名代表根据自己的实践经历，用 10 分钟时间在全班同学面前讲述在进行气门驱动组检修时的流程并对记录表的数据进行分析。

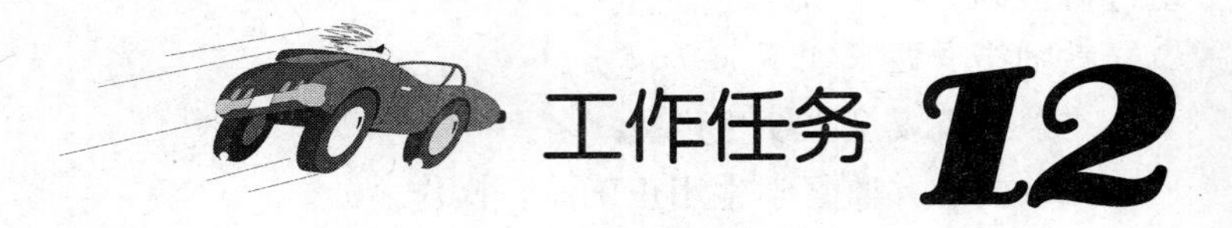

工作任务12

配气相位的检查与调整

导向

任务描述

一辆桑塔纳2000GLI型轿车，因烧机油送至我处大修。大修装复后，试车时发现车辆动力不足。检验员对车辆电控系统进行了检验，结果正常。随即要求我们对该车的配气相位进行检查。

基础知识

1. 配气相位

在前述四冲程发动机的工作循环时，为了方便，曾把进排气过程看做是在活塞的一个行程内即曲轴旋转180° 完成的，即认为气门开闭时刻是在活塞的上下止点处，但实际情况并非如此。由于发动机转速很高，一个行程的时间很短（例如上海桑塔纳轿车发动机在最大功率时的转速为5600r/min，一个行程历时仅为0.0054s），这样短时间难以做到进气充分，排气干净。为了改善换气过程，提高发动机性能，实际发动机的气门开启和关闭并不恰好在活塞的上下止点，而是适当提前和拖后，以延长进排气的时间。也就是说，气门开启过程对应的曲轴转角总是大于180° 。

用曲轴转角表示的进排气门开闭时刻和开启持续时间，称为配气相位。图12-1是用曲轴转角绘制的配气相位图。

（1）进气相位

1）进气提前角

在派气行程接近终了，活塞到达上止点之前，进气门便提前开启。从进气门开启到上止点所对应的曲轴转角称为进气提前角，用 α 表示。进气门早开，使得活塞在到达上止点开始向下移动时，获得最大的进气通道面积，减少了进气阻力。α 角度一般为 10° ～30° 。

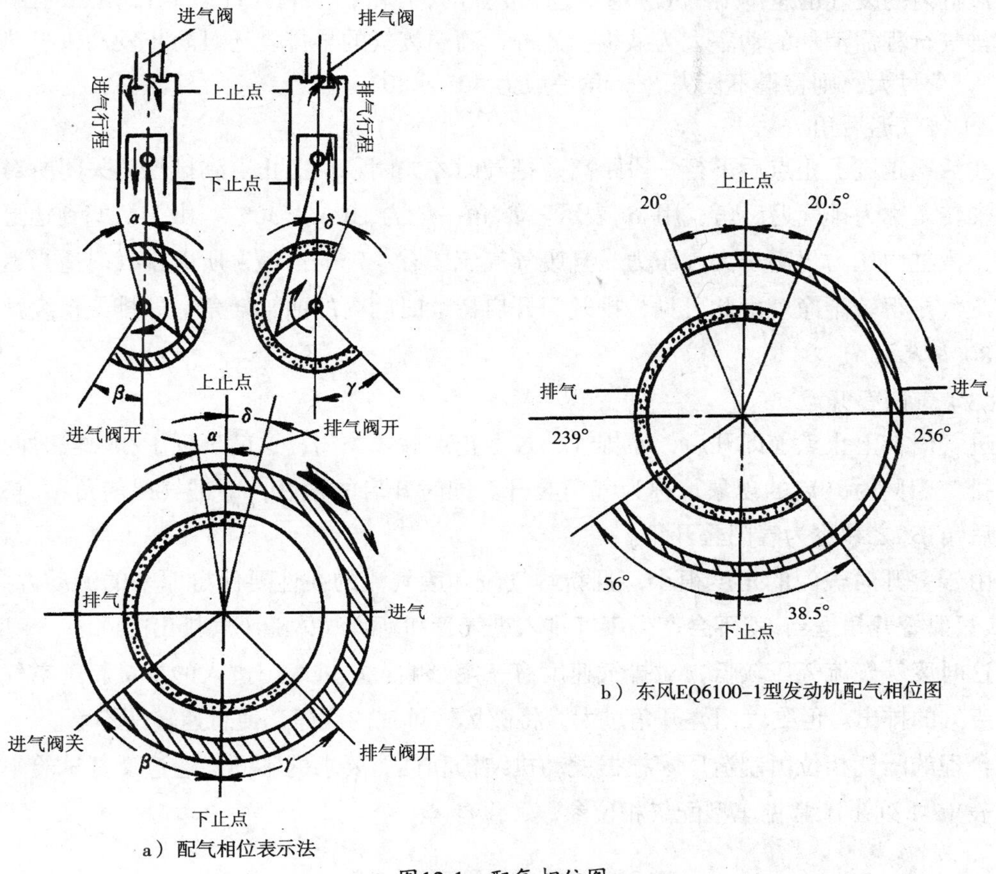

图12-1　配气相位图

2）进气迟后角

在进气行程的下止点过后，活塞重又上行一段，进气门关闭。从下止点到进气门关闭所对应的曲轴转角称为进气迟后角，用 β 表示。进气门迟关，是因为活塞到达下止点时，由于进气阻力的影响，汽缸内压力低于大气压力，且气流还有相当的惯性，仍能继续进气。下止点过后，随着活塞上行，汽缸内压力逐渐增大，进气气流速度也逐渐减小，至气流等于零时，关闭气门最为合适。β 角度一般为 40° ～70° 。若 β 过大便会将进入汽缸的气体重新压回进气管，引起进气倒流的现象。由此可见，进气门开启持续时间内的曲轴转角，即进气持续角为 α +180° +β 。

（2）排气相位

1）排气提前角

在膨胀行程的后期，活塞到达下止点之前，排气门便提前开启。从排气门提前开启到活塞到达下止点之前所对应的曲轴转角称为排气提前角，用 γ 表示。在恰当的排气提前角内，由于汽缸内还有 0.3 ～ 0.4MPa 的压力，膨胀作用已经不大，但利用此压力可使汽缸内的废气迅速排出，待活塞到达下止点时，汽缸内只剩 0.11 ～ 0.12MPa 的压力，会使排气行程需消耗的功率大为减少。此外，高温废气的早排，还可防止发动机过热。若但 γ 角过大，则将得不偿失。γ 角一般为 40°～ 80° 。

2）排气迟后角

在活塞越过上止点后下行一段距离，排气门才关闭。从上止点到排气门关闭所对应的曲轴转角称为排气迟后角，用 δ 表示。δ 角一般为 10° ～ 30° 。由于活塞到达上止点时，汽缸内压力仍高于大气压力，且废气气流还有一定的惯性，所以排气门适当迟关可使废气排得较干净。由此可见，排气门开启持续时间内的曲轴转角，即排气持续角为 $\gamma+180°+\delta$ 。

（3）气门叠开

进气门在上止点前即开启，而排气门过上止点后才关闭，这就出现了在一段时间内进、排气门同时开启的现象，称为气门叠开。同时开启的角度，即进气提前角 α 与排气迟后角 β 之和称为气门叠开角。

由于叠开时气门的角度很小，且新鲜气流和废气流的惯性要保持原来的流动方向，所以，只要叠开角适当，就不会产生废气排入进气管和新鲜气体随废气排出的问题。相反，由于这时废气气流气压较低，对排气速度有一定影响，从进气门进入的少量新鲜空气有助于废气的排出。但是气门叠开角过大，将破坏进排气的次序，使怠速转速不稳。

合理的配气相位由制造厂家根据发动机结构和性能要求的不同，通过反复试验来确定。表 12-1 列出了常见车型配气相位参数，供参考。

表12-1　常见车型配气相位参数

车　型	发 动 机	进　气		排　气	
		进气提前角（α）	进气迟后角（β）	排气提前角（γ）	排气迟后角（δ）
夏利7100 U	3760	190	510	510	190
桑塔纳LX	JV	100	370	420	20
富康ZX	TU3-2/ K	750	41026	51028`	1014
奥迪100	JW	30	420	330	50
东风EQ1092		200	560	38．50	20.50
CAIO92	CA6102	150	450	40	150
BJ2021	492Q	120	780	560	340
依维柯	8140.07		480	480	80
依维柯	8140.27	80	370	480	80

2. 可变配气相位技术

现代引擎多采用DOHC的缸盖设计，两根凸轮轴被设置在引擎顶部，通过齿形带轮或链条从曲轴端取力，并以2：1的速度驱动凸轮轴，此时凸轮轴的旋转推动气门进行上下往复运动，从而控制气门的开启和闭合。而我们要关注的，其实就是气门开合的问题。

（1）可变气门行程

活塞式四冲程引擎都由进气、压缩、做功、排气四个冲程完成，我们关注的是气门开启程度对引擎进气的影响问题。汽缸进气的基本原理是“负压”，也就是汽缸内外的气体压强差。在引擎低速运转时，气门的开启程度切不可过大，这样可以使汽缸内外压力均衡，负压减小，对于气门的工作而言，这个“小程度开启”需要短行程的方式加以控制；而高速恰恰相反，转速动辄5000rpm，倘若气门依然羞羞答答不肯打开，引擎的进气必然受阻，所以，需要长行程的气门升程。工程师们往往既要兼顾引擎在低速区的扭矩特性，又想榨取高速区的功率特性，只能采取一条“折中”的思路，因而导致引擎高速没功率，低速缺扭矩。

所以在这样的情况下，就需要一种对气门升程进行调节的装置，也就是我们要说的“可变气门正时技术”。该技术既能保证低速高扭矩，又能获得高速高功率，对引擎而言是一个极大的突破。

20世纪80年代，诸多企业开始投入了可变气门正时的研究，1989年本田首次发布了“可变气门配气相位和气门升程电子控制系统”，英文全称“Variable Valve Timing and Valve Life Electronic Control System”，也就是我们常见的VTEC。此后，各家企业不断发展该技术，到今天已经非常成熟，丰田也开发了VVT-i，保时捷开发了Variocam，现代开发了DVVT，几乎每家企业都有了自己的可变气门正时技术。一系列可变气门技术虽然商品名各异，但其设计思想却极为相似。

1）可变气门正时技术之一：保时捷Variocam

保时捷911跑车引擎采用的可变气门正时技术是Variocam。

如图12-2所示，通过气门可以发现其两个位置，图中每个进气门分别有两种最大行程，绿色位置显然是高速时气门能够达到的最大行程。控制气门行程变化的是两组凸轮控制，一组是高速凸轮，即红色部分的凸轮；另一组是低速凸轮，即高速凸轮之间的凸轮。

当引擎在低转速工况时，气门座顶端的黄色控制活塞落在气门座内。这样高速凸轮只能驱动气门座向下行程而不能带动整个气门动作，整个气门由低速凸轮驱动气门顶向下行程，这样获得的气门开度就较小。反之当发动机在高转速工况时，控制活塞在液压的驱动下从气门座推入到气门顶中，把气门座和气门刚性连接，高速凸轮驱动气门座时就能带动气门向下行程获得较大的气门开度。

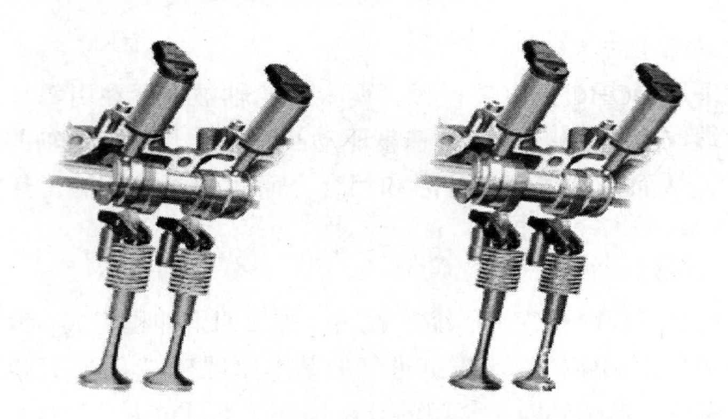

图12-2　可变气门正时技术Variocam结构示意图

2）可变气门正时技术之二：本田 VTEC

本田 VTEC 与保时捷 Variocam 略有相同，本田的 VTEC 原理接近，而控制方式不同。

凸轮轴上依然布置有高速凸轮与低速凸轮，但由于本田引擎的气门由摇臂驱动，所以不能像保时捷一样紧凑。控制高低速凸轮切换的是一组结构复杂的摇臂，通过传感器测出引擎转速，传送到 ECU 进行控制，并由 ECU 发出指令控制摇臂，如图 12-3 所示。

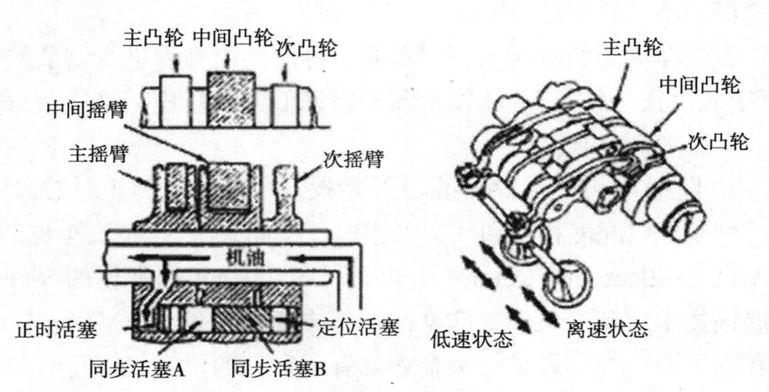

图12-3　本田VTEC工作原理示意图

简单地说，就是这套摇臂能够根据转速不同自动选取 1 进 1 排的 2 气门工作或者 2 进 2 排的 4 气门工作，从而让发动机在高低速工况下都能顺畅自如。

通常，转速低于 3500rpm 时，各有一支进气、排气凸轮工作，此时发动机近似为一台 2 气门发动机，这样的好处是，能够增加负压，利于进气；转速超过 3500rpm 时，液压系伺服系统接到发动机中央控制器 ECU 指令，对摇臂内机油加压，压力机油推动定时柱塞移动，使得同步柱塞将高速摇臂与主副摇臂刚性连接，此时低速凸轮虽然转动，但处于空转状态，并不参与工作，从而 4 只活塞共同工作，以适应高速运转。

3）可变气门正时技术之三：宝马 Valvetronic

宝马 Valvetronic 与保时捷 Variocam、本田 VTEC 技术基本相同。相同技术的还有很多，例如丰田 VVT-i、通用 ECOtec 系列引擎的 VVT 等，这些技术能够改变气门升程，但是局限性在于，这些技术都只有“两段式”可调，在气门行程进行变化的一刻会感觉到顿挫感。由此，宝马对气门行程的调节煞费苦心，开发了一套可以连续可变的气门正时技术，是目前号称最具科技含量的气门正时技术，如图 12-4 所示。

与众不同的是，宝马采用的是电机驱动的方式，电动机的周相运动通过蜗杆传动齿轮转变为摇臂的控制角度变化，然后在凸轮轴的驱动下由摇臂带动气门运动。通过改变摇臂的角度即可改变气门的行程。由于采用了电动机控制，在 ECU 指令下电动机能够“无极”变化角度，使得气门升程的改变并不影响引擎工作，没有顿挫感，也更能有针对性地对每个转速范围进行细致的配气分析。

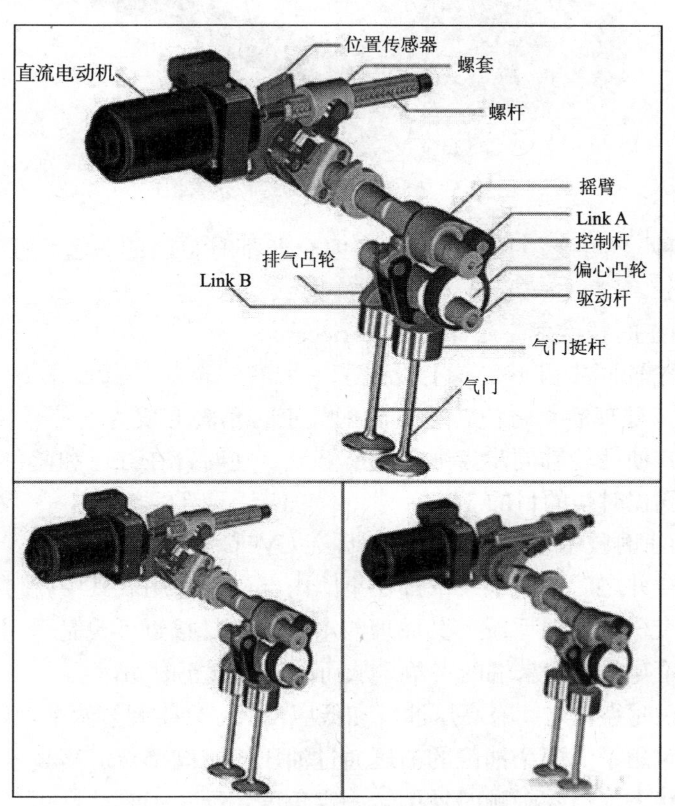

图12-4　宝马Valvetronic气门正时示意图

（2）配气正时可变

发动机技术发展到今天，民用车转速范围已经拓展到 6000rpm 乃至 9000rpm，低速和高速时，气门开启关闭的时刻需要与转速匹配。

低转速时，进气速度慢，所以气门重叠角可以相对大一些，应该让进气门提前打开和延时关闭的时间更长一些，以保证充分进气；在高转速情况下，由于混合气流速很快，气门重叠角就应变小，让气门提前开启和延时关闭的时间缩短，这样才不会造成进排气干涉，如图 12-5 所示。发动机才能在保证不发生进排气干涉的情况下，让其在各个工况都能得到充分的进气，从而提高了发动机的工作效率，也让发动机在低转时能有充分的扭力输出，高转速时能有更强大的功率输出，让发动机扭力输出得更平稳，特性曲线更线性。

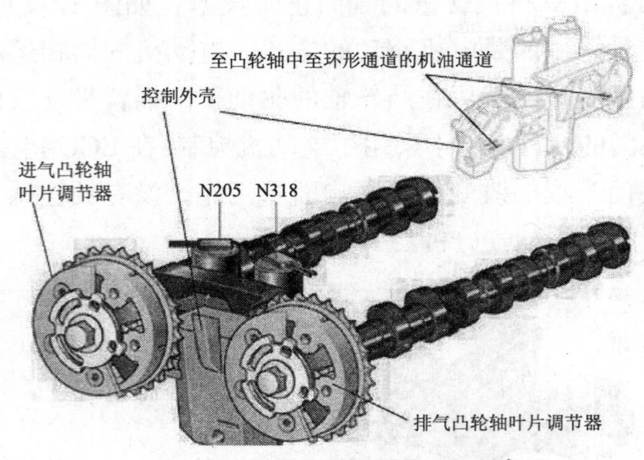

图12-5　配气正时可变结构示意图

为了达到这种　“可变”　的效果，　各家企业都有自己的一套手段来对配气正时进行调整。

1）可变气门正时技术之一：保时捷 Variocam

保时捷在凸轮轴同步齿形带轮上设置了一个液压装置，当 ECU 接收位于曲轴的传感器的信息并进行处理后，将该转速下的配气正时角转变成为电信号传送到液压装置，由液压装置加压，使凸轮轴同步齿形带轮能够顺、逆时针在红色和蓝色位置之间自由转动，达到控制配气正时角的目的。

2）可变气门正时技术之二：雷诺——日产 CVTC

雷诺、日产合并之后，多项技术都在集团内部进行共用。其中就包括日产潜心研究的 CVTC 连续可变气门正时系统。其原理与本田 VTEC 接近，也是采用液压作用改变凸轮轴同步齿形带轮与凸轮轴末端的夹角，从而改变配气正时角。

在凸轮轴与正时齿轮之间有高压油区和低压油区。只要调节两个油区之间的压力差，就能改变配气正时角了。两个油区的油压通过油压控制阀调节。当高压油路接通时，整个油室处于加压状态，凸轮轴顺时针偏转一定角度，配气正时被推迟，重叠角增大，适用于低转速；当电磁阀控制黄色区域压力高于红色区域压力时，凸轮轴逆时针偏转一定角度，配气正时被提前，这样重叠角减小，适用于高转速。

@信 息

根据桑塔纳 2000GLI 型轿车的原厂维修手册，将配气机构配气正时检修的信息提供如下。（AFE 型发动机正时齿带及 V 形带的拆卸和安装）。

1．正时齿带及V形带的拆卸

正时齿带及 V 形带的拆卸可参见图 12-6 所示进行，具体步骤如下：

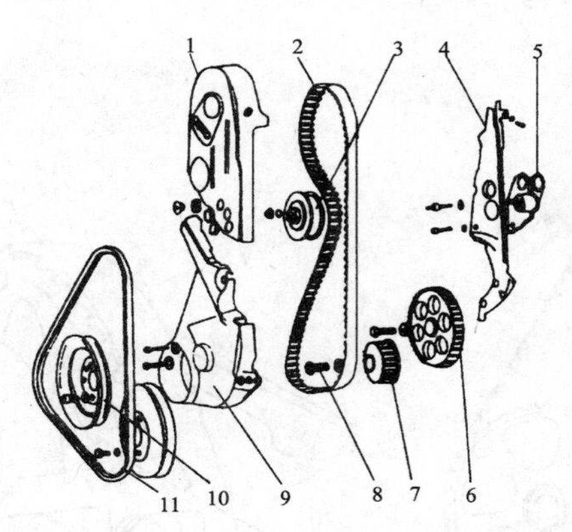

图12-6　正时齿带及V形带的拆卸

（1）旋松发电机支承臂的紧固螺栓，拆下发动机上的水泵 V 形带。

（2）拆下水泵 V 形带轮，拆下曲轴 V 形带轮。两种带轮的紧固螺栓的拧紧力矩为 20 N · m。

（3）拆下正时齿带上护罩，再拆下正时齿带下护罩。

（4）旋松正时齿带张紧轮紧固螺栓，转动张紧轮的偏心轴，使正时齿带松弛，取下正时齿带。

（5）拆下曲轴正时齿带轮，拆下中间轴正时齿带轮。

（6）拆下正时齿带后护罩。

2．正时齿带及V形带的安装

正时齿带及 V 形带安装可参见图 12-7 所示，并按拆卸相反的步骤进行，但应注意以下几点：

（1）将正时齿带套在曲轴和中间轴正时齿带轮上。

（2）用一只螺栓固定曲轴 V 形带轮，注意 V 形带轮的定位。

（3）使凸轮轴正时齿带轮上的标记与气门罩盖平面对齐，如图 12-8 所示。

注意：在转动凸轮轴时，曲轴不可位于上止点位置，以防气门可能碰坏活塞顶部。

（4）使曲轴 V 形带轮上的上止点标记和中间轴正时齿带轮上的标记对齐，如图 12-9 所示。

（5）将正时齿带装到凸轮轴正时齿带轮上。

（6）按图 12-10 箭头方向转动张紧轮，以张紧正时齿带。

（7）用拇指和食指捏住凸轮轴正时齿带轮和中间轴正时齿带轮之间的正时齿带中间，刚好可以转 90° 为合适，如图 12-10 所示。

（8）拧紧张紧轮的紧固螺母，拧紧力矩为 45 N · m。

（9）把曲轴转动两圈，检查调整是否正确。

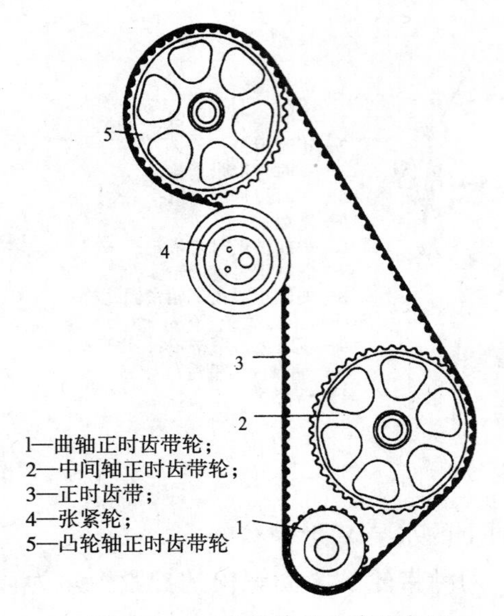

图12-7　正时齿带的安装示意图

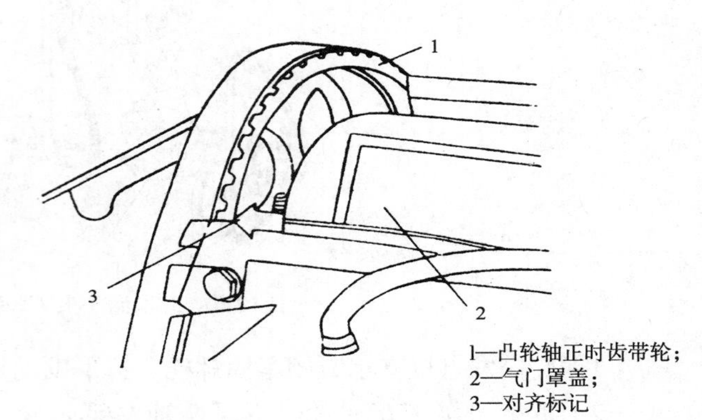

图12-8　凸轮轴正时齿带轮标记与气门罩盖平面对齐

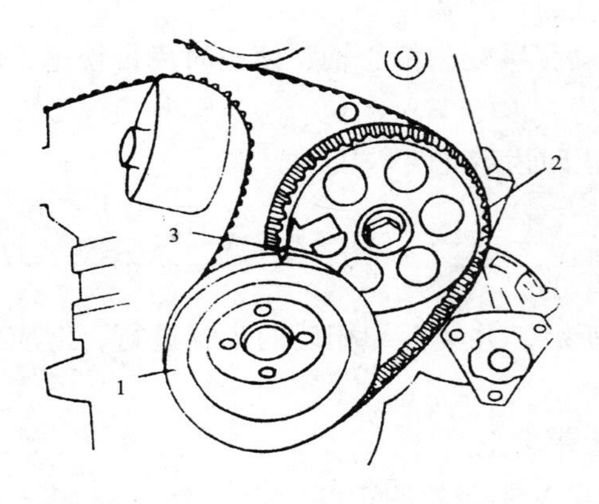

1—曲轴V形带轮；2—中间轴齿轮；3—对齐标记

图12-9　对齐中间轴正时齿带轮上的标记

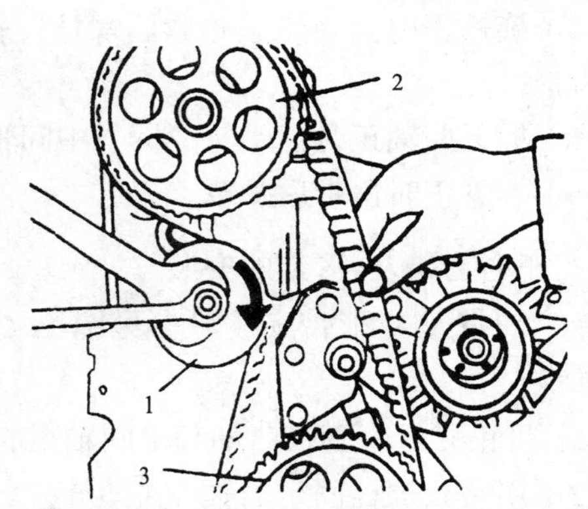

1—张紧轮；2—凸轮轴正时齿带轮；3—中间轴正时齿带轮

图12-10　调整正时齿带张紧度

（10）拆下曲轴的V形带轮，装上正时齿带上防护罩，其紧固螺栓拧紧力矩为10 N·m。

（11）装上正时齿带下防护罩，其紧固螺栓拧紧力矩为10 N·m，装上V形带轮和V形带。

（12）检查V形带的张紧度，用拇指按下水泵与发电机之间的V形带，用100 N力可按压10～15mm。

（13）检查点火正时，必要时进行调整。

计划

根据在导向与信息环节中介绍的知识与信息，在笔记本上制定一份检查配气正时的工作计划表。计划表格式如表12-2所示。

表12-2　计划表

序　号	工 作 内 容	工具/辅具	注 意 事 项

实施

1. 实践准备

场地/工具准备： 8 人用实习场地一块、对应数量的课桌椅、黑板一块、常用工具一套、AFE发动机一台、发动机拆装翻转架一台、记号笔一支、拆装与调整专用工具一套	资料准备： 桑塔纳2000GLI维修手册一本、教材、笔记本

2. 实践要求

学生 4 人为一组，在教师的指导下，根据自己列出的工作计划对配气正时进行检修。

教师指导要求：

（1）强调安全文明生产。

（2）要求并监督学生用正确流程操作。

（3）指导学生使其能够正确使用各种测量器具及其专用工具。

（4）要求学生将检查的情况记录并结合故障现象分析做出结论。

（5）督促学生完善自己的工作计划表。

记录表如表 12-3 所示。

表12-3　配气正时检查记录表

检查情况： 正时记号 正时皮带 张紧轮 正时带轮
分析与结论：

检验

教师收回学生完成的工作计划表。根据学生在实施环节中的表现与记录表完成情况制作评价表，对每位学生的表现进行点评。参考教师评价表如表 12-4 所示。

表12-4　评价表

学　号	姓　名	安全文明生产	操作流程的遵守	量具与工具的使用	记录表的记录	工作计划的完成	总 评 语

展　示

1．在作业本上画出配气相位图并做出分析。

2．叙述进气提前角、进气迟后角、排气迟后角、排气提前角与气门叠开角对发动机工作的影响。

3．叙述可变气门正时与可变配气相位系统的工作原理。

4．实施中每组同学选一名代表根据自己的实践经历，用10分钟在全班同学面前讲述在进行配气相位检查时的流程并对记录表的内容进行分析。

工作任务13

汽缸压力检测与分析

导向

1. 任务描述

客户的故障现象描述如下：

一辆行驶了9万千米的桑塔纳2000GSI轿车正常行驶时动力不足，并且在怠速时发动机运行不稳，转速忽快忽慢。

维修人员在接修后，首先用检测仪对发动机电控部分进行了检查，未发现异常。现将车交到你处，你的任务是检查发动机机械部分。

2. 基础知识

针对该车出现的故障，维修原则是首先在不解体的前提下，大概判断出发动机机械部分的故障部位与零件。根据上述故障描述判断发动机故障为动力不足。根据维修原则一般采用汽缸压力检测与发动机压力损失检测两种方法。两种检测方法都用于检测汽缸在压缩行程时气体密封性。本章主要教授汽缸压力检测法，发动机压力损失检测法在下一个工作任务中再详细描述。

汽缸压力检测法又称汽缸压缩压力检测法，用汽缸压力表检测活塞到达压缩终了上止点时汽缸压缩压力的大小，可以表明汽缸的密封性。此方法具有实用性强和检测方便等优点，因此在汽车维修企业中应用十分广泛。

汽缸的密封性与汽缸、汽缸盖、汽缸垫、活塞、活塞环和进排气门等包围工作零件有关。这些零件在压缩终了上止点时共同组成的密封空间称为燃烧室。因此检测汽缸密封性就是检测发动机各缸燃烧室的密封性。因为在发动机使用过程中，由于上述零件的磨损、烧蚀、结胶、积炭等原因，都会引起汽缸密封性的改变。影响发动机的正常工作。

现将实际维修工作中造成汽缸压缩压力异常的几种常见原因在表13-1中列出。

表13-1　造成汽缸压缩压力异常的常见原因

汽缸压缩压力检测结果	可能原因
某一汽缸压力过低	汽缸、活塞、活塞环磨损过大； 活塞环对口、卡死、断裂； 进排气门关闭不严； 汽缸垫损坏不密封
相邻两缸压力过低	两缸相邻处的汽缸垫损坏窜气
全部或多数汽缸压力过低	汽缸盖下平面翘曲
汽缸压力过高	燃烧室内积炭过多造成燃烧室容积变小

3．汽缸压力表

如图 13-1 所示汽缸压力表是一种专用压力表，一般由表头、导管、单向阀和接头等组成。汽缸压力表接头有螺纹管接头、锥形或阶梯形橡胶接头两种。螺纹管接头可以拧在火花塞或喷油器的螺纹空中；橡胶接头可以压紧在火花塞或喷油器空中。单向阀处于关闭位置时，可保持测得的汽缸压缩力读数（保持压力表指针位置）；单向阀打开时，可使压力表指针回零，以用于下次测量。

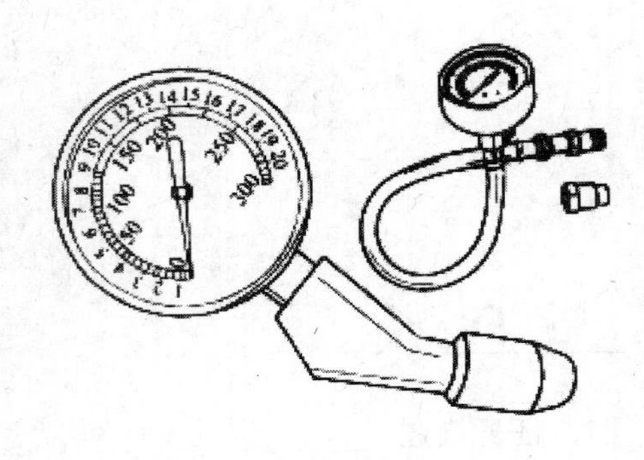

图13-1　汽缸压力表

@信息

根据桑塔纳 2000GSI 的维修手册，将汽缸压缩压力标准数值与检测流程维修信息提供如下。

1．标准数值

桑塔纳 2000GSI 汽缸压缩压力为 1 ～ 1.3MPa。根据标准规定：大修竣工发动机的汽缸压力应符合原设计规定，每缸压力与各缸平均压力的差汽油机不超过 8%，柴油机不超过 10%。在用汽车发动机汽缸压缩压力不得低于原设计的 25%。

2．检测前提条件

（1）发动机应运转至正常工作温度，水冷发动机水温达 75 ～ 95℃。

（2）拆下空气滤清器。

（3）拆除全部火花塞。

（4）节气门至全开位置。

（5）拔下点火线圈插头与油泵继电器。

3．检测过程

（1）使用蓄电池电量检测仪检测蓄电池电量，应符合要求。

（2）使用转速仪检测在以上状态下启动 3 ～ 5s 时的发动机转速，应在 150 ～ 200rpm。

（3）把汽缸压力表的锥形橡胶接头压紧在被测缸的火花塞孔内，或把螺纹管接头拧在火花塞孔上。

（4）用启动机带动曲轴旋转 3 ～ 5s，指针稳定后读取读数，然后按下单向阀使指针回零。每个汽缸的测量次数应不少于两次，实测值为两次检测的平均值。

（5）按上述步骤（3）～（4）依次检测各个汽缸，并记录数据。

计 划

根据上述导向知识与技术信息，在表 13-2 中列出汽缸压力检测的工作计划。

表13-2　计划表

序　号	工 作 步 骤	工具/辅具	注 意 事 项

实 施

1．实践准备：

场地准备： 8 人用实习场地一块、对应数量的课桌椅、黑板一块、桑塔纳2000GSI型实车一辆	工量具准备： 汽缸压力表、转速仪、蓄电池电量测试仪、火花塞套筒、常用工具一套	资料准备： 桑塔纳2000GSI维修手册一本、教材、笔记本

2．记录表如表13-3所示。

表13-3　记录表

该车汽缸压力检测标准值：单缸（　　　）各缸间（　　　）			
	第一次检测值	第二次检测值	检 测 值
第一缸			
第二缸			
第三缸			
第四缸			
检测结果评价：			

检验

1．检验与结果分析

（1）当汽缸压缩压力的检测值低于标准值时，常根据润滑油具有密封作用的特点，重新测量汽缸密封性。由火花塞或喷油器孔注入适量润滑油（一般 20 ～ 30mL）后，再次检查汽缸压缩压力，并比较两次检测结果。

① 第二次结果比第一次高，并接近标准值，表明汽缸密封性不良是由于汽缸、活塞环、活塞磨损过大或活塞环对口、卡死、断裂及缸臂拉伤等原因而引起的。

② 第二次检测结果与第一次近似，表明汽缸密封性不良，原因是进、排气门或汽缸衬垫不密封（滴入的润滑油难以达到这些部位）。

③ 两次检测结果均表明某相邻两缸压缩压力低，其原因可能是两缸相邻处的汽缸衬垫烧损窜气。

（2）如果汽缸压缩压力高于标准值，并不一定表示汽缸密封性好；具体原因应结合使用和维修情况分析。这种情况有可能是燃烧室内积炭过多、汽缸衬垫过薄或缸体与缸盖结合平面经过多次修理加工过甚造成的。同时，汽缸压缩压力高于标准值常会导致爆燃、早燃等不正常情况的发生。

2．检验记录表如表13-4所示。

表13-4　检验记录表

<table>
<tr><td colspan="3">（1）为近一步确定故障所在要进行检验，根据实施记录表与结果分析知识简要列出检验的工作计划</td></tr>
<tr><td colspan="3">（2）根据所写的压力损失检验的工作计划对故障缸进行复检，并将数值记录下来</td></tr>
<tr><td>问 题 缸</td><td>前压缩检测值</td><td>检验检测值</td></tr>
<tr><td></td><td></td><td></td></tr>
<tr><td></td><td></td><td></td></tr>
<tr><td></td><td></td><td></td></tr>
<tr><td></td><td></td><td></td></tr>
<tr><td colspan="3">（3）根据检测结果列出可能存在的故障原因</td></tr>
</table>

展示

1．复习与回顾本次任务中学到的知识与技能。

2．为什么在检测汽缸压力前要检测发动机转速与蓄电池电量？

3．思考在维修工作进行中汽缸压缩压力检测的不足。

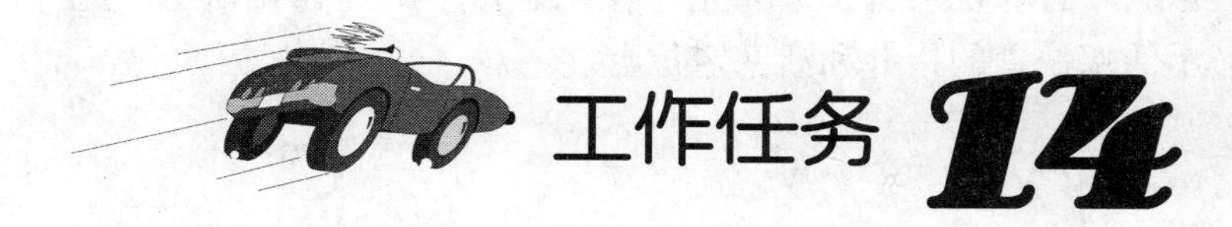

工作任务14 汽缸漏气状态的检验与分析

任务描述

根据客户的描述，故障现象如下：

一辆行驶了10万千米的赛欧轿车正常行驶时出现了动力不足的情况。车辆总体的症状与工作任务13十分相似。

维修人员在接修后，也首先用检测仪对发动机电控部分进行了检查，未发现异常。现将车交到你处，要求你采用不同于工作任务13的方法，对车辆发动机机械部分在不解体的情况下进行检查。

基础知识

在发动机机械部分故障造成车辆动力不足方面，大部分原因是汽缸密封性下降造成的。工作任务13中检测汽缸压力的方法是检测汽缸密封性的方法之一。汽缸密封性与汽缸、汽缸盖、汽缸衬垫、活塞、活塞环和进排气门等零件的技术状况有关。汽缸密封性的诊断参数主要有汽缸压缩压力、曲轴箱漏气量、汽缸漏气状态及进气管真空度等。检测车辆汽缸密封性时，只要检测出上述诊断参数的一项或两项，就足以说明问题。

1．汽缸漏气量的检测

检测汽缸漏气量采用汽缸漏气量检测仪进行。检测的基本原理是利用充入汽缸的压缩空气，用压力表检测活塞处于压缩终了上止点时汽缸内压力的变化情况，来表征整个汽缸组的密封性，即不仅表征汽缸活塞摩擦副的密封性，还要表征进排气门、汽缸衬垫、汽缸盖及汽缸的密封性。

（1）汽缸漏气量检测仪结构与工作原理

国产 QLY-1 型汽缸漏气量检测仪，主要由减压阀、进气压力表、测量表、校正孔板、橡胶软管、快换管接头和充气嘴等组成，如图 14-1 所示。此外，还得配备外部气源、指示活塞位置的指针和活塞定位盘。

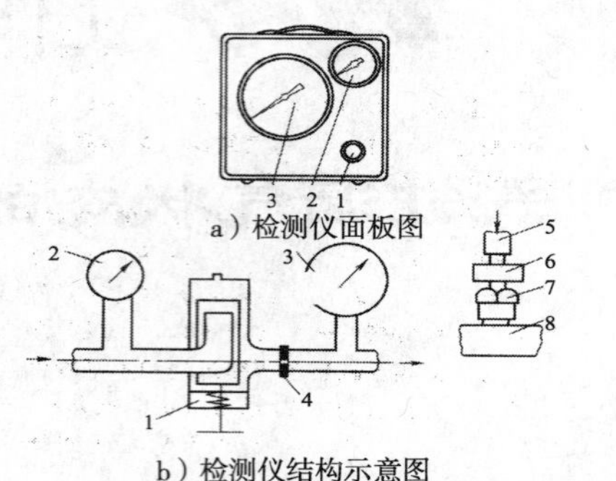

a）检测仪面板图

b）检测仪结构示意图

1—减压阀；
2—进气压力表；
3—测量表；
4—校正孔板；
5—橡胶管；
6—快换管接头；
7—充气嘴；
8—汽缸盖

图14-1　QLY-1型汽缸漏气量检测仪

外部气源的压力应相当于汽缸压缩压力，一般应为 600 ～ 900kPa。压缩空气按箭头方向进入汽缸漏气量检测仪，其压力由进气压力表显示。随后，它经由减压阀、校正孔板、橡胶软管、快换管接头、充气嘴进入处于压缩终了上止点的汽缸。汽缸内的压力变化情况由测量表显示，该压力变化情况表明了汽缸组的密封状况。

（2）汽缸漏气量检测仪的使用方法

1）先将发动机预热到正常工作温度，然后用压缩空气吹净火花塞孔处的灰尘，最后拧下所有火花塞，装上充气嘴。

2）将仪器接上气源。在仪器出气口完全密封的情况下，通过调节减压阀，使测量表指针指在 400kPa 位置上。

3）卸下分电器盖和分火头，装上指针和活塞定位盘。指针可用旧分火头改制，仍装在原来的位置上。活塞定位盘用较薄的板材制成，其上按缸数进行刻度，并按分火头的旋转方向和点火次序刻有缸号。假设被测发动机是6缸发动机，分火头顺时针方向旋转，点火次序为 1 → 5 → 4 → 6 → 2 → 4，则活塞定位盘上每 60° 有一刻度，共有 6 个刻度，并按顺时针方向在每个刻度上刻有 1、5、3、2、4 的阿拉伯数字。

4）摇转曲轴，先使第 1 缸活塞处于压缩终了上止点位置，然后转动活塞定位盘，使刻度“1”对正指针。变速器挂低速挡，拉紧驻车制动器手柄。

5）在 1 缸充气嘴上接上快换管接头，向 1 缸充气，测量表指针稳定后的读数便反映出该缸的密封性。在充气的同时，可以从进气管口、排气消声器口、加机油口、散热器加水口和火花塞孔等处，听是否有漏气声，以便找出故障部位。

6）摇转曲轴，使指针对正活塞定位盘下一缸的刻度线，按以上方法检测下一缸漏气量，直至将所有汽缸检测完。

7）为使数据可靠，各缸应重复测量一次，每缸测量值取算术平均值。

仪器使用完毕后，减压阀应退回到原来位置。

（3）诊断参数标准

对于汽缸漏气量，我国还没有制定出统一的诊断标准。在 QLY-1 型汽缸漏气量检测仪使用说明书中，对于国产货车的发动机，在确认进、排气门和汽缸衬垫密封性良好的情况下，汽缸密封状况（主要指汽缸活塞配合副）的判断可参考表 14-1 处理。即当测量表读数大于 250kPa 时，汽缸活塞配合副密封状况符合要求，发动机可以继续使用；当测量表读数小于 250kPa 时，汽缸活塞配合副密封状况不符合要求，发动机汽缸换环或镗缸。

交通行业标准《汽车维护工艺规范》JT/T201—1995 在汽车二级维护前的检测中采用了一参考性诊断参数标准，要求国产东风 EQ1090 和解放 CA1091 汽车的汽缸漏气量在被检测缸置于静态压缩上止点时，测量表气压值应为 250kPa。

表14-1　汽缸漏气量参考性诊断参数标准

汽缸密封状况	测量表读数值（kPa）	汽缸密封状况	测量表读数值（kPa）
合格	大于250kPa	不合格	大于250kPa

2．汽缸漏气率的检测

对于汽缸漏气率的检测，无论在使用的仪器、检测的方法上，还是判断故障的方法，与汽缸漏气量的检测是一致的，只不过汽缸漏气量检测仪的测量表标定单位为 kPa 或 MPa，而汽缸漏气率测量表的标定单位为百分数。

汽缸漏气率检测仪是这样标定的：接通外部气源，在仪器出气口密封的情况下，调节减压阀，使测量表指针指示为“0%”，表示汽缸不漏气；打开仪器出气口，测量表指针回落至最低点，标定为“100%”，表示汽缸内的压缩空气 100%的漏掉。在测量表 0%至 100%之间，把原汽缸漏气量检测仪表盘的气压数折合成漏气的百分数，便能直观地指示漏气率了。

为了检测各缸整个压缩过程中不同阶段中的漏气率和漏气部位，还须在活塞定位盘各缸压缩终了上止点刻线上，沿分火头逆转方向按凸轮轴转角标出进气门关闭点，此点代表压缩行程的开始点。这样，汽缸漏气率的检测，可通过摇转曲轴从压缩行程一开始就进行，一直进行到压缩行程终了上止点位置。

汽缸漏气率的诊断参数标准可参考国外经验，如表 14-2 所示。当汽缸漏气率达 30%～40%时，如果能确认进排气门、汽缸衬垫、汽缸盖和汽缸等是密封的（可从各泄漏处有无漏气声或迹象确认），则说明汽缸活塞配合副的磨损已接近极限值，到了需进行换活塞环或镗磨汽缸的程度。

表14-2　汽缸漏气率参考性诊断参数标准

汽缸密封状况	测量表读数（%）	汽缸密封状况	测量表读数（%）
良好	0～10	较差	20～30
一般	10～20	换环或镗缸	30～40

汽缸漏气率的检测虽然比较麻烦、费时，但检测全面，指示直观，国外使用该种仪器往往备有全套附件，能快速地连接到当前流行的任何汽车上，应用非常普遍。

@信息

根据赛欧轿车的维修手册，将汽缸漏气状态的检测流程维修信息提供如下。

所需工具：J35667-A 汽缸泄漏检测仪，如图 14-2 所示。

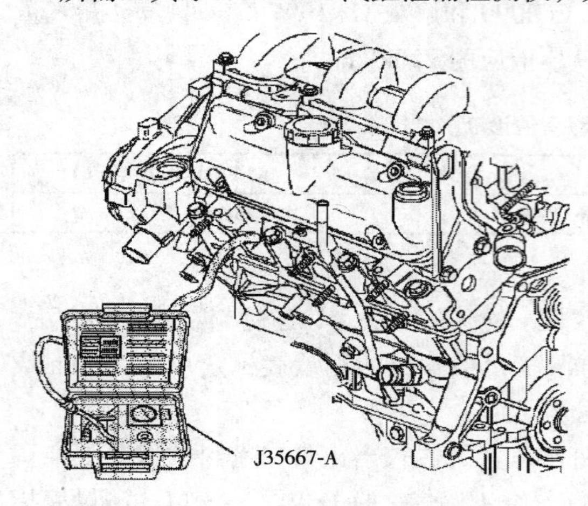

图14-2　J35667-A汽缸泄漏检测仪

汽缸泄漏检测仪利用空气压力辅助诊断。汽缸泄漏测试可与发动机压缩测试配合使用，以找出汽缸泄漏的原因。

（1）断开蓄电池接地（负极）电缆。

（2）拆卸火花塞。

（3）安装 J35667-A。

（4）在气门均处于关闭状态时，测量各汽缸的压缩冲程。

重要注意事项：必须防止活塞运动。

（5）用 J35667-A 施加空气压力。

（6）记录各缸泄漏读数。

重要注意事项：

① 汽缸正常泄漏范围是 12% ~18%。

② 记下任何泄漏量比其他大的汽缸。

③ 当汽缸泄漏量达到 30%以上时，需要进行维修 。

（7）检查四个主要部位，以便正确诊断泄漏的汽缸。

（8）如果能听到进、排气系统有漏气声，则进行如下程序：

① 拆卸可疑缸盖上的气门摇臂盖。

② 确保进、排气门均处于关闭状态。

③ 检查汽缸盖，确定气门弹簧是否折断。

④ 拆卸可疑的汽缸盖并检查。

（9）如果在曲轴箱（机油加注口管）处听到曲轴箱系统发出空气声，则执行如下程序：

① 拆卸可疑汽缸中的活塞。

② 检查活塞和连杆总成。

③ 检查发动机缸体。

（10）如果发现散热器中有气泡，执行如下程序：

① 拆卸汽缸盖并检查。

② 检查发动机缸体。

（11）拆卸 J35667-A。

（12）安装火花塞。

（13）连接蓄电池接地（负极）电缆。

计 划

根据在导向与信息环节中介绍的知识与信息，在笔记本上制定一份检测汽缸漏气状况的工作计划表。计划表格式如表 14-3 所示。

表14-3 计划表

序 号	工 作 内 容	工具/辅具	注 意 事 项

实 施

1. 实践准备

场地/工具准备： 8 人用实习场地一块、对应数量的课桌椅、黑板一块、常用工具一套、赛欧实车、汽缸泄漏检测仪一台	资料准备： 赛欧车维修手册一本、教材、笔记本

2. 实践要求

学生 4 人为一组，在教师的指导下。根据自己列出的工作计划对汽缸漏气状况进行检测。

教师指导要求如下：

（1）强调安全文明生产。

（2）要求并监督学生用正确流程操作。

（3）指导学生使其能够正确使用各种测量器具及其专用工具。

（4）要求学生将检查的情况记录并结合故障现象分析做出结论。

（5）督促学生完善自己的工作计划表。

记录表如表 14-4 所示。

表14-4 记录表

该车漏气率（量）标准值			
	第一次漏气率（量）	第二次漏气率（量）	漏气率（量）
第一缸			
检测结果分析及漏气位置：			

续表

该车漏气率（量）标准值			
	第一次漏气率（量）	第二次漏气率（量）	漏气率（量）
第二缸			
检测结果分析及漏气位置：			
第三缸			
检测结果分析及漏气位置：			
第四缸			
检测结果分析及漏气位置：			

检 验

教师收回学生完成的工作计划表。根据学生在实施环节中的表现与记录表完成情况制作评价表，对每位学生的表现进行点评。参考教师评价表如表 14-5 所示。

表14-5　评价表

学　号	姓　名	安全文明生产	操作流程的遵守	量具与工具的使用	记录表的记录	工作计划的完成	总 评 语

展 示

实施中每组同学选一名代表根据自己的实践经历，在全班同学面前用 15 分钟时间，讲述自己进行汽缸漏气状态检验的工作过程与数据分析结果。

工作任务 15

进气管真空度的检测与分析

导向

1．任务描述

根据客户的描述，故障现象如下：

一辆行驶了 10 万千米的桑塔纳 2000GLI 轿车正常行驶时出现了动力不足的情况。车辆总体的症状与工作任务 13 十分相似。

维修人员在接修后，也首先用检测仪对发动机电控部分进行了检查，未发现异常。现将车交到你处，要求你对发动机进气管真空度进行检测并做出分析。

2．基础知识

发动机进气管的真空度是随其自身密封性和汽缸密封性的变化而变化的。因此，在确认进气管自身密封性良好的情况下，利用真空表检测进气管的真空度值，或利用示波器观测真空度波形的变化，可用来分析、判断汽缸的密封性，并能诊断故障。

（1）真空表结构与工作原理

真空表由表头和软管组成。真空表的表头与汽缸压力表表头一样，多为鲍登管（Bourdon-tube 式）。当真空（负压）进入表头内弯管时，弯管更加弯曲。于是，通过杠杆和齿轮机构等带动指针动作，在表盘上指示出真空度的大小。真空表表头的量程为 0 ～ 101.325kPa（旧式表头量程：公制为 0 ～ 760mmHg，英制为 0 ～ 30inHg）。软管的一头固定在表头上，另一头连接在节气门后方的进气管专用接头上。

（2）真空表使用方法

① 发动机应预热到正常工作温度。

② 把真空表软管连接在节气门后方的进气管专用接头上。

③ 发动机怠速运转。

④ 读取真空表上的读数。考虑到进气管真空度有随海拔高度增加而降低的现象（一般海拔每增加 1000m，真空度将减少 10kPa 左右），因此真空度检测中应根据所在地海拔高度修正真空度标准值。

@信息

根据相关资料，将进气管真空度的检测与分析维修信息提供如下。

1. 对指针位置和动作的分析、判断方法

检测中真空表指针的位置和动作如图 15-1 所示。图中白针表示指针稳定，黑针表示指针漂移；表盘刻度单位为英制，1kPa=0.296inHg 或 1inHg ≈ 3.378kPa。

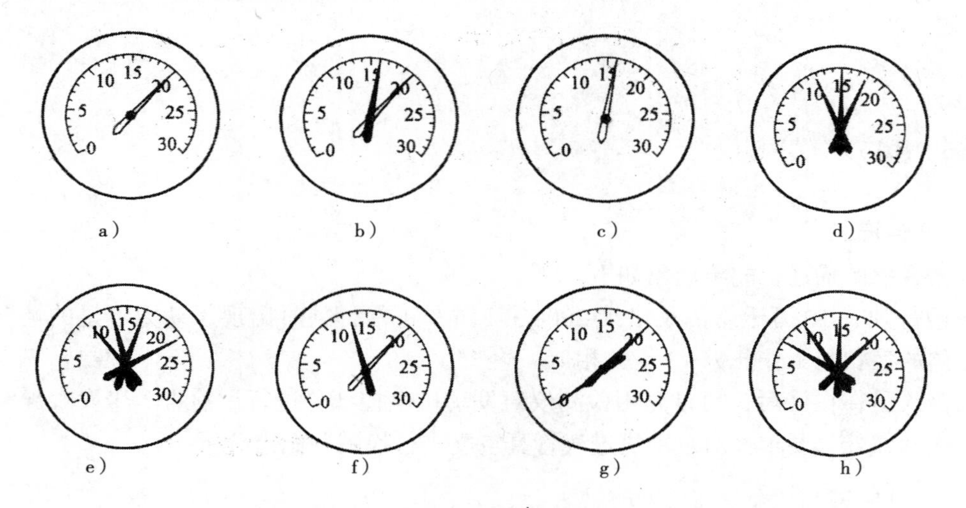

图15-1　真空表指针的位置和动作示意图

（1）在相当于海平面高度的条件下，发动机怠速运转（500 ～ 600rpm，下同）时，真空表指针稳定地指在 57 ～ 71kPa（7 ～ 21inHg，如图 15-1 a）所示）范围内，表示汽缸密封性正常。

（2）当迅速开启并立即关闭节气门时，真空表指针随之摆动在 6.8 ～ 84kPa（2 ～ 25inHg）之间，则进一步表明汽缸组技术状况良好。

（3）怠速时，真空表指针在 50.6 ～ 67.6kPa（15 ～ 20inHg，如图 15-1 b）所示）之间摆动，表示气门黏滞或点火系有问题。

（4）怠速时，若真空表指针低于正常值（如图 15-1 c）所示），主要是活塞环、进气管或化油器衬垫漏气造成的，也可能与点火过迟或配气过迟有关。此种情况下，若突然开启并关闭节气门，指针会回落到 0，但回跳不到 84kPa（25inHg）。

（5）怠速时，真空表指针在 40.5 ～ 60.8kPa（12 ～ 18inHg，如图 15-1 d）所示）之间缓慢摆动，表示化油器调整不良。

（6）怠速时，真空表指针在 33.8 ～ 74.3kPa（10 ～ 22inHg，如图 15-1 e）所示）之间缓慢摆动，且随发动机转速升高加剧摆动，表示气门弹簧弹力不足、气门导管磨损或汽缸衬垫泄漏。

（7）怠速时，真空表指针有规律地跌落（如图 15-1 f）所示），表示某气门烧毁。每当烧毁气门工作时，指针就跌落。

（8）怠速时，真空表指针逐渐跌落到 0（如图 15-1 g 所示），表示排气消音器或排气系统堵塞。

（9）怠速时，真空表指针快速地在 27 ～ 67.6kPa（8 ～ 20inHg，如图 15-1 h）所示）之间摆动，发动机升速时指针反而稳定，表示进气门杆与其导管磨损松旷。

进气管真空度是一项综合性很强的诊断参数。若进气管真空度符合要求，不仅表明汽缸密封性符合要求，而且也表明点火正时、配气正时和空燃比等也符合要求。虽然以上只介绍了 9 种典型用真空度分析、判断故障的情况，但实际上真空表能检测的项目还有许多，而且检测时无须拆卸火花塞等机件，在国外被认为是最重要、最实际和最快速的诊断方法之一，现在仍继续使用。但是，进气管真空度的检测也有不足之处，它往往不能指出故障的确切部位。比如，利用真空表能测出气门有故障。但是是哪一个气门有故障，它就无能为力了。所以，此种情况，只有结合汽缸压力检测或结合汽缸漏气量（率）检测，才能加以确认。

2. 用示波器观测真空度波形

用示波器观测真空度波形，同样会起到分析、判断汽缸密封性和诊断相关机件故障的作用。当采用元征 EA-1000 型发动机综合性能分析仪检测进气管真空度波形时，方法如下。

（1）发动机运转至正常工作温度。

（2）将分析仪真空度传感器的橡胶软管通过三通接头连接到发动机的真空管上，化油器式发动机的连接如图 15-2 所示。电控燃油喷射发动机的真空软管一般都在发动机总成顶部，拔下一端后通过三通接头连接分析仪传感器。

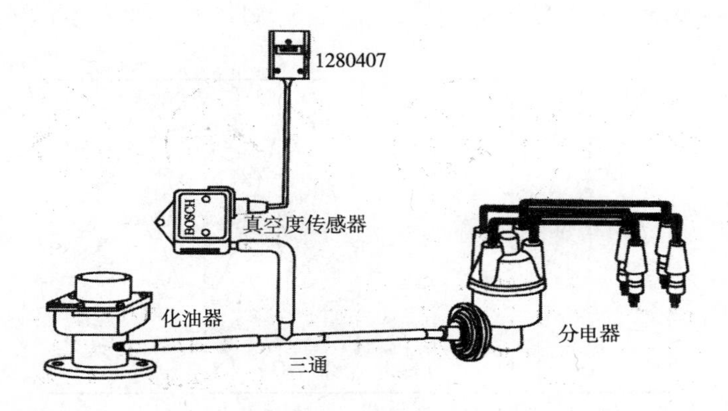

图15-2　真空度传感器与发动机连接图

（3）使发动机转速稳定在 1700rpm 左右。

（4）在主菜单下的子菜单中选择“进气管内真空度”，进入真空度检测状态，检测界面如图 15-3 所示。

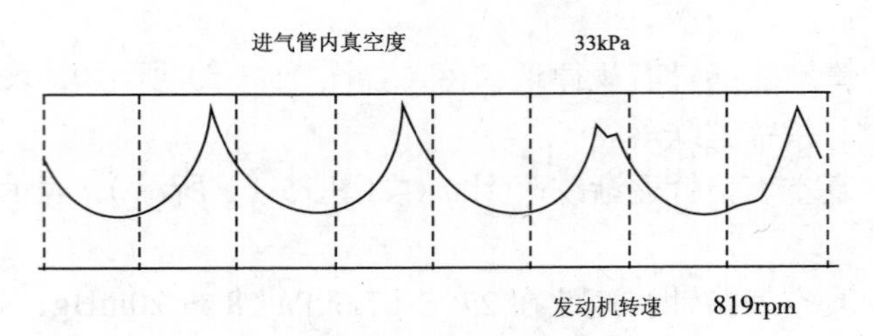

图15-3　检测进气管内真空度

（5）单击检测界面下方的“检测”按钮，分析仪高速采集进气管真空度值，并显示出被检发动机的真空度波形。

（6）对波形观测、分析和判断。

（7）再次单击“检测”按钮，高速采集结束。

（8）必要时可按下【F4】键，分析仪提供四缸、六缸或八缸的进气管真空度标准波形。其中，四缸和六缸发动机进气管标准波形分别如图 15-4 和图 15-5 所示。除此之外，还提供了进气门开启不良、进气门漏气、排气门开启不良和排气门关闭不良等故障波形，以供观测波形时对照、分析和判断。四缸发动机第四缸进气门严重漏气波形图如图 15-6 所示。

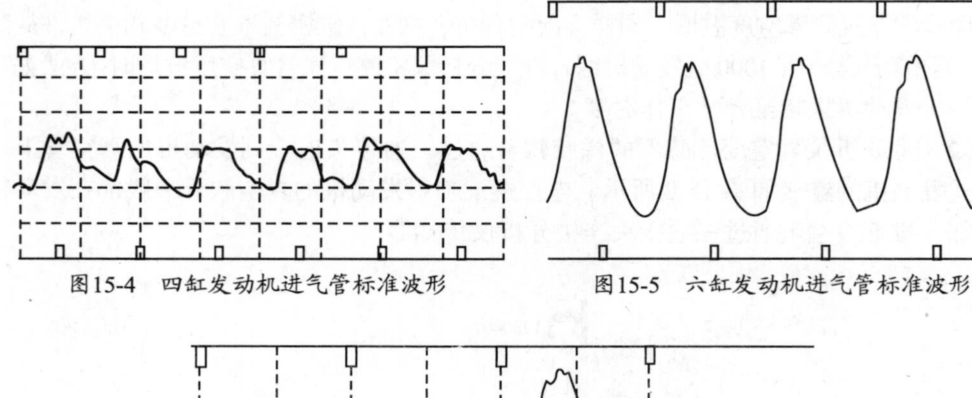

图15-4　四缸发动机进气管标准波形　　图15-5　六缸发动机进气管标准波形

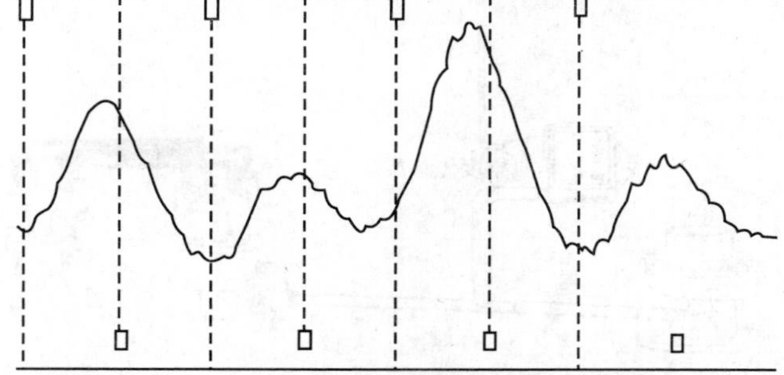

图15-6　四缸发动机第四缸进气门严重漏气波形图

（9）按【F2】键可对数据进行存储，按【F3】键可进行图形存储，按【F6】键可进行图形打印。

（10）按【F1】键，返回主菜单。

计 划

根据在导向与信息环节中介绍知识与信息，在笔记本上制定一份用真空表检测进气管真空度的工作计划表。计划表格式如表 15-1 所示。

表15-1　计划表

序　号	工 作 内 容	工具/辅具	注 意 事 项

实 施

1．实践准备

场地/工具准备： 8 人用实习场地一块、对应数量的课桌椅、黑板一块、常用工具一套、桑塔纳2000GLI实车一辆、进气管真空表一套	资料准备： 桑塔纳2000GLI车维修手册一本、教材、笔记本

2．实践要求

学生 4 人为一组，在教师的指导下，根据自己列出的工作计划对进气管真空度进行检测。

教师指导要求如下：

（1）强调安全文明生产。

（2）要求并监督学生用正确流程操作。

（3）指导学生使其能够正确使用各种测量器具及其专用工具。

（4）要求学生将检查的情况记录并结合故障现象分析做出结论。

（5）督促学生完善自己的工作计划表。

记录表如表 15-2 所示。

表15-2　记录表

请在下图中画出进气歧管真空度正常时真空表的指针状态：

（1）发动机怠速时（rpm）　　（2）当迅速开启并立即关闭节气门时（rpm）

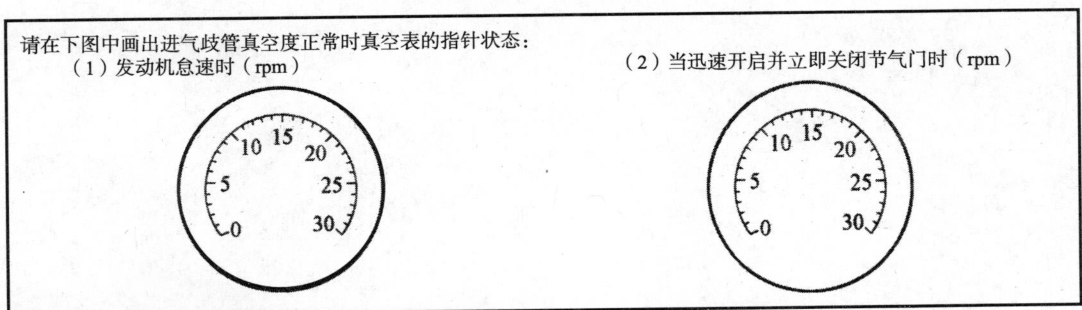

续表

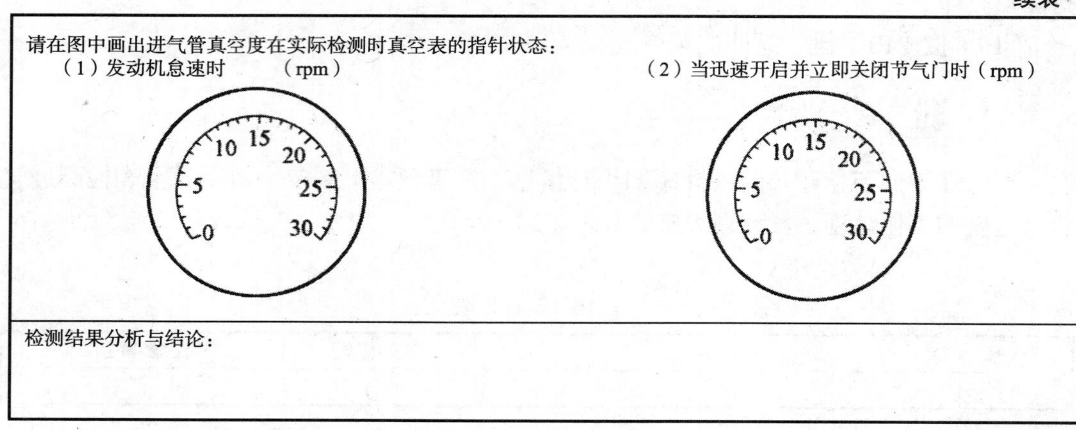

请在图中画出进气管真空度在实际检测时真空表的指针状态：

（1）发动机怠速时　　　（rpm）

（2）当迅速开启并立即关闭节气门时（rpm）

检测结果分析与结论：

检　验

教师收回学生完成的工作计划表。根据学生在实施环节中的表现与记录表完成情况制作评价表，对每位学生的表现进行点评。参考教师评价表如表 15-3 所示。

表15-3　评价表

学　号	姓　名	安全文明生产	操作流程的遵守	量具与工具的使用	记录表的记录	工作计划的完成	总 评 语

展　示

实施中每组同学选一名代表根据自己的实践经历，在全班同学面前用 15 分钟时间讲述自己进行进气管真空度检验的工作过程与数据分析结果。

工作任务 16

汽油相关知识的学习

1. 学习要求

要求学生通过本次任务的学习能够熟记汽油各主要使用性能的名称，并能理解各主要使用性能的含义。能掌握汽油的规格、牌号和选用的规定，并能知道汽油使用的注意事项。

2. 基础知识

汽油是从石油中提炼得到的，密度小而又易于蒸发的液体燃料。它是由碳、氢元素组成的烃类化合物。汽油分航空汽油、工业汽油和车用汽油三种，汽车所使用的为车用汽油。

汽油是点燃式发动机的燃料，其使用性能的好坏与发动机的经济性、动力性、可靠性和使用寿命有直接关系。因此对汽油的性能要求是：有适宜的蒸发性；良好的抗爆性和氧化安定性；无腐蚀，不含机械杂质和水等。

（1）蒸发性

汽油由液体状态转化为气体状态的性能称为蒸发性。汽油发动机在工作时，汽油只有先将液体汽化，并与一定比例的空气混合为可燃混合气后，才能在汽缺中燃烧。由于现代发动机的转速很高，形成可燃混合气过程的时间一般只有百分之几秒甚至更短。因此，汽油蒸发性的好坏对形成的混合气品质有很大影响。

汽油的蒸发性越好，就越容易汽化，与空气混合就越均匀，燃烧速度快，并且燃烧完全，可保证发动机在各种条件下迅速启动、加速和正常运转；反之，则不能完全汽化，造成燃烧不完全，功率下降，油耗增加，一些未燃尽的油粒还会附着在汽缸壁上，破坏润滑油膜，增加磨损。但汽油的蒸发性也不宜太好，否则易使汽油在储存、运输中蒸发损失加大，特别是在炎热夏季或高原地区，汽油容易在化油器以前的油路中就蒸发成气体，在汽油泵、油管等折弯处或较热的部位形成气泡，阻碍汽油流通，使供油不畅甚至中断，造成发动机熄火，即产生“气阻”现象。因此，要求汽油具有适宜的蒸发性。评定汽油蒸发性的指标有馏程和蒸气压。

1）馏程：馏程是指油品在规定条件下蒸馏所得到的以初馏点和终馏点表示其蒸发特征的温度范围。

汽油馏程的测定常用图 16-1 所示的仪器进行。其测定过程大致如下：将 100mL 试样汽油倒入烧瓶中，按一定的条件加热，汽油受热蒸发成蒸气，进入冷凝管，经冷凝器冷却后又变为液体汽油流入量筒中。从冷凝管流出第一滴汽油的温度称为初馏点，馏出量为 10mL、50mL、90mL 时的各个温度，分别称为 10%、50%、90%馏出温度。汽油蒸馏结束时温度称终馏点或干点，烧瓶中最后剩下的少量不蒸发物称为残留物。

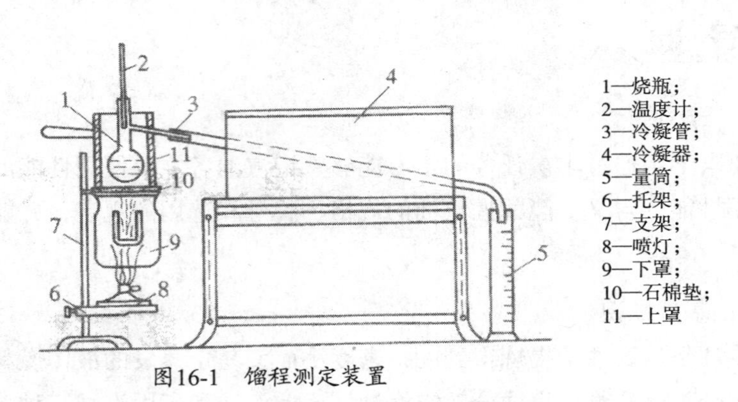

图16-1　馏程测定装置

馏程是汽油的重要质量指标，根据汽油的馏程可以大致判断出汽油中所含轻质馏分和重质馏分的比例。同时根据各馏出温度，还可以判断汽油在发动机各种工况下的使用情况。馏分是指油料在分馏过程中得到的蒸馏物。

10%馏出温度：表示汽油中轻质馏分的含量。它对汽油机冬季冷启动性能和夏季是否发生气阻有很大影响。该温度低，表明汽油中所含轻质馏分多，蒸发性好，汽油机在低温时容易启动，国标要求该温度不高于 70℃；但 10%馏出温度不宜过低，否则汽油机在炎热夏季或高原地区工作时，容易产生气阻。

50%馏出温度：表示汽油的平均蒸发性。它对发动机启动后正常工作温度的热起时间、加速性能和工作稳定性有很大的影响。该温度低，汽油在常温下也有较多的蒸发，使混合气中汽油蒸气较多，燃烧后放出的热量较大，可缩短暖机时间，减少油耗。还可使发动机加速灵敏，运转柔和平稳。国标要求该温度不高于 120℃。

90%馏出温度和终馏点：表示汽油中重质馏分的含量。它对汽油能否完全燃烧和发动机的磨损有影响。两者的温度高，表明汽油含重质馏分多，蒸发性差，会使汽油燃烧不完全，且耗油量增大。同时残留的重质馏分还会冲刷缸壁上的油膜，稀释润滑油，加剧机件磨损。国标要求汽油 90%馏出温度不高于 190℃，终馏点不高于 205℃。

汽油在蒸发完毕后，仍有一些残留物，它表示汽油在储存中生成氧化胶状物的含量。这些胶状物会沉积在进气阀、化油器量孔或电喷汽油机的喷嘴上，破坏发动机的正常工作，所以应严格控制。

2）蒸气压：又称饱和蒸气压。是指在一定试验条件下，汽油在规定密封容器中蒸发时，所产生的蒸气压力，单位用 kPa 表示。

蒸气压是控制汽油产生气阻倾向的指标。汽油的蒸气压越高，则蒸发性越好，发动机易于冷启动，但产生气阻倾向和蒸发损失也越大。所以国标采用“不大于”指标来加以控制。

（2）抗爆性

1）汽油在发动机内燃烧概述。汽油发动机工作过程中，可燃混合气在发动机汽缸内被电火花点燃后，火焰中心在火花塞附近形成，焰峰以 20 ～ 50m/s 的速度传播，逐渐向火焰前方的未燃混合气平稳推进，压力、温度上升都很均匀。这样的燃烧过程称为正常燃烧。正常燃烧不仅使发动机的动力性得到充分发挥，而且运转平稳柔和。

但汽油发动机在某些因素的影响下会产生不正常的燃烧。即当可燃混合气在缸内被点燃后，一部分未燃混合气因受到正常火焰焰面的压缩和热幅射作用，温度、压力急剧升高，化学反应加剧，在正常火焰焰面尚未到达之前，这部分未燃混合气就已自行燃烧，形成多个新的火焰中心，火焰传播速度剧增至 1500 ～ 2500m/s，从而使缸内压力骤然上升，产生强烈的冲击波，撞击汽缸壁和活塞，同时发出清脆的金属敲击声，这种现象称为爆震燃烧。爆震燃烧会使发动机过热，功率下降，甚至造成机件损坏。

产生爆震燃烧的因素很多，主要有燃料的质量、发动机的压缩比及燃烧室的结构形式等。

2）汽油在发动机汽缸内燃烧时，抵抗爆震燃烧的能力称为抗爆性。抗爆性好的汽油不易产生爆震燃烧，可用于压缩比较高的发动机，以提高其动力性和经济性。评定汽油抗爆性的指标用“辛烷值”表示，车用汽油的牌号也是根据汽油的辛烷值来规定的。

① 辛烷值：汽油辛烷值是指在规定对比测试条件下，采用和被测汽油具有相同抗爆性能的异辛烷与正庚烷所组成的标准燃料中，异辛烷所占的体积百分数表示。

具体测试方法如下：取异辛烷和正庚烷作为标准液，异辛烷抗爆性好，定其辛烷值为 100 单位，而正庚烷抗爆性很差，定其辛烷值为 0 单位。把这两种标准液按不同容积比混合，可得到各种不同抗爆性的标准混合液（标准燃料）。在一定的测试条件下，用这些不同比例的标准混液与被测汽油进行对比试验，当其中某一比例标准混合液的抗爆强度正好与被测汽油的抗爆强度相同时，这一标准混合液中辛烷所占的体积百分数即为被测汽油的辛烷值。如 90 号汽油的辛烷值为卯单位，它的抗爆性与含 90%异辛烷的标准混合液相同。辛烷值越高，汽油的抗爆性越好。

汽油辛烷值的测定有马达法（MON）和研究法（RON）。由于两者测试条件不同，研究法比马达法测定的辛烷值高 7 ～ 9 个单位。目前，我国又增加了一个新的指标——抗爆指数，它是同种汽油研究法辛烷值与马达法辛烷值的平均数。

抗爆指数表示在一般条件下汽油的平均抗爆性能。我国过去一直用马达法辛烷值划分汽油的牌号，目前车用汽油的规格均采用研究法辛烷值来划分牌号。

② 提高辛烷值的途径：由于汽油的抗爆性对发动机工作影响很大，所以如何提高汽油辛烷值一直是人们研究的课题，目前主要有三种：一是采用先进的汽油炼制工艺，如催化裂化、加氢裂化和催化重整等工艺，生产高辛烷值的汽油。二是在汽油中加入抗爆添加剂。常用的抗爆添加剂是四乙基铅，向直馏汽油中加入约 0.13%的四乙基铅，辛烷值可提高 20 ～ 30 单位，这种方法应用最广泛。但它对人体有伤害，其燃烧产物铅对大气会产生严重污染，所以目前严格控制使用范围和用量，并逐步由无铅汽油取代。三是在汽油中调入辛烷值改善组分——含氧系燃料组分。常用的有甲基叔丁基醚（MTBE），把它调入汽油中，具有辛烷值高、油耗低（调入 10%后，油耗下降 4%～ 7%），可改善发动机的低温启动性和加速性，降低有害物质排放等优点。同时其生产成本不高，因此具有较高的应用价值，目前正逐步推广。

（3）氧化安定性

汽油的氧化安定性是指汽油在储存使用过程中抵抗氧化生胶的能力。由于受到空气中的氧气以及光线、温度的影响，安定性差的汽油容易发生氧化反应，生成酸性物质和胶状物质，使颜色变深、酸值增加、辛烷值降低。使用这种汽油易造成燃油供给系阻塞，气阀关闭不严，积炭增加，汽缸散热不良和引起爆震燃烧等。因此汽油必须具有良好的氧化安定性。评定汽油氧化安定性的指标有实际胶质和诱导期。

1）实际胶质：是指在规定条件下测得的发动机燃料蒸发残留物，用 100ml 试样中所含毫克数表示。它主要用于判断汽油生成胶质的倾向。国标规定车用汽油的实际胶质不大于 51mL/100mL。

2）诱导期：是指在规定的加速氧化条件下，油品处于稳定状态所经历的时间周期，其单位为 min。它用于判断汽油氧化变质的倾向，诱导期越长，汽油越不易被氧化。国标要求车用汽油的诱导期不小于 480min。

为了提高汽油的氧化安定性，除在石油炼制时采用催化重整和加氢精制等精炼工艺外，通常在汽油中加入抗氧防胶剂和金属钝化剂。

（4）无腐蚀性

汽油在储存、使用过程中，不可避免地要与各种金属接触，这就要求汽油对机件不应有腐蚀性。汽油中的各种烃类物质本身并不腐蚀金属，引起金属腐蚀的物质是汽油中的硫及硫化物、有机酸和水溶性酸或碱等物质。评定汽油腐蚀性的指标有以下几项：

1）硫含量：表示油品中硫及其衍生物的含量，用质量百分数表示。汽油中的硫经燃烧后可生成硫的氧化物，遇水即形成亚硫酸和硫酸，对金属有强烈的腐蚀作用，而且一旦流入曲轴箱还会使润滑油过早老化变质。因此，国标规定车用汽油的硫含量不大于0.15%，并可用铜片腐蚀试验来测定。

2）硫醇硫含量：汽油中的硫醇和硫化氢属活性硫化物，它与元素硫一样对金属有强烈的腐蚀作用，其中硫醇还会促进胶质生成，影响汽油的氧化安定性，因此应严格控制。国标规定车用汽油的硫醇硫含量不大于0.001%。燃料中的硫醇硫含量通常采用博士试验法测定。

3）酸度：酸度是指100mL油品中的酸性物质所需要的氢氧化钾毫克数，以mgKOH/100mL表示。它用于确定油品中有机酸的总含量，国标规定车用汽油的酸度不大于3mgKOH/100mL。

4）水溶性酸或碱：用于判定油品中有无无机酸、低分子有机酸或水溶性氢氧化物。这些物质是石油炼制过程中残留下来的，有很强的腐蚀性，因此国标规定车用汽油中不允许其存在。通常采用酸碱指示剂或用酸度计测定。

此外，汽油还有清洁性要求，即不允许汽油中含有机械杂质和水分，因为它们会加剧发动机机件的磨损并严重影响发动机的正常工作。

@信息

下面将列出有关国产车用汽油的规格、牌号、选用及使用事项的相关信息。

1. 车用汽油的规格与牌号

我国目前使用的车用汽油有含铅和无铅两种，均用研究法辛烷值划分牌号。其规格有《车用汽油》GB SH0041—93-2，把汽油划分为90、93和97号三个牌号和《无铅车用汽油》SH0041—93，把汽油划分为90、93和95三个牌号。无论是含铅的还是无铅的，只要其辛烷值牌号相同，其抗爆性能也就相同。此外，目前还使用马达法辛烷值表示70号汽油，它是一种老产品，现已不包括在车用汽油的标准中，随着老旧车型的保有量减少，将逐步减少和停止供应。国产车用汽油的规格见表16-1。

表16-1　国产车用汽油规格（SH0041—93）

项　目	质量指标			试验方法
	90号	93号	97号	
抗爆性：				GB/T 5487
研究法辛烷值（RON）　不小于	90	93	95	GB/T 503
抗爆指数（RON+MON）/2　不小于	85	88	60	GB/T 5487
铅含量g/L　不大于	0.013			GB/T 8020

续表

项 目	质量指标			试验方法
	90号	93号	97号	
馏程： 10%蒸发温度℃ 不高于 50%蒸发温度℃ 不高于 90%蒸发温度℃ 不高于 终馏点℃ 不高于 残留量%（V/V） 不大于	 70 120 190 205 2			GB/T 6536
蒸气压，kPa 从9月1日至2月29日 不大于 从3月1日至8月31日 不大于	 88 74			GB/T 8017
实际胶质mg/100ml 不大于	5			GB/T 8019
诱导期min 不小于	480			GB/T 8018
硫含量%（m/m） 不大于	0.15			GB/T 380
硫醇（需满足下列要求之一）： 博士实验 硫醇硫含量%（m/m） 不大于	 通过 0.001			 SH/T 0174 GB/T 1792
铜片腐蚀（50℃，3h）级 不大于	1			GB/T 5096
水溶性酸或碱	无			GB/T 259
机械杂质及水分	无			

2．车用汽油的选用

汽油的选用对发动机的动力性和经济性有很大影响。对于一定压缩比和燃烧室结构的发动机，若汽油的牌号选择过低，会使发动机产生爆震燃烧，功率下降，油耗上升；若汽油牌号选择过高，则不仅造成经济上的浪费，而且还会使发动机过热，严重时甚至烧坏排气阀和排气阀座。因此，必须正确选用汽油的牌号。

汽油牌号的选用首先应根据汽车使用说明书的要求来确定。在选用时，应注意说明书所要求的辛烷值是研究法辛烷值（RON）还是马达法辛烷值（MON）。在没有说明书时，可参考发动机压缩比来选择汽油牌号。一般来说，压缩比高的发动机应选用辛烷值较高的汽油；反之应选用辛烷值较低的汽油，汽油牌号的选用见表16-3。在正常条件下，以不发生爆震燃烧为原则来确定合适的牌号。

表16-2 汽油牌号的选用

发动机的压缩比	7.0以下	7.0～8.0	8.0以上
可选用汽油的牌号	70	90	93或97

此外，目前在含铅汽油和无铅汽油同时供应的情况下，还要根据发动机的结构和环保要求，适当选用汽油品种。因为使用含铅汽油会使电喷发动机的氧传感器失效，并增加喷孔磨损；对装有废气催化转换器的汽车，使用含铅汽油会使其中的贵重金属铂、钯很快中毒失效，因此这些车必须使用无铅汽油。为了改善环境质量，我国部分中心城市将率先要求全部使用无铅汽油。

3．使用注意事项

（1）原用低牌号汽油改用高牌号汽油时，应适当提前点火时间，以发挥高牌号汽油的性能；反之，若用高牌号汽油改用低牌号汽油时，则应当推迟点火时间，以免发生爆震燃烧。

（2）汽车从平原驶入高原地区后，因高原地区空气稀薄，汽缸压力和温度降低，发动机不易发生爆震燃烧，应将点火角适当提前，或换用较低辛烷值的汽油；反之，汽车从高原驶入平原地区后，应将点火角适当推迟，或换用辛烷值较高的汽油。

（3）在炎热夏季或高原地区行驶时，为防止产生气阻，应加强发动机散热，同时在汽油泵及油管处采取隔热降温措施，必要时可安装增压装置。

（4）汽油不能与煤油或柴油掺兑使用，因后者蒸发性和抗爆性差，易引起爆震燃烧和破坏发动机润滑，导致机件损坏。

（5）为减少汽油与氧气的接触面积，尽量使油箱加满，这样还可以减少蒸发损失。

（6）不要用含铅汽油清洗零件，更不能用嘴吮吸汽油，以免使人中毒。

计 划

请根据在导向环节中学到的知识完成表16-3。

表16-3　计划表

汽油的主要使用性能	含　义	评定性能的指标及其含义

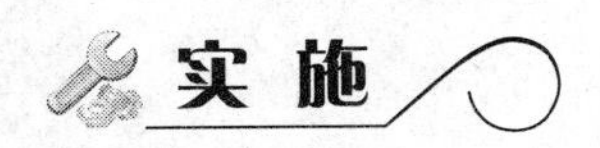

实 施

1．实践准备

场地/器具准备： 8人用实习场地一块、对应数量的课桌椅、黑板一块	资料准备： 教材、笔记本

2．实践内容

学生参考教科书与所给资料独立完成以下题目。

（1）从汽油性能方面解释为什么有些车辆在夏季长时间行驶后会出现间歇熄火现象？

（2）分析与比较汽油发动机正常燃烧与爆震两种现象。

（3）汽油抗爆性及其评定指标的含义。

（4）车用汽油规格与牌号的规定。

（5）列出 93 号无铅汽油的各项指标。

（6）车用汽油的选用与使用注意事项。

检 验

由教师对学生在实践环节中所完成的题目进行批改并讲评。

展 示

请每位同学在全班同学面前用 15 分钟时间以车用汽油为题进行讲演。

工作任务17

柴油相关知识的学习

1．学习要求

要求学生通过本次任务的学习能够熟记柴油各主要使用性能的名称，并能理解各主要使用性能的含义。能掌握柴油的规格、牌号和选用的规定，并能知道柴油使用的注意事项。

2．基础知识

柴油和汽油一样都是从石油中提炼得到的，由碳、氢元素组成的烃类化合物。柴油分为轻柴油、重柴油、军用柴油等。汽车用柴油机属于高速柴油机，所用柴油是轻柴油（可简称柴油）。

柴油是压燃式发动机的燃料，柴油机对柴油的性能要求是：有良好的燃烧性；良好的低温流动性；适宜的黏度和蒸发性；无腐蚀性，不含机械杂质和水分等。

（1）燃烧性

1）柴油在发动机内的燃烧概述。柴油机工作时，柴油从喷油器被喷入燃烧室后，并非立即着火，而要经过短暂的燃烧前准备，即进行雾化、蒸发、扩散与空气混合等物理准备和着火前的化学准备。柴油从喷油器喷出到燃烧开始所经历的时间称为着火延迟期。若柴油的着火延迟期短，先期进入汽缸的柴油能迅速完成燃烧前准备，着火燃烧，并逐步引燃随后进入汽缸的燃料，汽缸压力上升平稳，柴油机工作柔和，则为正常燃烧。

若柴油着火延迟期过长，则在此期间内会使喷入汽缸的柴油积存量过多，以致燃烧开始后有过量的柴油一起参加燃烧，使汽缸压力升高过快，造成柴油机运转不平稳，并产生强烈的震声，这种现象即为不正常燃烧，又称柴油机工作粗爆。柴油机工作粗爆与汽油机爆震燃烧的后果一样，会使功率下降，油耗增大，严重时甚至会损坏机件。

柴油机工作粗爆与汽油机爆震燃烧虽然其现象和产生的后果基本相似，但是它们产生的机理却有本质的区别。汽油机的爆震燃烧是由于点火后，在正常火焰前锋面尚未到达之前，部分未燃混合气受高温高压影响自行燃烧引起的，它发生在燃烧后期：而柴油机工作粗爆却是由于燃料着火延迟期过长，不能及时燃烧引起的，一般发生在燃烧的初期。

2）燃烧性。柴油的燃烧性是指柴油的自燃能力，也称抗工作粗爆性，其评定指标用“十六烷值”表示。

① 柴油十六烷值是指在规定的对比测试条件下，采用和被测柴油具有相同着火延迟期的标准燃料中正十六烷所占的体积百分数表示。

柴油十六烷值通常按同期闪火法来进行测定，其方法与汽油辛烷值测定相似，过程大致如下：取正十六烷和 α-甲基萘作为标准液。正十六烷自燃点低，抗粗爆性好，定其十六烷值为 100 单位；α-甲基萘自燃点高，抗粗爆性差，定其十六烷值为 0 单位。把这两种标准液按不同体积比混合，可得到各种不同抗粗爆性的标准混合液（标准燃料），然后按一定的规范进行对比试验。当被测柴油和某一比例的标准燃料在同一条件下同期闪火，这一标准燃料中正十六烷所占的体积百分数即为被测柴油的十六烷值。

② 柴油十六烷值对柴油机工作的影响。柴油十六烷值高，其自燃点低，着火延迟期短，燃烧平稳，柴油机工作柔和，且低温启动性好。但柴油十六烷值不是越高越好，过高会使柴油的凝点升高，蒸发性变差，以致不能完全燃烧，使发动机功率下降，油耗增加。而柴油的十六烷值过低，则会使着火延迟期增长，容易出现工作粗爆和低温启动困难等现象。因此，柴油十六烷值应适宜，转速在 1500rpm 以上的柴油机一般要求十六烷值为 45 ～ 60。

（2）低温流动性

柴油低温流动性是指柴油在低温下不致因凝固而失去流动能力的性能。低温流动性差的柴油在低温时，会因柴油中析出石蜡结晶或凝固使供油中断，影响柴油机的正常工作。因此，要求柴油具有良好的低温流动性。评定低温流动性的指标主要有凝点和冷滤点。

1）凝点是指油料在规定条件下冷却至失去流动性时的最高温度，用℃表示。凝点是柴油的重要性能指标之一，它是判断柴油适宜在何种气温下使用的依据，我国轻柴油的牌号是按柴油的凝点划分的。柴油的凝点与其含蜡量有关，油中的蜡含量越高，其凝点也越高，低温时容易堵塞滤清器和输油管，使供油不畅，甚至中断供油。所以，为保证柴油机正常工作，选用时柴油的凝点应比其使用的最低温度低 4 ～ 6℃。

2）冷滤点是指在规定条件下，柴油试样开始不能通过滤网的最高温度，用℃表示。冷滤点表示柴油开始失去流动性时的温度，通常比其凝点高 4 ～ 6℃。由于冷滤点与柴油的实际使用温度相同，故可用于判断柴油能够使用的最低温度。柴油冷滤点在国外一些国家是作为划分柴油牌号的依据。在我国柴油规格中，对冷滤点也有具体要求。

为改善柴油的低温流动性，扩大柴油温度使用范围，除在炼制时采用脱蜡方法外，常采用掺入裂化煤油和添加低温流动性能改进剂等方法来降低其凝点。目前常用的低温流动性能改进剂为聚乙烯—醋酸乙烯酯，代号为T1804。

（3）蒸发性

柴油从喷油器喷出要经过蒸发、与空气混合才能燃烧，由于其经历的时间很短，柴油的蒸发性直接影响到燃料蒸发以及形成混合气的速度。因此，对柴油的蒸发性有较高的要求。评定柴油蒸发性的主要指标有馏程和闪点。

1）柴油馏程的测定方法与汽油馏程的测定方法基本相同，但其馏出温度分别为50%、90%、95%。

50%馏出温度:表示柴油的平均蒸发性。该温度低，柴油中轻质馏分多，蒸发性就好，有利于形成良好的混合气，使柴油机易于启动。柴油50%馏出温度与启动性能的关系见表17-1。但50%馏出温度也不宜过低，过低会因轻质馏分过多而易使柴油机产生工作粗爆现象。国标规定柴油50%馏出温度不高于300℃。

表17-1　柴油50%馏出温度与启动性能的关系

柴油50%馏出温度（℃）	200	225	250	275	285
发动机的启动时间（s）	8	10	27	60	90

90%和95%馏出温度：表示柴油重质馏分的含量。其温度越低，柴油的重质馏分越少，燃烧越完全，可提高柴油机的动力性并降低油耗。反之，则重质馏分多，蒸发性差，会使燃烧不完全，造成发动机排气冒黑烟，功率下降，汽缸磨损和油耗增加。

2）闪点是指在规定试验条件下，加热油品所产生的蒸气和周围空气形成的混合物与火焰接触时发出瞬间闪火的最低温度，用℃表示。闪点根据测定方法不同，分为开口闪点和闭口闪点。一般轻质油（主要指燃料油）多用闭口闪点，而重质油（主要指润滑油）多用开口闪点。

柴油的闪点既是控制柴油蒸发性的指标，也是保证柴油安全性的指标。柴油闪点低，蒸发性好，但过低时，会因蒸发太快，而产生工作粗爆。闪点还对柴油储运和使用的安全有影响，闪点低的柴油不仅会使蒸发损失加大，而且其产生的大量柴油蒸气也会造成失火隐患。因此，为控制柴油蒸发性不致过强，国标采用“不低于”指标加以控制。

（4）黏度

黏度是油品的主要性能指标。柴油的黏度是指20℃时的运动黏度。

柴油的黏度与柴油的雾化性能、燃烧性能和润滑性能密切相关。柴油黏度大，其分子间作用力也大，这种作用力在柴油从喷油嘴喷出时可以阻止油柱分散，因此柴油喷出的油滴直径大，喷出的油流射程远，圆锥角小，使蒸发速度减慢，混合气形成不均匀，燃烧不完全，油耗增大；柴油黏度过小，虽然可使喷出的雾滴直径小，且容易扩散，但油流射程近，圆锥角大，有部分空气未被利用，同样会造成混合气形成不均匀。柴油黏度对射程和扩散的影响如图17-1所示。

此外，柴油也是喷油泵和喷油器中精密偶件的润滑剂，黏度过小则不能形成良好的油膜，使磨损增加，同时还会造成精密偶件配合间隙中的漏失量增大，使实际供油量减少，降低柴油机功率。因此，为保证柴油机正常燃烧和良好润滑，柴油的黏度应适宜。

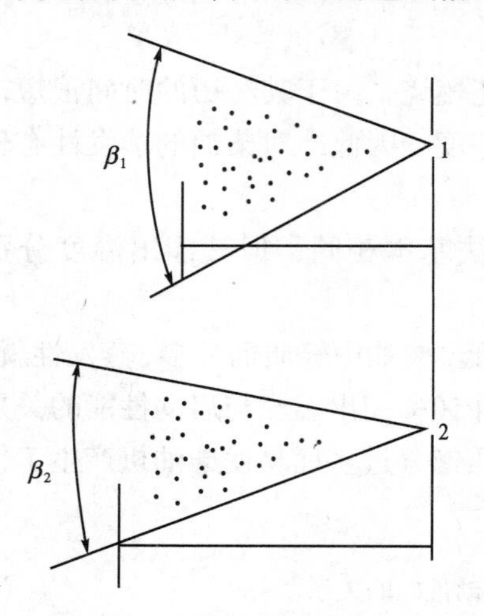

1—黏度小的柴油；2—黏度大的柴油

图17-1　柴油黏度对射程和扩散的影响

（5）腐蚀性

柴油的腐蚀性是用硫含量、硫醇硫含量、酸度以及水溶性酸或碱等指标来评定的。其意义和测定方法与汽油基本相同，但柴油中的硫和硫醇硫含量对柴油机的影响更大。硫和硫醇硫经燃烧后所生成的硫的氧化物，不仅对机件有很强的腐蚀作用，而且会使积炭变得坚硬，容易擦伤汽缸壁，加剧机件磨损。一旦流入曲轴箱还会促使润滑油过早老化变质。因此，对柴油中的硫和硫醇硫含量必须严格控制，国标规定柴油优级品、一级品的硫含量分别不大于0.2%、0.5%，硫醇硫含量不大于0.01%。

（6）安定性

柴油的安定性是指柴油在储运和使用过程中能保持其外观颜色、组成和使用性能不变的能力。安定性差的柴油容易生成胶质堵塞滤清器和喷油器，并使燃烧室积炭严重。

影响柴油安定性的因素主要是柴油的化学成分，其次是外部环境的影响，如存放柴油的金属容器、空气中的氧气、光线、温度等。其评定指标有实际胶质、10%蒸余物残碳和催速安定性沉渣等。

此外，柴油中的灰分、水分和机械杂质等对柴油机的工作危害很大。灰分虽不能燃烧，但它是造成汽缸和活塞环磨损的重要原因之一；机械杂质会使喷油泵和喷油器发生堵塞、卡死等故障；水分会降低柴油发热量，在冬季容易结冰堵塞油路，并增加硫化物对机件的腐蚀作用。因此，国家标准对这些指标有严格的规定。

@信息

下面将列出有关国产轻柴油的规格、牌号、选用及使用注意事项的相关信息。

1．柴油的规格与牌号

我国轻柴油的规格按其质量分为优级品、一级品和合格品三个等级，每个等级的轻柴油按其凝点又分为10、0、-10、-20、-35、-50六种牌号，适用于全负荷转速不低于960rpm的高速柴油机。

2．柴油的选用

轻柴油的选用与汽油不同，轻柴油是依据汽车使用地区和季节的气温来选用的。气温低的地区和季节，应选用凝点较低的柴油；反之，则应选用凝点较高的柴油。由于凝点低的柴油价格较高，为符合节约原则，并保证柴油机正常工作，在选用时，一般要求柴油的凝点比其使用的环境最低温度低 4 ～ 6℃。轻柴油每个等级的六种牌号的适用范围见表 17-2。

表17-2　轻柴油每个等级的六种牌号的适用范围

柴 油 牌 号	适用最低气温（℃）	适用地区季节
10号	12	全国各地6～8月、长江以南4～9月
0号	3	全国各地4～9月、长江以南冬季
−10号	−7	长江以南地区冬季和严冬
−20号	−17	长江以北地区冬季和长江以南、黄河以北地区严冬
−35号	−32	东北和西北地区严冬
−50号	−45	黑龙江北部和新疆北部地区严冬

3．使用注意事项

（1）不同牌号的柴油可以混合使用，并可根据气温的高低酌情调配。混合后的柴油凝点不是按比例计算，一般比其比例高 2℃左右。如用 -10 号柴油与 -20 号柴油各以 50% 混合，混合后其凝点约为 -13℃左右。

（2）在低温下缺乏低凝点柴油不易启动时，可以向柴油中掺入 10%～ 40%的裂化煤油以降低其凝点，或采用适当的预热措施，也可使用柴油机低温启动液启动。使用启动液时不能将启动液加入油箱内，否则会产生气阻，而是用注射器直接注入进气管，用量一般为 10 ～ 25mL。

（3）柴油不能与汽油混合，因为汽油的自燃点高，会使柴油机启动困难，甚至无法启动。

（4）做好柴油的净化工作。柴油在使用前必须沉淀 48h，并经滤网过滤，以防机械杂质混入，引起供油系统磨损和出现故障。

请根据在导向环节中学到的知识，并依据表 7-3 完成作业。

表17-3　作业表

轻柴油的主要使用性能	含 义	评定性能的指标及其含义

实施

1. 实践准备

场地/器具准备： 8 人用实习场地一块、对应数量的课桌椅、黑板一块	资料准备： 教材、笔记本

2. 实践内容

学生参考教科书与所给资料独立完成以下题目。

（1）写出柴油机的燃烧过程与燃烧特点。

（2）解释柴油十六辛烷值的含义，及其对柴油机工作的影响。

（3）解释柴油的蒸发性的含义及其主要评定指标的含义。

（4）轻柴油规格与牌号的规定。

（5）轻柴油的选用与使用注意事项。

检验

由教师对学生在实践环节中所完成的题目进行批改并讲评。

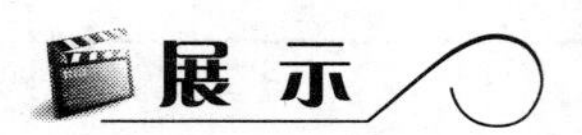

展示

请每位同学在全班同学面前用 15 分钟时间以车用柴油为题进行讲演。

工作任务18

代用燃料相关知识的学习

1．学习要求

要求学生通过本次任务的学习能够熟记汽车各代用燃料的名称，能理解各种代用燃料的特性，并能大体了解电动汽车、氢能汽车、甲醇汽车、天然气汽车的工作原理与特点。

2．基础知识

随着全球经济的发展，汽车保有量逐年增加，汽车尾气对环境的污染也日益加重，已成为空气污染的主要来源之一。因此，汽车制造商在不断完善发动机的燃烧系统，采用先进的电子控制技术和高性能的污染物净化装置，使用无铅汽油等方法的同时，投入巨额资金研制污染排放少、有利于环境保护的代用燃料汽车。

就世界范围而言，最成功的代用燃料是液化石油气（LPG）和压缩天然气（CNG）。20世纪80年代后，各种代用燃料汽车及电动汽车成了研究开发清洁燃料的热门。

代用燃料的种类及环境污染分析。

（1）氢气（H_2）

H_2主要用于宇宙飞船、航天飞机等尖端科技产品的燃料，现发展到应用在汽车上。燃氢发动机可在空气过量系数（λ）较大的范围内稳定燃烧，点火能量低，不到汽油最低点火能量的1/10，且氢燃料的火焰传播速度快，低温下易启动。汽油车较易改成H_2车，其排放物主要是H_2O、N_2、O_2和少量NOx，主要缺点为沸点低（约−253℃），H_2以液态方式储存时成本高，易受外部温度影响而蒸发，不适宜长期储存，还有爆炸、回火、早燃等问题尚待解决。若解决了成本及储存等问题，则有可能批量使用，如图18-1所示。

图 18-1　氢能燃料加补站

（2）酒精燃料

甲醇、乙醇及其各种副产品（如乙醚）是火花点火发动机代用燃料的主要竞争者，成为研究和实际应用的焦点。

1）乙醇是最早开发的代用燃料，乙醇汽油混合燃料在美国已应用多年。纯乙醇作为燃料具有非常低的碳氢化合物（HC）和有毒物排放，被认为是理想的燃料。乙醇可从谷物、纤维素等生物可再生资源中产生，但其成本太高，约为汽油的两倍以上，若制作技术上无重大突破，很难广泛推广。

2）甲醇是从天然气、石油和煤炭中提取的，其中一半以上来自天然气。甲醇具有高辛烷值、低发热量、低污染和无排烟等特点。甲醇燃烧完全，可减少 20%～ 50% HC 的排放，设计先进的发动机可减少 90%，颗粒物及 NO_X 排放也很低。此外，其挥发性低，加油和行驶过程中蒸发损失小。目前，商用甲醇主要为 M85（80%甲醇 +15%汽油）和 M100，M100 性能优于 M85，具有更大的环境优越性。甲醇毒性大，有腐蚀性，其生产过程是从能源的一种状态转换到另一种状态，能源利用率低。

（3）天然气（NG）

NG 的主要成分是甲烷（一般为 83%～ 99%）及少量烃类和 CO_2 等。NG 的使用形式主要有压缩天然气（CNG，150 ～ 120MPa）、液化天然气（LNG，-162℃）及能量密度很小的吸附天然气（ANG）。

NG 具有较高的辛烷值，与汽油相比，燃烧更完全。据美国 EPA 报告，NG 汽车可以降低 40%的 HC 排放，50%的 CO 排放，无排烟，而且排放的 HC 化合物 90%为甲烷类物质，光化学反应低，现有技术尚可进一步降低污染物的排放。完全符合各国环境排放标准。NG 汽车噪声小。

LNG 制造成本相对较高，其储存容器的绝热性（甲烷易蒸发，沸点 -162℃）是制约其发展的重要原因之一。但 NG 一般比汽油、柴油价格低。

（4）液化石油气（LPG）

LPG 的主要成分是丙烷及少量丁烷、乙烷和极少量戊烷。LPG 辛烷值较高，燃料费比液氢、酒精、汽油、柴油等便宜，CO、NO_X 等气体排放量低于内燃机汽车，基本上不排黑烟和颗粒物（PM），且所排气体无臭味，发动机工作噪音低，完全能满足 2000 年对现代汽车的使用要求。有试验表明，在 90 ～ 120km/h 行驶状态下，能量消耗下降了 6%～ 10%，HC 排气污染下降了 49%，CO 排放量下降了 91%，NO_X 下降了 16%。

（5）新配方汽油

新配方汽油是过去 20 年来对汽油组成的第五次重大改进。美国 EPA 规定，新配方汽油至少含 2%的氧、低于 1%的苯肼物、不含铅及任何其他重金属，同时加入高级活性剂，以防止组分沉淀；与传统汽油相比，各种污染物排放可降低 15%～ 17%，适用于所有车辆，但制作成本略高。美国 EPA 宣称，新配方汽油计划是继汽油中的铅被禁止以来最重要的环境燃料计划。

（6）复合燃料（植物油）

植物油汽车的最大优点是不污染环境，其燃烧产物不含 SO_2、CO_2，碳粒也少，但含有害的乙醛。用其替代柴油时，汽车发动机不用改装。目前，已研制成功并投入使用的植物油燃料有菜籽油、棉籽油、棕榈油、豆油、甲醇酯混合油等。植物油多与柴油混合使用。植物油成本高，能量消耗高，只能作为补偿能源。

1）水乳化燃料是在轻油和重油中加入适量乳化剂（水合成剂）形成的稳定燃料，能使排放物中的碳烟粒和 NO_X 降低 30%左右，而且还能有效地降低油耗（柴油 3%左右，汽油 10%左右），如图 18-2 所示。此外，水乳化燃料安全，便于储存和运输。

图18-2　水乳化燃料车

2）柴油与甲醇、水的复合燃料具有乳化剂用量少、稳定期长、热值较高等特点，可使用含水的粗甲醇，燃料成本较低。

（7）复式动力汽车

日产公司研制的液（气）压蓄能复式动力客车利用汽车制动时蓄能、加速时释能的原理，使此类车比柴油车排放的 NO_X 降低 2.7%，黑烟减少 20%。若发动机为燃用甲醇的直喷式柴油机，NO_X 可减少 50%；使用 LPG 柴油机，黑烟可减少 40%。但此类车需增加一定的设备，质量也较大，成本相对较高，工作时噪声大。

（8）电动汽车（EV）

EV 作为“零排放”汽车，已成为当前汽车行业的热点。有人预言，21 世纪将是电动汽车的时代，如图 18-3 所示。电动汽车本身并不排放 CO、NO_X、CO_2 和其他有害气体，但电能制造方法可造成环境污染，若电能取之于非化石燃料（如太阳能、核能），则几乎无气体排放；若取之于煤炭等化石燃料，则主要是化石燃料的污染问题，比汽车流动污染易控制。目前使用的电池 90%为铅酸电池，一辆铅酸电池汽车铅需要量是汽车的 80 倍。

图18-3　电动汽车充电

@信息

下面提供几种技术相对成熟的代用燃料汽车的信息。

1. 电动汽车

（1）工作原理

电动汽车工作过程：蓄电池→电流→电力调节器→电动机→动力传动系统→驱动汽车行驶

电动汽车的组成包括电力驱动及控制系统、驱动力传动等机械系统、完成既定任务的工作装置等。电力驱动及控制系统是电动汽车的核心，也是区别于内燃机汽车的最大不同点。电力驱动及控制系统由驱动电动机、电源和电动机的调速控制装置等组成。电动汽车的其他装置基本与内燃机汽车相同，如图 18-4 所示。

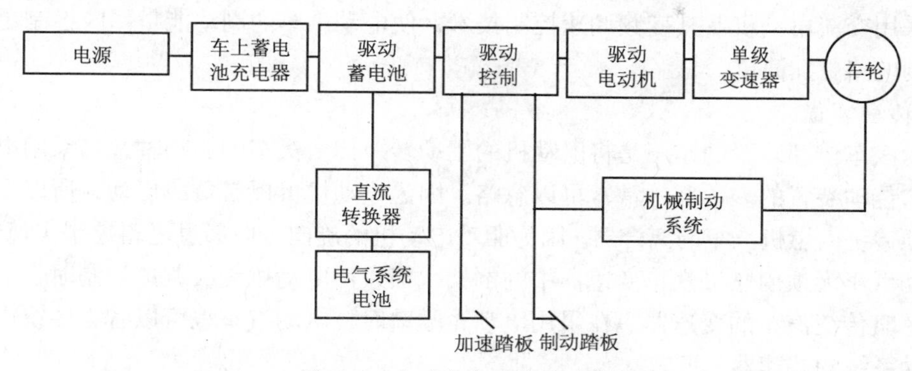

图18-4　电动汽车工作原理框图

（2）主要结构

1）电源

电源为电动汽车的驱动电动机提供电能，电动机将电源的电能转化为机械能，通过传动装置直接驱动车轮和工作装置。目前，电动汽车上应用最广泛的电源是铅酸蓄电池，但随着电动汽车技术的发展，铅酸蓄电池由于比能量较低，充电速度较慢，寿命较短，逐渐被其他蓄电池所取代。正在发展的电源主要有钠硫电池、镍镉电池、锂电池、燃料电池、飞轮电池等，这些新型电源的应用为电动汽车的发展开辟了广阔的前景。

2）驱动电动机

驱动电动机的作用是将电源的电能转化为机械能，通过传动装置直接驱动车轮和工作装置。目前电动汽车上广泛采用直流串激电动机，这种电动机具有“软”的机械特性，与汽车的行驶特性非常相符。但直流电动机由于存在换向火花，比功率较小、效率较低，维护保养工作量大，随着电动机技术和电动机控制技术的发展，势必逐渐被直流无刷电动机（BCDM）、开关磁阻电动机（SRM）和交流异步电动机所取代。

3）电动机调速控制装置

电动机调速控制装置是为电动汽车的变速和方向变换等设置的，其作用是控制电动机的电压或电流，完成电动机的驱动转矩和旋转方向的控制。

早期的电动汽车上，直流电动机的调速采用串接电阻或改变电动机磁场线圈的匝数来实现。因其调速是有级的，且会产生附加的能量消耗或使用电动机的结构复杂，现在已很少采用。目前电动汽车上应用较广泛的是晶闸管斩波调速，通过均匀地改变电动机的端电压，控制电动机的电流，实现电动机的无级调速。在电力电子技术的不断发展中，它也逐渐被其他电力晶体管（如 GTO、MOSFET、BTR 及 IGBT 等）斩波调速装置所取代。从技术的发展来看，伴随着新型驱动电动机的应用，电动汽车的调速控制转变为直流逆变技术的应用将成为必然的趋势。

在驱动电动机的旋向变换控制中，直流电动机依靠接触器改变电枢或磁场的电流方向，实现电动机的旋向变换，这使得调速电路变复杂、可靠性降低。当采用交流异步电动机驱动时，电动机转向的改变只需变换磁场三相电流的相序即可，可使控制电路简化。此外，采用交流电动机及其变频调速控制技术，使电动汽车的制动能量回收控制更加方便，控制电路更加简单。

4）传动装置

电动汽车传动装置的作用是将电动机的驱动转矩传给汽车的驱动轴，当采用电动轮驱动时，传动装置的多数部件常常可以忽略。因为电动机可以带负载启动，所以电动汽车上无须传统内燃机汽车的离合器。因为驱动电动机的旋向可以通过电路控制实现变换，所以电动汽车无须内燃机汽车变速器中的倒档。当采用电动机无级调速控制时，电动汽车可以忽略传统汽车的变速器。在采用电动轮驱动时，电动汽车也可以省去传统内燃机汽车传动系统的差速器。

5）行驶装置

行驶装置的作用是将电动机的驱动力矩通过车轮变成对地面的作用力，驱动车轮行走。它同其他汽车的构成是相同的，由车轮、轮胎和悬架等组成。

6）转向装置

转向装置是为实现汽车的转弯而设置的，由转向机、方向盘、转向机构和转向轮等组成。作用在方向盘上的控制力，通过转向机和转向机构使转向轮偏转一定的角度，实现汽车的转向。多数电动汽车为前轮转向，工业中用的电动叉车常常采用后轮转向。电动汽车的转向装置有机械转向、液压转向和液压助力转向等类型。

7）制动装置

电动汽车的制动装置同其他汽车一样，是为汽车减速或停车而设置的，通常由制动器及其操纵装置组成。在电动汽车上，一般还有电磁制动装置，它可以利用驱动电动机的控制电路实现电动机的发电运行，使减速制动时的能量转换成对蓄电池充电的电流，从而得到再生利用。

8）工作装置

工作装置是工业用电动汽车为完成作业要求而专门设置的，如电动叉车的起升装置、门架、货叉等。货叉的起升和门架的倾斜通常由电动机驱动的液压系统完成。

（3）优缺点

电动汽车的优点是：它本身不排放污染大气的有害气体，即使按所耗电量换算为发电厂的排放，除硫和微粒外，其他污染物也显著减少，由于电厂大多建于远离人口密集的城市，对人类伤害较小，而且电厂是固定不动的，集中排放，清除各种有害排放物较容易，也已有了相关技术。由于电力可以从多种一次能源获得，如煤、核能、水力等，解除人们对石油资源日渐枯竭的担心。电动汽车还可以充分利用晚间用电低谷时富余的电力充电，使发电设备日夜都能充分利用，大大提高其经济效益。有些研究表明，同样的原油经过粗炼，送至电厂发电，经充入电池，再由电池驱动汽车，其能量利用效率比经过精炼变为汽油，再经汽油机驱动汽车高，因此有利于节约能源和减少 CO_2 的排量，正是这些优点，使电动汽车的研究和应用成为汽车工业的一个“热点”。

电动汽车的缺点是：目前蓄电池单位质量储存的能量太少，且电动车的电池较贵，又没形成经济规模，故购买价格较贵，至于使用成本，有些试用结果比汽车贵，有些结果仅为汽车的 1/3，这主要取决于电池的寿命及当地的油、电价格。

有专家认为，对于电动车而言，目前最大的障碍就是基础设施建设及价格影响了产业化的进程，与混合动力相比，电动车更需要基础设施的配套，而这不是一家企业能解决的，需要各企业联合起来与当地政府部门一起建设，才会有大规模推广的机会。

2. 甲醇汽车

甲醇俗称“木醇”或“木精”，用甲醇代替石油燃料在国外已经应用多年，甲醇汽车控制技术已经很成熟，近年来由于石油资源紧张，汽车能源多元化趋向加剧，甲醇汽车又提到议事日程。

目前世界上已有 70 多个国家不同程度地应用甲醇汽车，有的已达到较大规模，甲醇汽车的地位日益提升。

甲醇的资源丰富，可以再生，属于生物质的能源。合成甲醇可以从固体（如煤、焦碳）液体（如原油、重油、轻油）、木材干馏或气体（如天然气及其他可燃性气体）提取。

在汽车上使用甲醇，可以提高燃料的辛烷值，增加氧含量，使汽车缸内燃料燃烧更完全，可以降低尾气有害物的排放。

甲醇汽车的燃料应用方式：一是甲醇掺烧，是指把甲醇添加在汽油里，用甲醇燃料助溶剂复配的 M 系列混合燃料。其中 M15（在汽油里添加 15%甲醇）清洁甲醇汽油为车用燃料，分别应用于各种汽油发动机，可以在不改变现行发动机结构的条件下替代成品汽油使用，并可与成品油混用。甲醇混合燃料的热效率、动力性、启动性、经济性良好，具有降低排放、节省石油、安全方便等特点。世界各国根据不同国情，研发了 M3、M5、M15、M20、M50、M85、M100 等不同掺和比例的甲醇汽油。目前，商用甲醇主要为 M85（85%甲醇 +15%汽油）和 M100，M100 性能优于 M85，具有更大的环境优越性。目前，掺烧占甲醇汽车占主要地位。二是纯烧，即单烧甲醇，可用 M100%表示，目前应用已经非常成熟。三是变性燃料甲醇，指甲醇脱水后，再添加变性剂而生成的甲醇。四是灵活燃料，指燃料既可用汽油，又可以使用甲醇或甲醇与汽油混合燃料，还可以用甲醇制氢气，汽油、甲乙醇、天然气、氢气等燃料随时自由切换，这就是多燃料发动机控制技术。

当前，甲醇汽车固然存在一定的技术问题，例如，甲醇的通电腐蚀、溶胀等技术问题，通过研发人员的不断努力和政策的支持和扶植，应用前景非常好。

我国对甲醇燃料的推行始于 20 世纪 60 年代，2009 年 7 月 2 日国家标准化管理委员会发布公告称，《车用甲醇汽油（M85）》标准正式批准颁布，并将于今年 12 月 1 日起实施。

据了解，该标准是甲醇汽油的首个产品标准。

据悉，《车用甲醇汽油（M85）》标准的制定参考和总结了美国M75、M85标准存在的问题和取得的经验，同时结合了国内的实际情况。该标准有两大特点：一是对易造成腐蚀的非金属元素的含量进行了严格控制，二是在检验方法上对质量指标进行了从严控制。

据了解，此前出台的《车用燃料甲醇》标准是中间产品标准，而《车用甲醇汽油（M85）》标准是产品标准，按照此标准生产出的合格产品可以直接使用。由于是终端产品，因此技术要求十分严格，这方面的指标高达十多项。

根据业内人士分析，随着《车用甲醇汽油（M85）》标准的正式颁布，加快了甲醇汽油的使用步伐，这将有利于缓解当前我国甲醇企业面临的生产经营困境。

3. 氢能汽车

氢能汽车是以氢气为主要能量作为移动能源的汽车。一般的内燃机，通常注入柴油或汽油，氢汽车则改为使用气体氢。燃料电池和电动机会取代一般的引擎，即氢燃料电池的原理是把氢输入燃料电池中，氢原子的电子被质子交换膜阻隔，通过外电路从负极传导到正极，成为电能驱动电动机；质子却可以通过质子交换膜与氧化合为纯净的水雾排出。这样有效减少了其他燃油汽车造成的空气污染问题，高速车辆、巴士、潜水艇和火箭已经在不同形式地使用氢。另外能源从来都是个问题，近年来，国际上以氢为燃料的“燃料电池发动机”技术取得重大突破，而“燃料电池汽车”已成为推动“氢经济”的发动机。

用氢气作为燃料有许多优点，首先是干净卫生，氢气燃烧后的产物是水，不会污染环境，其次是氢气在燃烧时比汽油的发热量高。在1965年，外国的科学家们就已设计出了能在马路上行驶的氢能汽车。我国也在20世纪80年代成功地造出了第一辆氢能汽车，可乘坐12人，储存氢材料90kg。氢能汽车行车路远，使用的寿命长，最大的优点是不污染环境。

氢是可以取代石油的燃料，其燃烧产物是水和少量氮氧化合物，对空气污染很少。氢气可以从电解水、煤的气化中大量制取，而且不需要对汽车发动机进行大的改装，因此氢能汽车具有广阔的应用前景。推广氢能汽车需要解决三个技术问题：大量制取廉价氢气的方法，传统的电解方法价格昂贵，且耗费其他资源，无法推广；解决氢气的安全储运问题；解决汽车所需的高性能、廉价的氢供给系统。目前常见的供给系统有三种，气管定时喷射式、低压缸内喷射式和高压缸内喷射式。随着储氢材料的研究进展，可以为氢能汽车开辟全新的途径。最近，科学家们研制的高效率氢燃料电池，更大程度地减小了氢气损失和热量散失。

（1）原理

众所周知，氢分子通过燃烧与氧分子结合产生热能和水。氢燃料电池通过液态氢与空气中的氧结合而发电，根据此原理而制成的氢燃料电池可以发电用来推动汽车，提供家庭或工业用电或作为手机电池。原理说起来很简单，但具体分析就会发现，其实提炼氢燃料的过程非常复杂，而且能耗也非常高。氢能汽车工作原理如图 18-5 所示。

采用氢燃料的火花点火式发动机轿车（BMW 735i）

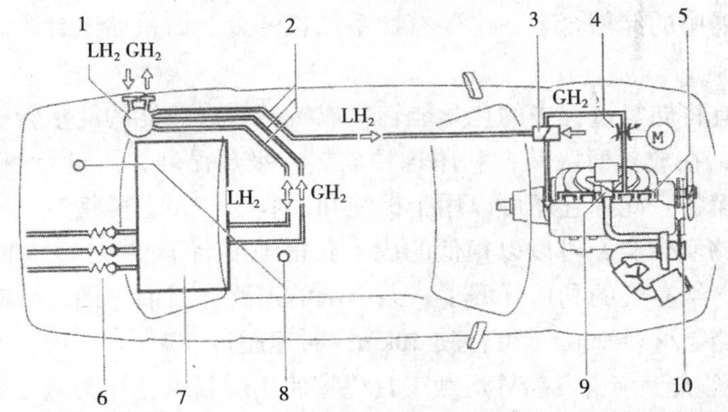

LH_2—液态氢；GH_2—气态氢；1—添加 LH_2 和供给 GH_2 的阀体（真空绝缘）；
2—氢供给管路（真空绝缘）；3—LH_2 蒸发器；4—电子控制调节动力用的计量阀；
5—氢燃料喷嘴；6—过载安全阀；7—真空高绝缘的液态氢燃料箱；
8—自动监测氢泄漏的传感器；9—用汽油时的电子控制节气门阀；
10—变速离心式增压器

图18-5　氢能汽车工作原理

（2）氢内燃车

氢内燃车和氢燃料电池车不同。氢内燃车是传统汽油内燃机车带小量改动的版本。氢内燃直接燃烧氢,不使用其他燃料产生水蒸气排出。这些车的问题是氢燃料很快耗尽。载满氢气的油缸只能行驶数英里，很快便没有了能量。另外，各式各样的方法正在研究以减少耗用的空间,如用液态氢或氢化物。1807 年, Isaac de Rivas 制造了首辆氢内燃车,可惜该设计没有成功。宝马的氢内燃车有更多的力量，比氢燃料电池车更快。宝马的氢汽车以 300km/h 创下了氢汽车的最高速记录。万事达已在开发烧氢的转子引擎，该转子引擎反复转动，故氢从开口在引擎内的不同部分燃烧，减少突然爆炸这个氢燃料活塞引擎的问题。日本武藏工业大学 1990 年在第八届世界氢能会议上展出了一部使用液氢储罐的燃氢轿车。它由 NISSAN 车改装，使用一个容积 100L，总重 60kg 的液氢罐，可以 100km/h 速度行驶，排放废气中无 CO_2。中国研制的燃用氢、汽油混合燃料的城市节能公共汽车正进行试验。

（3）储氢方法与材料

传统储氢方法有两种，一种方法是利用高压钢瓶（氢气瓶）来储存氢气，但钢瓶储存氢气的容积小，而且还有爆炸的危险；另一种方法是储存液态氢，但液体储存箱非常庞大，需要极好的绝热装置来隔热。近年来，一种新型简便的储氢方法应运而生，即利用储氢合金（金属氢化物）来储存氢气。研究证明，在一定的温度和压力条件下，一些金属能够大量“吸收”氢气，反应生成金属氢化物，同时放出热量。其后，将这些金属氢化物加热，它们又会分解，将储存在其中的氢释放出来。这些会“吸收”氢气的金属，称为储氢合金。其储氢能力很强。单位体积储氢的密度是相同温度、压力条件下气态氢的1000倍，即相当于储存了1000个大气压的高压氢气。储氢合金都是固体，需要用氢时通过加热或减压使贮存于其中的氢释放出来，因此是一种极其简便易行的理想储氢方法。目前研究发展中的储氢合金，主要有钛系储氢合金、锆系储氢合金、铁系储氢合金及稀土系储氢合金。

储氢合金还有将储氢过程中的化学能转化成机械能或热能的能量转换功能。储氢合金在吸氢时放热，在放氢时吸热，利用这种放热—吸热循环，可进行热的储存和传输，制造制冷或采暖设备。此外它还可以用于提纯和回收氢气，它可将氢气提纯到很高的纯度。例如，采用储氢合金，可以以很低的成本获得纯度高于99.9999%的超纯氢。储氢合金的飞速发展，给氢气的利用开辟了一条广阔的道路。目前中国已研制成功了一种氢能汽车，它使用储氢材料90kg，可行驶40km，时速超过50km。今后，不但汽车会采用燃料电池，飞机、舰艇、宇宙飞船等运载工具也将使用燃料电池作为其主要或辅助能源。另外由于大量使用的镍镉电池（Ni、Cd）中的镉有毒，使废电池处理复杂，环境受到污染。镍氢电池与镍镉电池相比，具有容量大、安全无毒和使用寿命长等优点。发展用储氢合金制造的镍氢电池（Ni、MH），也是未来储氢材料应用的另一个重要领域。

（4）氢燃料电池

现在可以使用的主要有这样几种：

1）熔融碳酸盐燃料电池（MCFC）

1980年研制成功，在650℃下工作，把熔融碳酸盐作为电解质，把送到正极的CO_2作为离子载体。不需要催化剂，而且可以使用天然气等其他气体燃料，但启动时间较长。

2）固体氧化物燃料电池（SOFC）

1980年研制成功，电解质为含有氧化锆等成分的固体陶瓷材料。工作在800～1000℃的高温，离子可以通过陶瓷材料，不需要铂等催化剂，也可以使用其他气体燃料，启动时间也较长。

3）磷酸燃料电池（PAFC）

1967年研制成功，工作温度接近200℃，需要催化剂，电解质为磷酸水溶液，在饭店和医院使用较多。

4）固体高分子燃料电池（PEFC）

目前投入研究力量最大的电池，电解质为高分子树脂薄膜，可以实现小型化。工作温度在100℃以下，但是需要催化剂，也可以使用甲醇，启动时间也最短。

4. 天然气汽车

按照所使用天然气燃料状态的不同，天然气汽车可以分为：

1）压缩天然气（CNG）汽车。压缩天然气是指压缩到20.7～24.8MPa的天然气，储存在车载高压气瓶中。压缩天然气（CNG）是一种无色透明、无味、高热量、比空气轻的气体，主要成分是甲烷。由于组分简单，易于完全燃烧，加上燃料含碳少，抗爆性好，不稀释润滑油，能够延长发动机使用寿命。

2）液化天然气（LNG）汽车。液化天然气是指常压下、温度为 -162° 的液体天然气，储存于车载绝热气瓶中。液化天然气（LNG）燃点高、安全性能强，适于长途运输和储存。

液化石油气（LPG）是一种在常温常压下为气态的烃类混合物，比空气重，有较高的辛烷值，具有混合均匀、燃烧充分、不积炭、不稀释润滑油等优点，能够延长发动机使用寿命，而且一次载气量大、行驶里程长，如图 18-6 所示。

LPG 系统的原理图（电子喷射式）

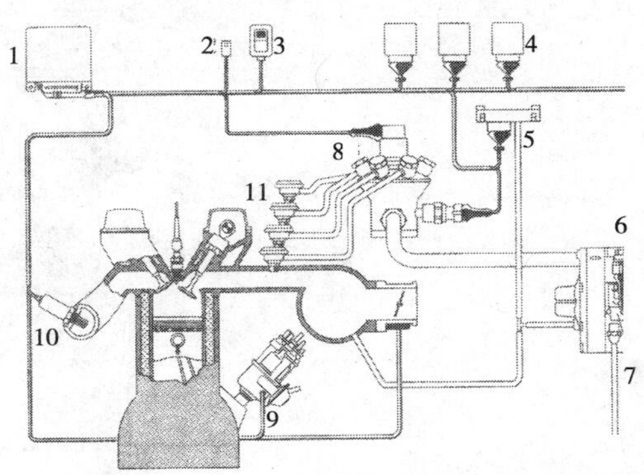

1—电控单元；2—故障诊断插头；3—燃料选择开关；4—继电器；5—进气压力传感器；6—蒸发压力调节器；7—截流阀；8—带步进电动机的分配器；9—发动机转速信号；10—（氧）传感器；11—气体燃料喷嘴

图18-6 LPG系统的原理图

目前世界上使用较多的是压缩天然气汽车。

按照燃料使用状况的不同，天然气汽车可分为：

1）专用燃料天然气汽车。此类汽车发动机只使用天然气作为燃料。

2）两用燃料天然气汽车。此类汽车既可以使用天然气，也可以使用汽油作为燃料。

3）双燃料天然气汽车。此类汽车可以同时使用液体燃料和天然气。

压缩天然气（CNG）汽车燃料系统通常包括天然气气瓶、减压调压器、各类阀门和管件、混合器（或者天然气喷射装置）、各类电控装置等。

CNG 气瓶是压缩天然气汽车的主要设备之一。气瓶的设置和生产都由严格的标准控制。CNG 车用气瓶可以分为四类：第一类气瓶是全金属气瓶，材料是钢或铝；第二类气瓶采用金属内衬，外面用纤维环状缠绕；第三类气瓶采用薄金属内衬，外面用纤维完全缠绕；第四类气瓶完全是由非金属材料制成，如玻璃纤维和碳纤维。

尽管一般认为由于天然气积炭少，机油更换的次数可以少一些，甚至例行的维护也可以少一些，但我们认为汽车、发动机和改装系统的定期维护可以保障天然气汽车与汽油车和柴油车相比具有更好的性能。

天然气汽车主要部件：CNG 减压器；燃气控制计算机（ECU）；转换开关总成；充气阀；气瓶及气瓶支架；燃气滤清器；点火提前器；燃气压力表；喷气阀总成，如图 18-7 所示。

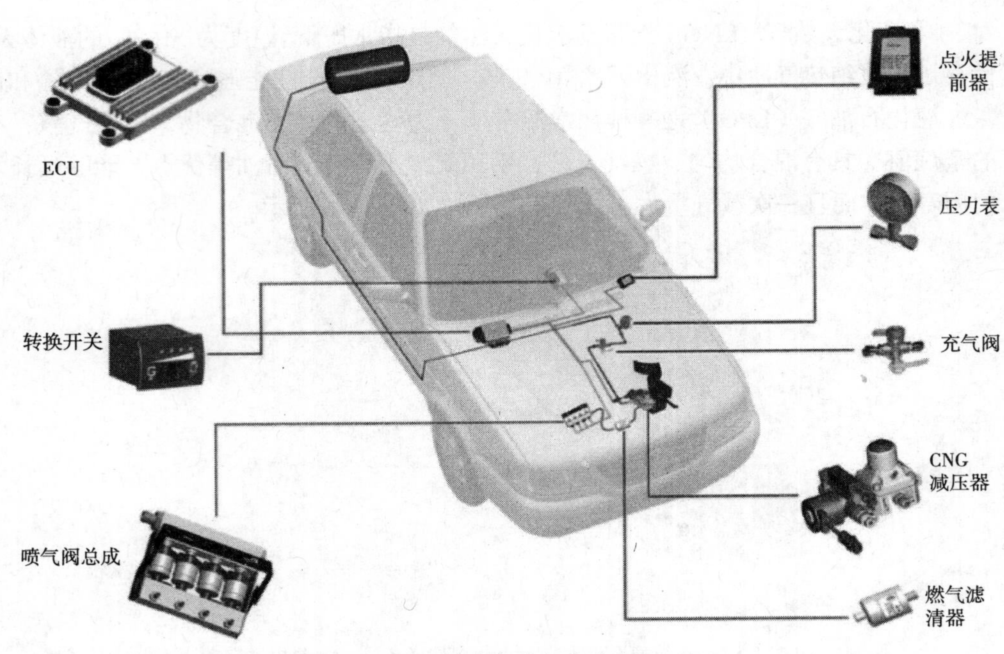

图18-7 天然气汽车零部件结构

计 划

请根据在导向环节中学到的知识，并依据表 18-1 格式将表格完成后写在作业本上。

表18-1 作业表

代用燃料名	类 型	主 要 特 点	主要排放物	发 展 前 景

实 施

1．实践准备

场地/器具准备： 8 人用实习场地一块、对应数量的课桌椅、黑板一块	资料准备： 教材、笔记本

2．实践内容

学生根据信息部分内容与所给资料独立完成以下题目。

1）电动汽车的主要构成部件及工作原理。

2）介绍几种甲醇汽车的燃料应用方式。

3）简述氢能汽车的工作过程。

4）依据信息部分的 LPG 系统的原理图，简述其工作过程。

5）根据所给资料对比并分析采用四种燃料车辆排放与效应的影响，并写出自己的观点。

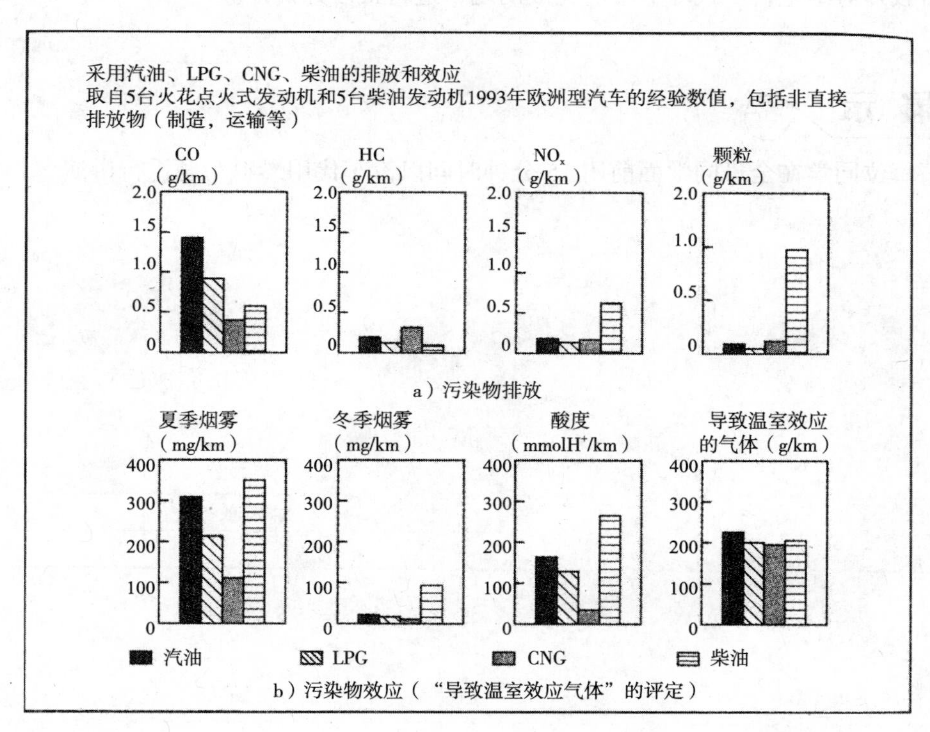

① 对比与分析：

② 结论与观点：

由教师对学生在实践环节中所完成的题目进行批改并讲评。

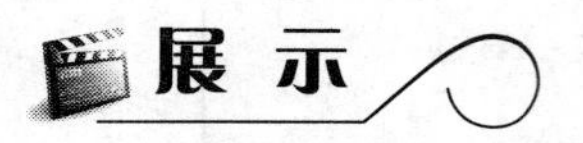

请每位同学在全班同学面前用 15 分钟时间以汽车代用燃料为题进行讲演。

工作任务19

润滑系结构的学习

1．学习要求

要求学生通过本次任务的学习熟悉润滑系的作用与组成，能熟记润滑系的工作过程与油道走向，理解润滑系各主要部件的种类与工作原理，熟悉润滑系各零部件的安装位置。

2．基础知识

（1）润滑系的作用

发动机工作中，相对运动的机件的接触面如果直接接触，那么产生的摩擦将增大发动机的功率消耗，加剧了机件的磨损，降低了使用寿命。为了保证发动机的正常工作，必须设有润滑系，其主要作用如下。

1）润滑：使运动件表面之间形成油膜，以减少磨损和功率的损失。

2）冷却：通过润滑油的循环，带走摩擦产生的热量，保持零件适当的温度。

3）清洗：利用循环润滑油冲洗零件表面，带走摩擦削落下来的金属细屑。

4）密封：依靠油膜提高零件的密封效果。

5）防锈：润滑油能附着在零件表面，防止水、空气和酸性气体对零件表面的氧化腐蚀，起到防锈作用。

（2）润滑系的组成

现代汽车发动机润滑系的结构示意图如图19-1所示。为了保证发动机得到正常的润滑，系统包括：

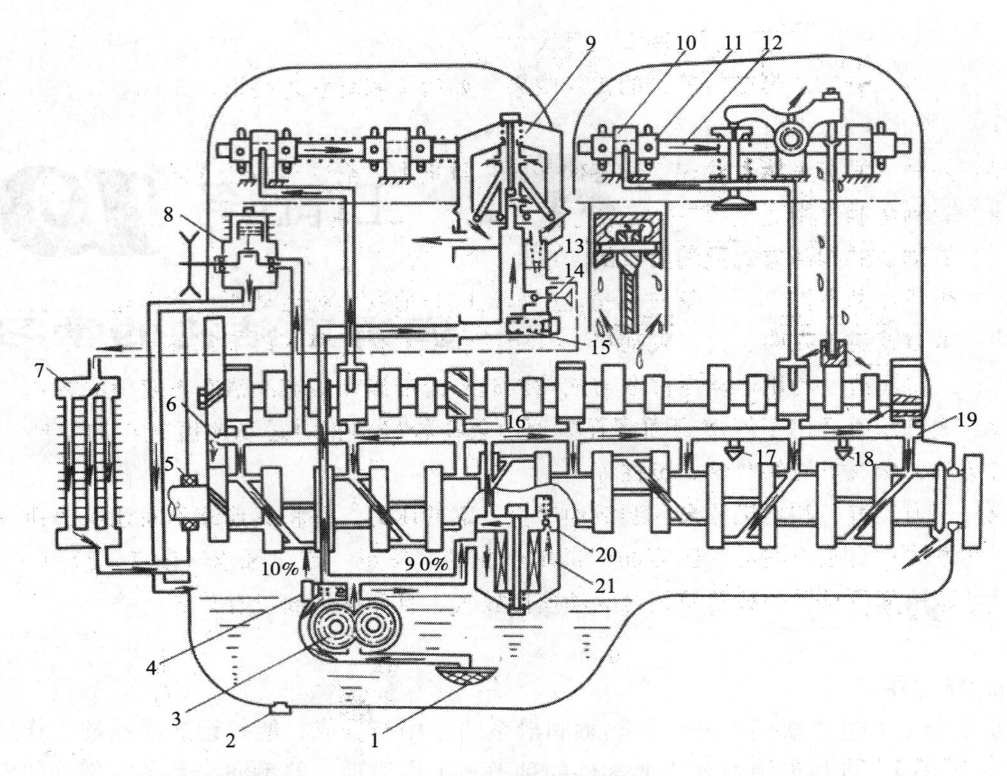

1—集滤器； 2—磁性放油螺栓； 3—机油泵； 4—限压阀； 5—曲轴前油封； 6—喷嘴； 7—机油散热器；
8—空气压缩机； 9—细滤器； 10—摇臂轴支座； 11—摇臂； 12—摇臂轴； 13—机油散热器安全阀；
14—机油散热器开关 15—进油限压阀 16—机油泵和分电盘驱动轴 17—油压过低传感器
18—油压传感器； 19—主油道； 20—旁通阀； 21—粗滤器

图19-1 汽车发动机润滑系结构示意图

1）机油储存装置，即油底壳，对于干式曲轴箱发动机则设有专用的机油箱。

2）建立油压的装置，即机油泵 3 。

3）机油引导、输送、分配装置，由部分油管和在发动机机体上加工出的油道等组成。

4）机油滤清装置，由机油集滤器 1、机油粗滤器 21 和机油细滤器 9 组成，用以滤除机油中金属磨屑和胶质，保证润滑系的正常工作。

5）安全和限压装置，由限压阀、旁通阀 20 等组成，用以控制油压和避免因粗滤器堵塞而使主油道的润滑油供给中断。

6）机油冷却装置，一般发动机靠汽车行驶中的迎面空气流吹拂油底壳来使机油冷却，保持润滑油油温在正常范围内，一些热负荷较高的发电机则专门设有机油散热器，以加强机油的冷却。

7）检查润滑系工作的装置，由机油压力表或机油压力指示灯、机油温度表、机油标尺等组成。

（3）润滑方式

目前常用的润滑方式有：飞溅润滑、压力润滑、复合润滑、注油润滑和自润滑。其中复合润滑是压力和飞溅相结合的润滑方式，是应用最广的一种润滑方式。注油润滑多用在辅助系统中。

（4）润滑系的油路

现代汽车发电机润滑油路布置方案大致相似，只是由于润滑系的工作条件和某些具体结构的不同而稍有差别。

图 19-2 所示为东风 EQ6100 型发动机润滑系油路图。

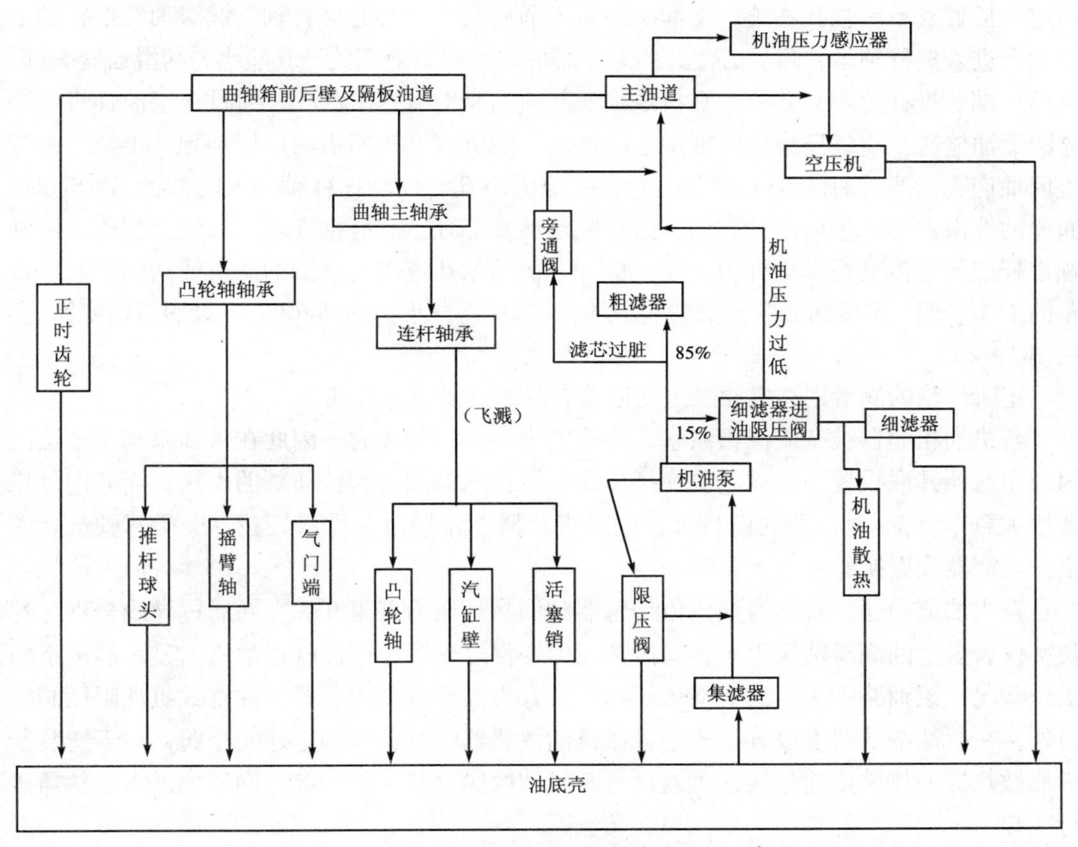

图19-2　东风EQ6100型发动机润滑系油路示意图

该发动机润滑系采用综合润滑方式。曲轴主轴颈、连杆轴颈、凸轮轴轴颈、凸轮轴止推凸缘、分电器传动轴等采用压力润滑；活塞、活塞销、汽缸壁、气门、挺杆、凸轮、正时齿轮等采用飞溅润滑。发动机工作时，机油泵将油底壳内的润滑油经机油集滤器初滤大的机械杂质后泵出，经三通出油管分成两路，大部分经机油粗滤器滤去，较大的机械杂质流入主油道实行压力润滑，另一部分（约占 10%～15%）经低压限制阀进入机油细滤器滤去较细小的机械杂质和胶质后流回油底壳。机油细滤器与机油粗滤器及主油道采用并联布置方式，是考虑到过滤式细滤器的通过阻力较大，如果与主油道串联，则难以保证主油道的供油量，不能使发动机正常润滑。采取并联方案，虽然每次流经细滤器的油量较少，但润滑油经过不断地循环流动仍可取一次。在机油细滤器上设有低压限制阀，当机油泵出油压力低于一定值（147kPa）时，低压限制阀即关闭通往细滤器内的油道，润滑油全部进入主油道，以保证正常润滑。流入主油道的润滑油，经汽缸体隔壁上的七条并联的横油道进入曲轴主轴承，然后经曲轴上的斜向油道流入各连杆轴承。汽缸体一、二、四、六、七隔壁上的横油道中的部分润滑油流向凸轮轴的五个轴承，使该处得到润滑。在汽缸体前后部钻有与凸轮轴二、四轴承相通的直流油道，并通过汽缸盖油道与摇臂支承座油孔相连，将润滑油引入前后两个空心的摇臂轴。润滑油经摇臂轴上的油孔进入摇臂轴承，润滑摇臂。一部分润滑油经摇臂上部的油孔喷出，润滑摇臂头部、气门杆端、推杆上端。此外，在机油细滤器的底座上有一出油孔，通过连接油管将一部分润滑油输送至空气压缩机曲轴中心的油道，润滑空气压缩机的连杆轴颈，再经回油管流回油底壳。当连杆大头上对着凸轮轴一侧的小孔与曲轴连杆轴颈上的油道口相通时，润滑油即由此小孔喷向凸轮表面、汽缸壁及活塞等处。润滑推杆球头和气门端的润滑油顺推杆表面下流到杯形挺杆内，再由挺杆下部的油孔流出与飞溅的润滑油共同来润滑凸轮的工作表面。飞溅到活塞内部的润滑油，溅落在连杆小头的油孔内，借以润滑活塞销（参见图 19-2）。

正时齿轮的润滑则靠机油泵传动齿轮带起的润滑油来实现。

若机油粗滤器被杂质严重淤塞，将使整个油路不能畅通。因此在机油泵和主油道之间与粗滤器并联设置一个滤芯更换指示器，该指示器同时起旁通阀的作用。当芯内外压差增大到 140kPa 时，旁通阀打开，同时指示器电路接通，指示灯亮，提醒驾驶员及时维护滤清器或更换滤芯。

在主油道中还装有润滑油压力传感器和润滑油压力警报开关，并通过导线分别与驾驶室仪表盘上的润滑油压力表和润滑油压力警报灯连接，借以测量油压，显示润滑系的工作状况。该油路中未设润滑油调压阀，只有机油泵端盖内设置一柱塞式机油限压阀。另外，在机油细滤器上设置了一个可接机油散热器的开关和一旁通安全阀，对于选装了机油散热器的特殊用途车辆，可通过打开机油散热器开关，使部分润滑油进入散热器进行冷却。

目前许多轿车发动机润滑系只装设一个全流式滤清器。如图 19-3 所示，上海桑塔纳轿车发动机的润滑系就只装设一个全流式纸质滤芯滤清器，工作时机油经集滤器初步过滤后由机油泵加压进入滤清器，滤清后流入汽缸体主油道，润滑主轴颈和连杆轴颈。活塞顶背面采用喷油润滑。配气驱动机构中间轴轴颈分别由发动机前边第一条横向油道和从机油滤清器出来的油道流出的机油润滑，在缸盖上设有另一条纵向油道，机油从汽缸体主油道经垂直油道进入缸盖主油道后，有一部分通过五条并联的横向斜油道流至凸轮轴轴颈。在缸盖和缸体右侧开有回油道，使缸盖上的油流回油底壳。

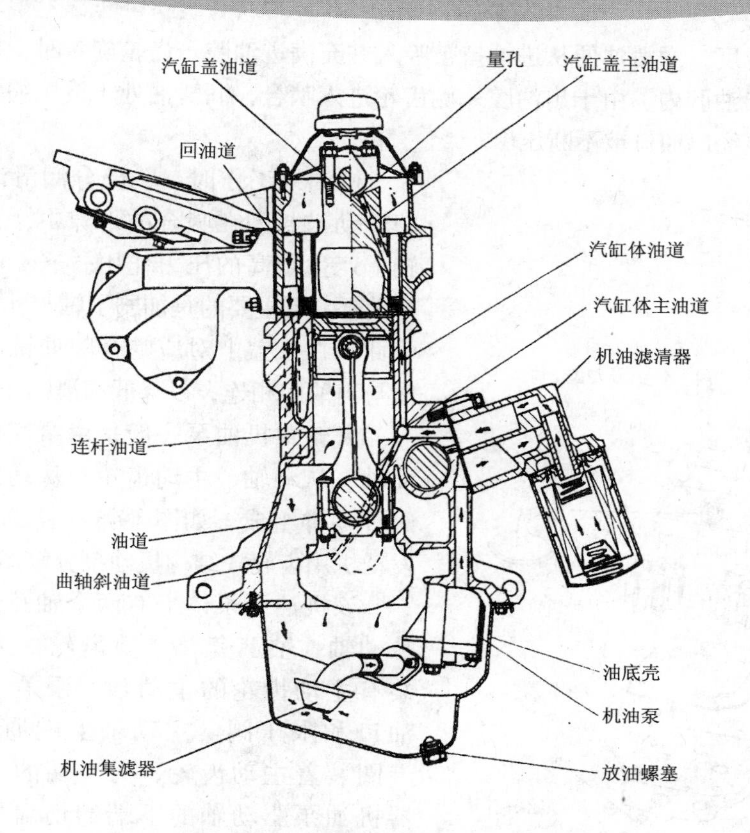

图19-3 桑塔纳轿车润滑系结构图

@ 信息

现将发动机润滑系主要部件的相关信息提供如下。

1. 机油泵

机油泵的作用是将一定数量的润滑油建立起一定的压力输送到摩擦表面。汽车发动机常用的机油泵有齿轮式和转子式两种。

（1）齿轮式机油泵

齿轮式机油泵工作原理如图19-4所示，机油泵壳内装有一对主从动齿轮，主动齿轮由凸轮轴上的斜齿轮或曲轴前端齿轮驱动，两齿轮与壳体内壁之间的间隙很小。

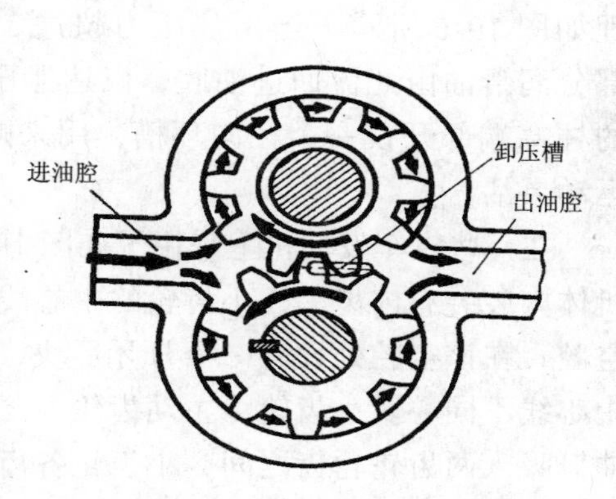

图19-4 齿轮式机油泵工作原理图

发动机工作时，齿轮按图中所示箭头方向旋转，进油腔由于齿轮向脱离啮合方向高速运动而产生一定的真空度，润滑油便从进油口被吸入并充满进油腔。齿轮旋转时，把齿间所存的润滑油带到出油腔内。由于出油腔一侧齿轮进入啮合，润滑油处于被压缩状态，油压升高，润滑油便经出油口被不断压出。

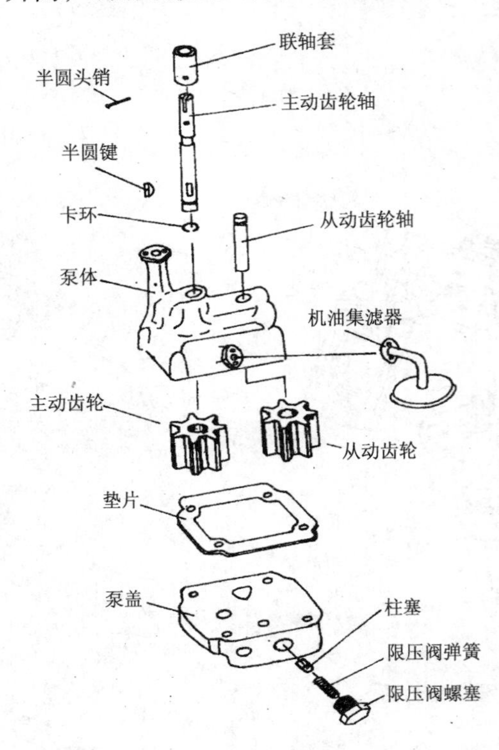

图19-5　EQ6100型发动机用机油泵分解图

机油泵工作时，一部分润滑油将随齿轮的转动被封闭在啮合的齿隙中，在主、从动轴上产生很高的压力作用。这不仅增大了功率消耗，更主要的是加剧了轴与孔间的磨损。为此，在泵盖上对应啮合隙处铣出一条卸压槽与出油腔相连，以降低润滑油压力。

齿轮式机油泵一般是由泵壳、泵盖、主动轴、从动轴、主动齿轮、从动齿轮、限压阀等零件组成。如图19-5所示为EQ6100型发动机用齿轮式结构机油泵分解图。

该机油泵泵体上有两个轴孔，一个压入从动轴，轴上套着从动齿轮，另一个插入装有主动齿轮的主动轴。泵盖上装有进出油口和限压阀。主动轴上端通过半圆键、卡圈装着主动齿轮，另一端的切槽与分电器机油泵驱动轴的下端的切扁处啮合。从动齿轮松套在从动轴上，可随着主动齿轮转动，从动轴则固定不动。

齿轮与泵壳内壁及泵盖之间的间隙很小，以此保证产生必要的油压。泵盖与泵壳的纸质或铜质衬垫既可以防止漏油，又可以用来调整齿轮端面与泵盖间的间隙。

限压阀装在泵盖上，阀门一端与出油腔相通，另一端与进油阀相连，其工作原理如图19-6所示。当出油压力超过380kPa时，油压克服限压弹簧张力顶开柱塞，部分润滑油由此流回进油腔，以达泄压的目的。它的最大限压值为420kPa。限压阀的柱塞端部开设一个径向环槽，用来贮存进入配合面的磨屑和杂质，以保证柱塞的运动灵活。

在一些汽车发动机上采用了如图19-7所示的内啮合齿轮式机油泵。这种机油泵的机体内腔装有内齿圈，小齿轮的中心线与内齿圈的中心线不同心，啮合后留有一牙形空腔，在该空腔处设有一个月牙形块，将内、外齿分开。小齿轮的中心线与内齿圈的中心线不同心。小齿轮为主动齿轮，工作时，小齿轮按箭头所示方向旋转，机油从进油口吸入两齿轮轮齿之间，小齿轮各齿之间带入的机油被推向出油口，并随着内外齿间啮合间隙的逐渐减小，使机油加压流入油道。

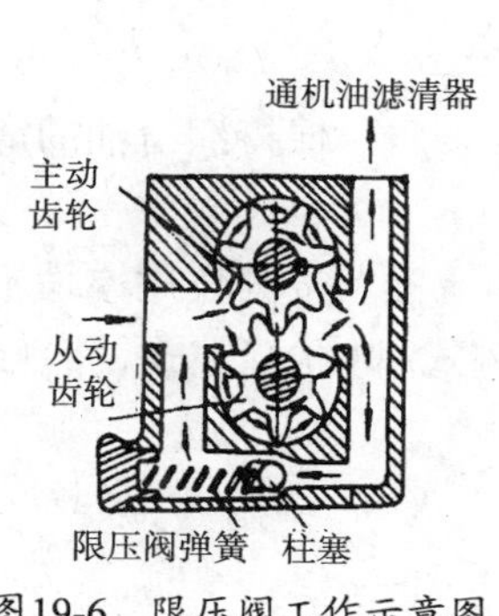

图19-6　限压阀工作示意图

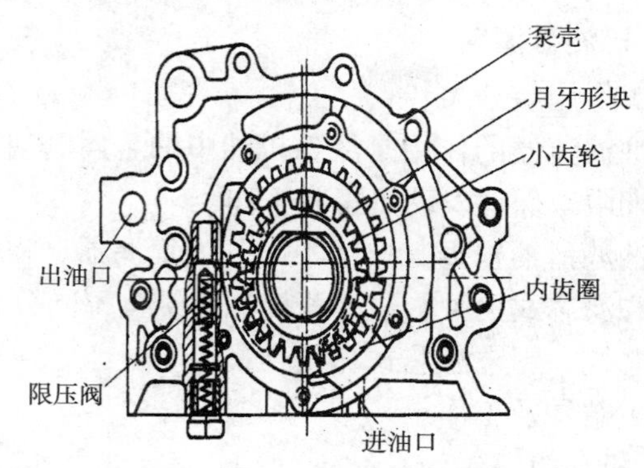

图19-7　内啮合齿轮式机油泵

齿轮式机油泵由于结构简单、制造方便、工作可靠，应用最广泛。

（2）转子式机油泵

转子式机油泵是利用内外转子压送润滑油，又称次摆线齿轮泵，其工作原理如图 19-8 所示。主动的内转子和从动的外转子都装在油泵壳体内，内转子固定在主动轴上，外转子在泵壳内可自由转动，二者之间有一定的偏心距内转旋转时，外转子随之转动，由于转子齿形齿廓设计使转子转到任何角度时，内外转子每个齿总能互相成点接触。这样，内外转子间便形成四个工作腔。由于内外转子的速度比大于 1，所以外转子总是慢于内转子，这就形成了容积的变化，某一工作腔从进油孔转过时，容积增大，产生真空，机油便经进油口吸入。转子继续转动，当该工作腔与出油孔相通时，容积减小，油压升高，机油经出油口压出。

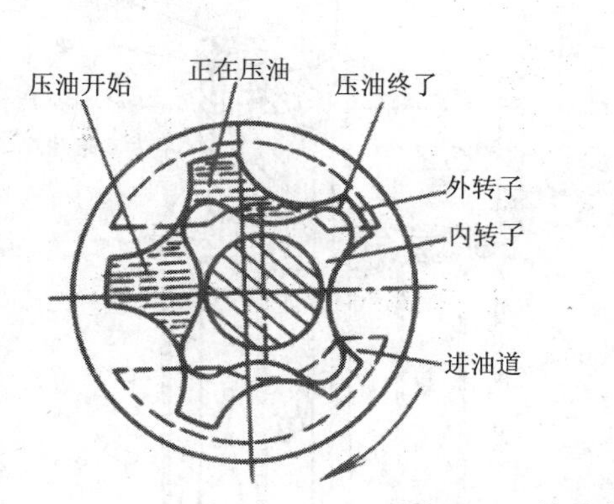

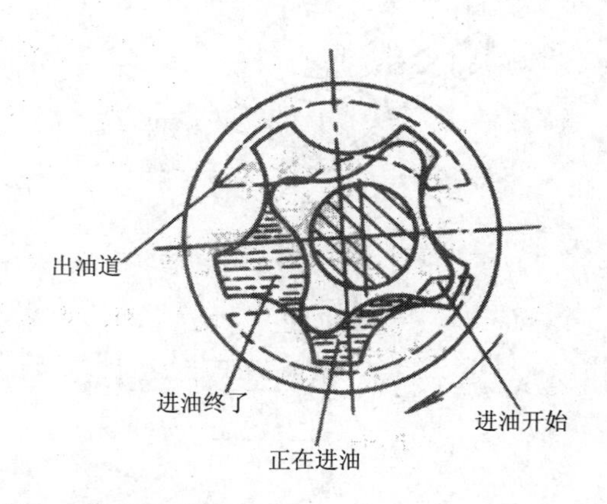

图 19-8　转子式机油泵工作原理示意图

转子式机油泵结构紧凑，泵油量大，且供油均匀。泵的安装位置在机体外且位置较高时，用此种油泵尤为合适。

一般机油泵的实际供油量比润滑系的循环油量大 2 ～ 3 倍，以保证润滑可靠，多余的机油通过润滑系中的限压阀直接流回油底壳。

2. 机油滤清器

（1）作用与分类

机油滤清器的作用是滤除机油中的金属磨屑及胶质等杂质，保持润滑油的清洁，延长使用期限，保证发动机正常工作。

机油滤清器根据其作用不同分为集滤器、粗滤器和细滤器。按其作用原理不同分为过滤式和滤芯式两种。过滤式按滤芯结构不同分为:金属网式、片状缝隙式、带状缝隙式、纸质滤芯式、锯末滤芯式和复合式等。

（2）结构及工作

1）机油粗滤器

机油粗滤器的作用是滤去润滑油中较大（直径为 0.05 ～ 0.1mm）的杂质，向主油道和摩擦表面供给较清洁的润滑油，一般串连在机油泵与主油道之间，属于全流式滤清器。

图 19-9 为东风 EQ6100-1 型发动机纸质滤芯式粗滤器的构造图。粗滤器壳体由上盖和外壳组成，滤芯为一次性使用，装合后两端由环形密封圈密封。粗滤器用螺钉与底座连接，通过底座固定于缸体上。

粗滤器的工作原理如图 19-10 所示。润滑油由上盖上的进油孔流入，通过滤芯滤清后，经上盖的出油孔流入主油道。当滤芯因过脏而堵塞，滤芯内外压差达到 147 ～ 176kPa 时，旁通阀打开，机油直接进入主油道，保证主油道所需的机油量。

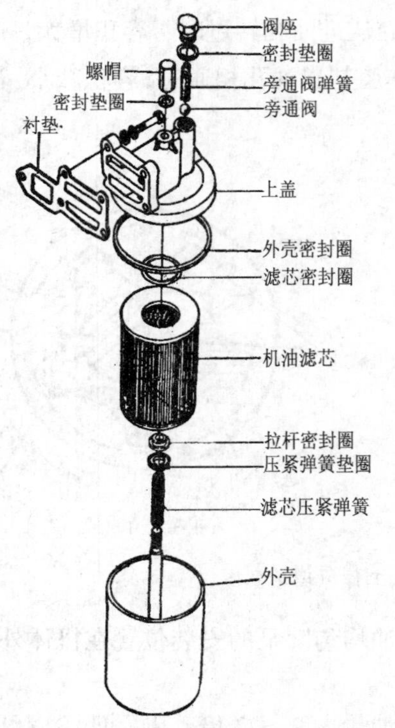

图19-9　东风EQ6100-1型发动机纸质滤芯式粗滤器的构造图

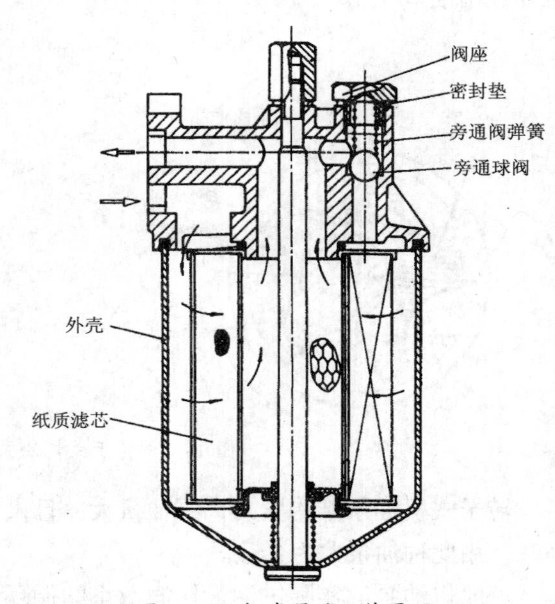

图19-10　粗滤器的工作原理

2）机油细滤器

机油细滤器的作用是消除微小的杂质（直径在 0.01 ～ 0.03mm）。由于它的流动阻力较大，因此与主油道并联，只有 10%左右的润滑油通过，属于分流式滤清器。

机油细滤器有过滤式和离心式两种类型。由于过滤式细滤器存在着滤清能力和通过能力的矛盾，目前应用渐少。离心式细滤器是靠转子旋转产生的惯性力将润滑油中的杂质分离出去，具有结构简单、使用可靠、寿命长、维护方便等优点，应用广泛。

离心式机油细滤器结构如图 19-11 所示，它由底座、转子、转子轴、外罩等部分组成。

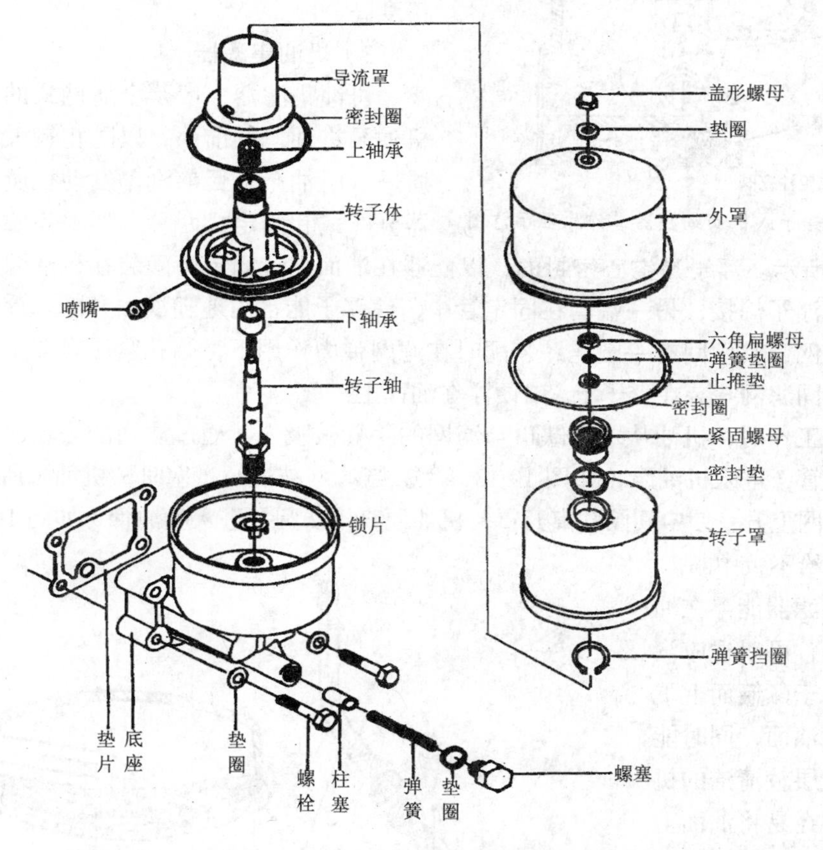

图19-11　离心式机油细滤器结构分解图

底座上设有限压阀，带中心孔的转子轴装在底座上，并用锁片锁紧。转子总成通过上下两个转子衬套套在转子轴上，可以自由转动，由扁形螺母做轴向定位，下端装有两个对称布置的喷嘴，导流套套装在转子体上，由紧固螺母固定，形成一个空腔，通过导流罩、转子体及转子轴上对应的径向油孔与中心孔相通。

工作过程如图 19-12 所示，当进油口处压力低于 147kPa 时，进油限压阀关闭进油通道，机油不进入细滤器，当压力达到 147 ～ 196kPa 时限压阀打开，机油由转子轴中心孔向上经转子轴、转子体、导流罩上对应的油孔流入转子罩内腔，又经导流罩导流从两

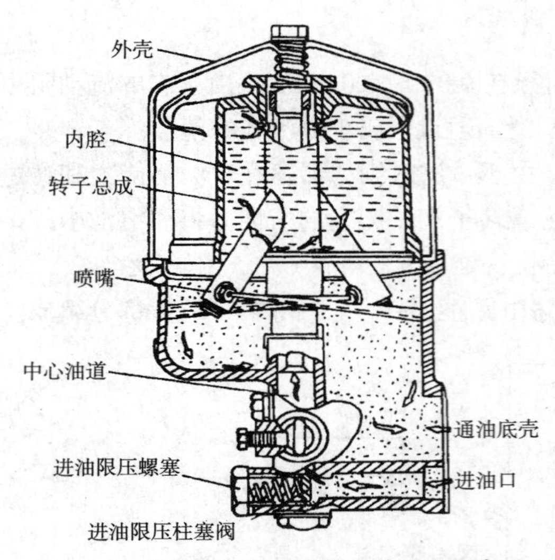

图19-12 转子式机油细滤器工作原理示意图

喷嘴喷出。喷出时产生的喷注推力驱动转子总成连同体内机油高速旋转形成强大的离心力使机油中的杂质和胶质不断分离沉积在转子罩的内壁上，洁净的机油不断从喷油嘴喷出并经出油口流回油底壳。

离心式滤清器滤清效果好，通过能力强，不需更换滤芯，只需定期清洗即可，但制造精度高。

3）机油集滤器

机油集滤器一般是金属网式的，安装在机油泵进油口的前面，以防止较大的机械杂质进入机油泵。目前汽车发动机所用的集滤器分浮式和固定式两种。浮式集滤器的结构如图 19-13 所示。浮子是空心密封的，以便浮在油面上。固定管固装在机油泵上，吸油管的一端与浮子焊接，另一端套在固定管中，使浮子能自由地随液面升降。浮子下面装有金属丝滤网，其中间有一圆孔，装配时在滤网弹力作用下，圆孔紧压在罩上。罩用自身的凸爪连同滤网扣装在浮子上，以便浮在油面上。

机油泵工作时，机油从罩的缺口与滤网的狭缝被吸入，通过滤网滤去较大的杂质后被吸入吸油管，进入机油泵（如图 19-13 a)）。当滤网被油污淤塞时，机油泵所形成的真空网迫使滤网上升，使中间圆孔离开罩，机油便直接从圆孔进入吸油管（如图 19-13 b)），保证机油供给不致中断。

浮式集滤器能浮在油底壳油面上，可以适应汽车行驶中由于颠簸而上下浮动的机油油面，同时能吸取油面上层较清洁的机油。但也存在易将油面上的泡沫吸入机油泵，导致机油压力降低的缺点。因此，目前很多高速发动机采用固定式机油集滤器固定在油面以下，吸入的机油清洁程度较差，但可以防止泡沫吸入，保证润滑系的可靠工作，且结构也

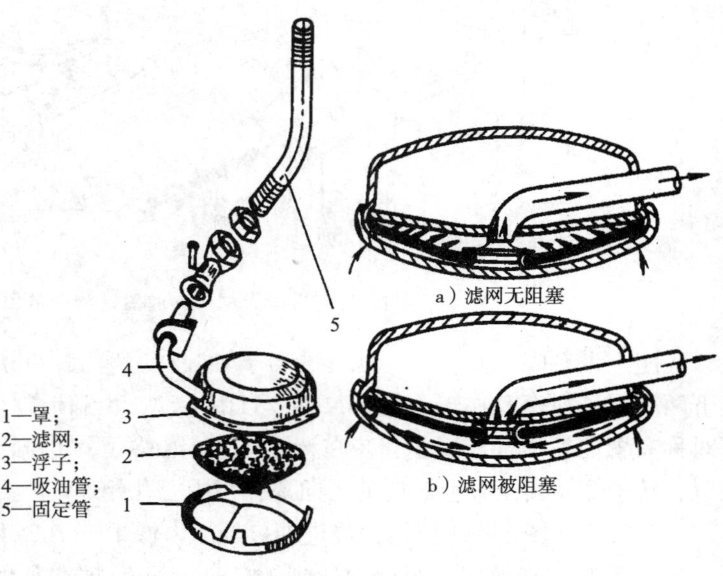

图19-13 浮式集滤器结构

较简单。

3．机油散热器

一些热负荷较大的发动机上还装有机油散热器，以对机油进行强制冷却，使机油保持在最佳温度（70～90℃）范围内工作。

机油散热器有两种形式：风冷式和水冷式。风冷式机油散热器一般安装在发动机冷却水散热器的前面，利用冷却风扇的风力使机油冷却。东风 EQ6100-1 型发动机机油散热器（选装）是管片式结构，和一般的冷却系散热器类似，如图 19-14 所示。

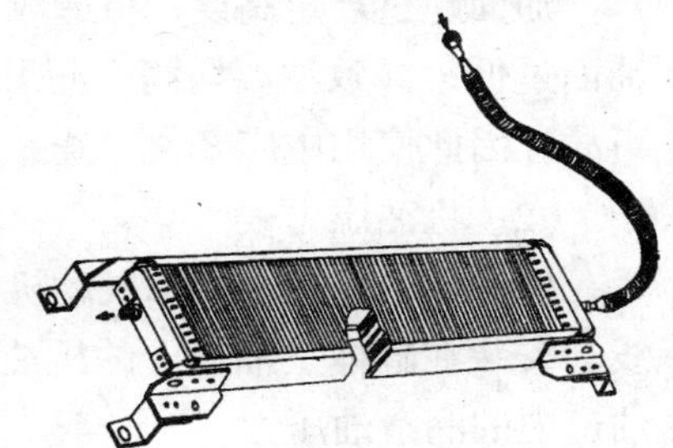

图19-14　东风EQ6100-1型发动机机油散热器

水冷式机油散热器又称机油冷却器，一般串连在机油粗滤器前，装在发动机冷却水路中，用冷却水的温度来控制润滑油的温度。柴油发动机多采用这种机油冷却形式。该装置的冷却器芯片为管栅式结构，装在发动机缸体左侧水套内。机油通过冷却器芯片，热量经芯壁与散热片传导给冷却水，然后流进主油道，如图 19-15 所示。水冷式机油散热器布置方便，温度稳定，在轿车中广泛应用。

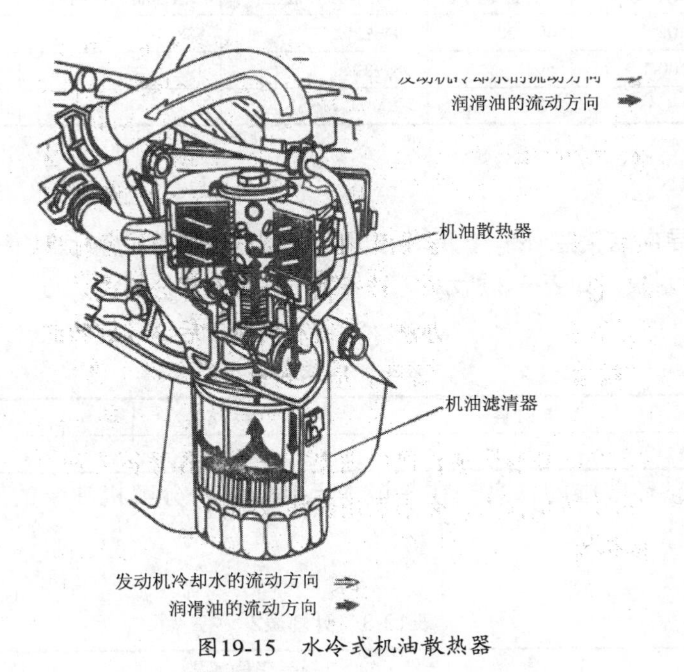

图19-15　水冷式机油散热器

4．机油标尺及机油压力表

（1）机油标尺

机油标尺是插在发动机汽缸体油面检查孔中的一根扁平金属杆，用来检查油底壳内的机油油面高度，并以此决定是否添加机油。机油标尺的上端带有耳环，中间用橡胶硫化成一段柱塞，下部扁平尺杆刻有两道刻线（或钻有两个圆孔），并分别标有“4/4”（或“max”）和“2/4”（或“min”）的标记。检查机油油面时，汽车应停于水平位置，并应在发动机熄火一段时间后或在启动前进行。先拉出机油标尺，擦净尺上机油，重新插入检查孔内然后拉出检查。如尺寸油痕在“2/4”～“4/4”刻线之间，表示机油量适当；超过“4/4”刻线时，表示机油量过多；低于“2/4”刻线时，表示机油量不足，应及时补足。

油面超过规定高度，将造成机油激溅加剧，机油窜入燃烧室，造成浪费和产生积炭；油面过低，导致油温增高，润滑油供应不足，影响润滑效果，甚至引起烧瓦抱轴等机械事故。因此使用中应经常检查并及时进行补充。

（2）机油压力表

机油压力表用来指示发动机主油道的润滑油压力。它装在驾驶室内仪表板上，用导线与安装在缸体主油道上的机油压力传感器相连，驾驶员可根据表针的刻度及时了解主油道内的润滑油压力。

几种国产发动机的润滑油压力见表19-1。

表19-1　几种国产发动机的润滑油压力（kPa）

车　型	发动机型号	怠速油压	正常工作油压	限压阀溢流油压	低压指示灯亮油压
解放	CA6102	69 ± 20	294～392	588	
东风	EQ6100-1	>98	98～392	392	59～98
桑塔纳	JV	>30	>200		低速30，高速 180

计　划

1．根据在导向与信息环节中介绍的知识与信息，在笔记本上制定一份发动机润滑系分解与观察计划表，如表9-2所示。

表9-2　计划表1

序　号	工作内容	工具/辅具	注意事项

2．根据信息环节中的信息，在笔记本上制定一份分解机油泵的工作计划表，如表19-3所示。

表19-3　计划表2

序　号	工作内容	工具/辅具	注意事项

实 施

1. 实践准备

场地/工具准备： 8人用实习场地一块、对应数量的课桌椅、黑板一块、常用工具一套、AFE型发动机一台	资料准备： 桑塔纳2000GLI维修手册一本、教材、笔记本

2. 实践要求

学生4人为一组，在教师的指导下。根据自己列出的工作计划对发动机润滑系进行分解并观察结构，并对拆卸下的机油泵进行分解。

教师指导要求如下：

（1）强调安全文明生产。

（2）要求并监督学生用正确流程操作。

（3）指导学生使其能够正确使用各种测量器具及其专用工具。

（4）要求学生将观察的结构认真记录。

（5）督促学生完善自己的工作计划表。

检 验

教师收回学生完成的工作计划表。根据学生在实施环节中的表现对每位学生的表现进行点评。参考教师评价表如表19-4所示。

表19-4 评价表

学号	姓 名	安全文明生产	操作流程的遵守	量具与工具的使用	工作计划的完成	总 评 语

展 示

1. 发动机润滑系的作用与基本组成。
2. 写出齿轮式机油泵的工作原理。
3. 根据图19-16写出润滑系压力润滑油的流动路径。

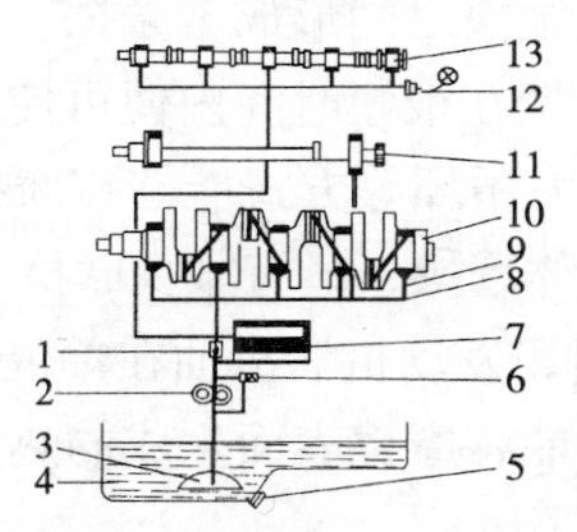

1—旁通阀；2—机油泵；3—粗集油器；4—油底壳；5—放油塞；6—安全阀；7—机油滤清器；8—主油道；9—油道；10—曲轴；11—中间轴；12—压力开关；13—凸轮轴

图19-16 桑塔纳轿车发动机润滑系统示意图

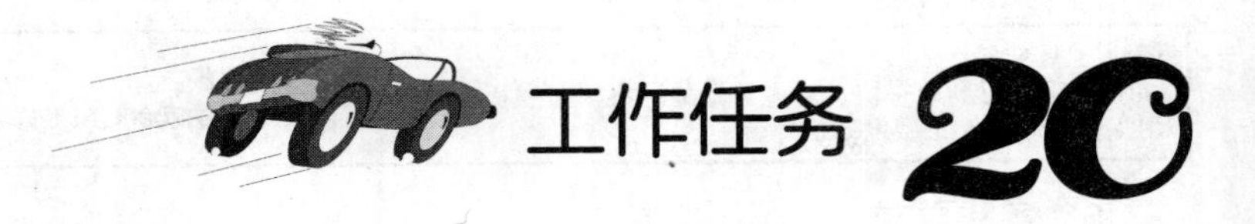

发动机用润滑油相关知识的学习

学习要求

要求学生通过本次任务的学习能够理解发动机用润滑油的作用与工作环境，熟记润滑油各主要使用性能的名称，能理解各主要使用性能的含义，能掌握润滑油的分类与规格的规定，并能理解润滑油选用与使用的注意事项，掌握润滑油品质快速检测的方法。

基础知识

发动机润滑油又称内燃机润滑油，是由石油中的重油经精制加工，并加入各种添加剂而制成的。发动机润滑油是润滑油料中用量最大、品种最多且性能要求较高、工作条件异常苛刻的一种油品。

1．发动机润滑油的作用与工作环境

（1）发动机润滑油的作用

1）润滑作用：润滑油的主要作用。发动机在高速运转时，许多机件相互摩擦，若摩擦部位得不到合适润滑，就会使金属之间形成干摩擦。干摩擦不仅引起摩擦表面剧烈磨损，消耗动力，而且其产生的热量在很短时间内便可使摩擦表面金属熔化，造成机件损坏。润滑油通过自流、飞溅和压力循环等方式能够在摩擦表面形成牢固的油膜，使金属间的干摩擦变成润滑油层间的液体摩擦，显著减少摩擦力，从而减少机件的磨损。

2）冷却作用：动机在工作时，发动机润滑油在单位时间内以很大的流量进行循环。当润滑油流过各个摩擦表面时，能将摩擦表面生成的热量导出，使机件保持正常的工作温度。

3）洗涤作用：润滑油在机件摩擦表面快速流动时，除冷却以外，还携带出磨损的金属和其他杂质，并把它们送到机油盘中沉淀或由滤清器滤除。通过反复循环，使干净的润滑油不断洗涤摩擦表面，保持机件清洁和正常运转。

4）密封作用：发动机各机件之间都有一定的间隙，有些间隙对发动机正常工作影响很大，如汽缸、活塞和活塞环之间的间隙。这些间隙存在会造成漏气，降低发动机功率，并使废气和燃料下窜至曲轴箱，污染润滑油。润滑油能在这些间隙形成油膜，起密封作用，阻断漏气。

此外，发动机润滑油还具有防锈作用，它能吸附在金属表面，防止水和酸性气体对金属的腐蚀；具有缓冲作用，能在冲击载荷传递中起缓冲和消振作用。

（2）工作环境

润滑油在进行上述工作时，其工作环境十分恶劣。

1）高温环境。润滑油在发动机中经常与高温机件接触，如汽缸上部的平均温度为 180 ～ 270℃，曲轴箱中平均油温为 85 ～ 95℃。润滑油在这样高的温度下工作，极易氧化变质。

2）金属及催化剂的影响。发动机润滑油在发动机内的循环次数每小时可达 100 次以上，灼热的润滑油不断地与各种金属机件及空气接触，在金属的催化下与氧反应，使润滑油不断老化变质。尤其是在一些装有废气净化装置的发动机中，净化装置内的催化剂对发动机润滑油的催化作用更为强烈，加速润滑油老化。

3）燃烧废气和燃料的侵蚀。发动机在工作中，燃烧的废气和未完全燃烧的混合气，在汽缸密封不良时会窜入曲轴箱。这些气体冷凝后将形成水和酸性物质，稀释、腐蚀润滑油。尤其是使用含硫和含铅的燃料,它们对润滑油的腐蚀更厉害。使润滑油严重变质。

4）其他杂质的污染。发动机在运转中，由于吸入空气时带入的尘埃，机件磨损产生的金属屑及燃烧生成的积炭等都会进入润滑油，从而对润滑油造成严重污染。.

由于发动机润滑油的工作环境非常恶劣，为保证发动机在工作中得到正常润滑，对发动机润滑油的性能要求是：具有适当的黏度和良好的黏温性能；良好的氧化安定性；良好的防腐性及清净分散性等。

2．发动机润滑油的主要使用性能

（1）黏度

液体在外力作用下移动时，液体分子间产生内摩擦力，称为黏度。

黏度是润滑油的主要性能指标，它是润滑油分类和使用的主要依据。对于发动机来说，润滑油的黏度直接关系到发动机的启动性能、件的磨损、燃料和油料的消耗及功率损失等。黏度过大或过小对发动机工作都会产生不利影响。

润滑油黏度过大，油的内摩擦力增大，消耗在润滑油之间的摩擦功率较大，造成发动机低温时启动困难，降低发动机有效功率，增加燃料消耗。此外，由于黏度过大，油的泵送性差，润滑油循环速度减缓，单位时间内流过摩擦表面的油量减少，从而降低冷却和洗涤的效果。

反之，润滑油黏度过小，不易在摩擦表面形成足够厚度的油膜，使机件得不到正常的润滑，以致增大机件的磨损。同时，由于黏度过小，密封性能差，汽缸容易漏气，降低发动机功率，并稀释、污染润滑油。此外，润滑油黏度过小，高温时容易蒸发而进入燃烧室烧掉，加大润滑油的消耗。

因此，为保证发动机正常工作，在使用时要求润滑油的黏度适宜。

表示油料黏度的方法主要有动力黏度、运动黏度和条件黏度。我国润滑油规格中采用动力黏度和运动黏度。

动力黏度表示液体在一定的剪切应力下流动时内摩擦力的量度,其单位为帕斯卡·秒，用 Pa · s 表示。动力黏度在润滑油规格中主要用于评定油的低温黏度，常用千分之帕斯卡秒表示。

运动黏度表示液体在重力作用下流动时内摩擦力的量度，其值为相同温度下液体动力黏度与其密度的比值，单位为 m^2/s。划分润滑油黏度等级通常是采用 100℃时的运动黏度。

（2）黏温性

润滑油的黏度是随温度变化的，温度升高，黏度变小；温度降低，黏度增大，润滑油黏度随温度变化的特性称为黏温性。由于润滑油的工作温度范围很宽，冬季启动时，曲轴箱及摩擦表面的油温与气温相近，而发动机长时间运行后，活塞区油温可达 300℃左右。若黏温性差，就会出现低温时黏度过大，而高温时黏度过小，造成机件磨损和损坏。因此,为保证润滑油在高温和低温时都有适宜的黏度,要求润滑油必须具有良好的黏温性。

润滑油的黏温性用黏度指数（VI）表示，它是发动机润滑油的一项重要指标，黏度指数越大，表明黏度受温度的影响越小，黏温性越好。

为提高润滑油的黏温性，通常是在低黏度的油中添加黏度指数改进剂（增稠剂），使之能适应在较宽温度范围内的使用要求，这种油称为多级油。

3. 氧化安定性

氧化安定性是指油料在储存和使用中抵抗氧化的能力。

润滑油在储存和使用中，与空气中的氧气接触会发生氧化反应，引起润滑油变质。常温下氧化速度比较缓慢，但在高温时，氧化速度明显加快，尤其是在曲轴强烈搅拌下，飞溅的油滴蒸发成油雾，增大了与氧的接触面积，在金属屑催化作用下，使氧化反应变得非常激烈,并生成氧化物。油中生成的氧化物,不仅会使油的外观和理化性能发生变化,如颜色变暗、黏度增加、酸度增大等，引起机件磨损，破坏发动机正常工作，还会加速润滑油老化变质。因此，要求润滑油具有良好的抗氧化能力，特别是在高温下的抗氧化能力，又称热氧化安定性。为减缓润滑油氧化变质，延长使用寿命，通常在油中要加各种性能良好的抗氧添加剂。

4. 防腐性

润滑油在氧化过程中会产生酸性物质，如各种有机酸等。这些物质在高温、高压下，且含有水分时，对金属有很强的腐蚀性。由于发动机的轴承合金对腐蚀性物质很敏感，特别是高速柴油机使用的铜铅、镉银和镉镍轴承，其耐蚀性很差，润滑油中含有微量的酸性物质就会引起严重腐蚀，使其表面出现斑点、麻坑，甚至剥落。因此，要求润滑油具有良好的防腐性能。

润滑油的防腐性常用轴瓦腐蚀试验来评定，在润滑油规格中，要求各级润滑油的轴瓦失质量不得大于其规定值。为提高润滑油防腐性，通常采用的方法有：一是加深润滑油的精炼程度，以减少酸值；二是添加防腐剂，常用的防腐剂多为硫、磷有机盐，它能在轴承表面形成防腐保护膜，同时减少油中的氧化物，使轴承不受腐蚀。

5. 清净分散性

润滑油在使用过程中，因受到废气、燃气、高温和金属催化作用，会生成各种氧化物，它们与金属磨屑等机械杂质混在一起，在油中形成胶状沉积物。这些沉积物黏附在活塞、活塞环槽上，形成积碳和漆膜，或沉积下来形成油泥，堵塞油孔，从而使发动机散热不良、活塞环黏着、供油不畅，润滑不良，加剧机件磨损及油耗增大、功率下降等。因此，润滑油应有良好的清净分散性。所谓清净分散性，是指润滑油能将其生成的胶状物、积碳等不溶物增溶或悬浮在油中，使其不易沉积在机件表面，同时能将已沉积在机件上的胶状物洗下来的性能。

润滑油的清净分散性通常是通过在油中添加清净分散剂来提高的。目前常用的有金属型清净分散剂和无灰型清净分散剂，它们不仅具有良好的清净分散效果，同时还有良好的抗氧化性能。

我国发动机润滑油分类如表 20-1 所示。

表20-1　我国发动机润滑油分类（GB/T 7631.3—1995）

应用范围	品种代号	特性和使用场合
汽油机油	SA（废除）	用于运行条件温和的老式发动机，该油品不含添加剂，对使用性能无特殊要求
	SB（废除）	用于缓和条件下工作的货车、客车或其他汽油机，也可用于要求使用API SB级油的汽油机，仅具有抗擦伤、抗氧化和抗轴承腐蚀性
	SC	用于货车、客车或其他汽油机及要求使用API SC级油的汽油机，可控制汽油机高低温沉积物及磨损、锈蚀和腐蚀
	SD	用于货车、客车和某些轿车的汽油机及要求使用API SD、SC级油的汽油机。此种油品控制汽油机高低温沉积物、磨损、锈蚀和腐蚀的性能优于SC，并可代替SC
	SE	用于轿车和某些货车的汽油机及要求使用API SE、SD级油的汽油机。此种油品的抗氧化性能及控制汽油机高温沉积物、锈蚀和腐蚀的性能优于SD或SC，并可代替SD或SC
	SF	用于轿车和某些货车的汽油机及要求使用API SF、SE及SC级油的汽油机。此种油品的抗氧化和抗磨损性能优于SE，还具有控制汽油机沉积、锈蚀和腐蚀的性能，并可代替SE、SD或SC

续表

应用范围	品种代号	特性和使用场合
	SG	用于轿车、货车和轻型卡车的汽油机及要求使用API SG级的汽油机。SG质量还包括CC（或CD）的使用性能。此种油品改进了SF级油，控制发动机沉积物、磨损和油的氧化性能，并具有抗锈蚀和腐蚀的性能，可代替SF、SF/CD、SE或SE/CC
	SH	用于轿车和轻型卡车的汽油机及要求使用API SH级油的汽油机。SH质量在汽油机磨损、锈蚀、腐蚀及沉淀物的控制和油的氧化方面优于SG，并可代替SG
柴油机油	CA（废除）	用于使用优质燃料、在轻到中负荷下运行的柴油机及要求使用API CA级油的发动机。有时也用于运行条件温和的汽油机。具有一定的高温清净性和抗氧、抗腐性
	CB（废除）	用于燃料质量较低、在轻到中负荷下运行的柴油机及要求使用API CB级油的发动机。有时也用于运行条件温和的汽油机。具有控制发动机高温沉积物和轴承腐蚀的性能
	CC	用于在中及重负荷下运行的非增压、低增压或增压式柴油机，并包括一些重负荷汽油机。对于柴油机具有控制高温沉积物和轴瓦腐蚀的性能；对于汽油机具有控制锈蚀、腐蚀和高温沉积物的性能，并可代替CA、CB级油
	CD	用于需要高效控制磨损及沉积物或使用包括高硫燃料非增压、低增压及增压式柴油机及国外要求使用API CD级油的柴油机。具有控制轴承腐蚀和高温沉积物的性能，并可代替CC级油
	CD-Ⅱ	用于要求高效控制磨损和沉积物的重负荷二冲程柴油机及要求使用API CD-Ⅱ级油的发动机，同时也满足CD级油性能要求
	CE	用于在低速高负荷和高速高负荷条件下运行的低增压和增压式重负荷柴油机及要求使用API CE级油的发动机，同时也满足CD级油性能要求
	CF-4	用于高速四冲程柴油机以及要求使用API CF-4级油的柴油机。在油耗和活塞沉积物控制方面性能优于CE并可代替CE，此种油品特别适用于高速公路行驶的重负荷卡车

@信息

下面将列出有关发动机润滑油的分类与规格、选用及使用注意事项，以及润滑油的快速检测方法的相关信息。

1．发动机润滑油的分类与规格

（1）发动机润滑油的分类

我国发动机润滑油按发动机的类型分为汽油机润滑油（简称汽油机油）和柴油机润滑油（简称柴油机油）两类，每一类润滑油又按其使用性能和黏度分成若干等级。

1）按使用性能（使用等级）分类：我国国家标准CB/ T 7631.3—1995，参照国际通用的API（美国石油学会的缩写）使用分类法，将发动机润滑油分为汽油机油系列（S系列）和柴油机油系列（C系列）两类。每一系列按油品特性和使用场合不同，又分为若干等级。汽油机系列共有SD、SE、SF、SG、SG、SH六个等级，柴油机系列共有CC、CD、CD-Ⅱ、CE、CF-4五个等级。各类油品级号越靠后，使用性能越好，同时还废除了汽油机油SA，SB和柴油机油CA、CB各两个级别。润滑油的各品种代号、特性和使用场合见表20-1。我国润滑油使用性能与API分类的对应关系见表20-2。

表20-2　我国润滑油使用性能与API分类的对应关系

我 国 分 类	API分类	我 国 分 类	API分类
SC≠SC SD≠SD SE=SE		SF=SF CC=CC CD=CD	

除上述汽油机油和柴油机油单独分类外，国家标准还规定了三个品种的汽油机 / 柴油机用油的使用等级，即 SD、SE/CC、SE/CD 级。所谓通用油是指该品种的润滑油不但适用于汽油机，还可通用于柴油机上。

2）按黏度分类：我国采用国际通用的SAE（美国汽车工程师学会的缩写）黏度分类法，制定了国家标准GB/ T 14906—1994，将润滑油分为冬季用油（W级）和非冬季用油，见表20-3。冬季用油按低温黏度、低温泵送性能划分，共有0W、5W、15W、20W和25W六个等级。级号越小，适应的温度越低。非冬季用油按100℃时的运动黏度分级，共有20、30、40、50和60五个等级。它的级号越大，适应温度越高。

另外，为增宽润滑油对季节和气温的适应范围，还规定了多级油的黏度级号，如5W/20、5W/30、10W/30、20W/40 等。多级油在油中添加了黏度指数改进剂，能同时满足某 W 级和非 W 级的黏度要求，有较宽的温度适用范围。例如 10W/30，它既符合 10 W 级油黏度要求，又符合 30 级油黏度要求，在一定地区可冬夏季通用。

表20-3　我国发动机润滑油黏度分级（GB/T 14906—1994）

黏度等级号	低温黏度，不大于	边界泵送温度，（℃）不高于	运动黏度（100℃）不小于	
0 W	在–30℃	–35	3.8	—
5 W	在–25℃	–30	3.8	—
10 W	在–20℃	–25	4.1	—
15 W	在–15℃	–20	5.6	—
20 W	在–10℃	–15	5.6	—
25 W	在–5℃	–10	9.3	—
20	—	—	5.6	小于9.3
30	—	—	9.3	小于12.5
40	—	—	12.5	小于16.3
50		—	16.3	小于21.9
60	—	—	21.9	小于26.1

（2）发动机润滑油的规格

发动机润滑油的产品是由品种（使用等级）与牌号（黏度等级）两部分构成的。每一特定品种都附有规定的牌号，国产发动机润滑油的品种与牌号见表 20-4。产品按统一的方法命名，例如，SC 30 是指使用等级为 SC 级，黏度等级为 30 的汽油机油；SE/CC 30 则为汽油机 / 柴油机通用油，它符合 SE 级汽油机油和 CC 级柴油机油使用性能，且黏度等级为 30；CC10W/30 为多级柴油机油，SF/CD5W/30 为多级汽油机 / 柴油机通用油等。

表20-4 国产发动机润滑油的品种与牌号

品 种	黏度牌号
SC	5W/20 10W/30 15W/40 30 40
SD（SD/CC）	5W/20 10W/30 15W/40 30 40
SE（SE/CC）	5W/20 10W/30 15W/40 20/20 W 30 40
SF（SF/CD）	5W/20 10W/30 15W/40 30 40
CC	5W/20 5W/40 10W/30 10W/40 15W/40 20W/40 30 40 50
CD	5W/20 5W/40 10W/30 10W/40 15W/40 20W/40 30 40

2．发动机润滑油的选用和使用注意事项

（1）发动机润滑油的选用

由于润滑油对发动机的使用性能和寿命有很大影响，因此应严格按照汽车使用说明书的规定选用。若无说明书可根据发动机特性和使用地区的气温情况，选用合适的使用等级和黏度等级。

1）根据发动机工作条件的苛刻程度选用使用等级

① 汽油机油使用等级的选用。汽油机工作条件的苛刻程度与发动机进、排气系统中有无附加装置及类型有关。因此，可按这些附加装置选用汽油机油的使用等级。有PCV（曲轴箱正压通风）装置的汽油机可选用SD级油，如解放CA1091、东风EQ2080都要求使用这个级别的油。有EGR（废气循环）装置的汽油机可选用SE级油，如改进型492Q发动机就要求使用这个级别的油。装有废气催化转化器的汽油发动机必须选用SF级以上的油，如雪铁龙、标致轿车要求使用SF级油。无附加装置的汽油机则可用SC级油，如EQ1090、BJl30、解放CAl5等。

近年来生产的一些轿车都采用电喷燃油系统，如桑塔纳2000、奥迪200等，这类车要求使用SF级以上的机油。

另外，也可以根据进口汽车的生产年份来大致区分所要求的汽油机油使用等级。这是因为随着汽车性能的改进，生产年份靠后的汽车，其润滑油的工作条件通常比早年生产的汽车苛刻。下列为美国、日本、德国、法国等汽车工业发达国家生产的汽车，其生产年份与选用的机油使用等级：

1972—1980年用SE级；

1981—1988年用SF级；

1989—1993年用SG级；

1994年至今用SH级。

② 柴油机油使用等级的选用。柴油机油工作条件的苛刻程度可用柴油机强化系数来表示。强化系数越高，柴油机的热负荷和机械负荷就越大，机油的工作条件也就越苛刻，要求选用使用等级高的润滑油。强化系数计算公式如下：

$$K_{\psi}=P_{e}C_{m}Z$$

式中 P_e——平均有效压力（0.1MPa）；

C_m——活塞平均线速度（m/s）；

Z——冲程系数（四冲程为0.5，二冲程为1.0）。

强化系数小于50的柴油机，应选用CC级柴油机油，如我国生产的黄河JN1171、跃进NJ1061等柴油车都使用CC级柴油机油；强化系数大于50的柴油机，应选用CD级以上柴油机油，如东风EQ1141G、斯太尔重型货车和南京依维柯等柴油车；要求使用CD级柴油机油。

2）根据季节气温和发动机技术特性选用黏度等级

① 根据使用地区季节、气温选用不同的黏度等级。气温低的地区和季节，应选用黏度小的油，反之，应选用黏度大的油。例如，我国黄河以北及其他气温较低但不低于–10℃的地区，冬季使用20号油，可保证上述地区中型国产货车顺利启动和正常润滑，夏季应选用30或40号油，15W/40多级油在上述地区可全年通用。长江以北或其他气温低于–10℃的寒区，应选用10W/30多级。严寒地区，如黑龙江、内蒙、新疆应选用5W/20、5W/30多级油。长江流域及其他冬季气温不低于–5℃的广大温区30号油可全年通用。炎热地区，如两广和海南的夏季，应使用40号油。

我国发动机润滑油黏度等级与适用气温范围对应关系见表20-5。

表20-5 我国发动机润滑油黏度等级与适用气温范围

黏度等级	黏度温度范围	黏度等级	黏度温度范围	黏度等级	黏度温度范围
5W/20	–45 ～30℃	15W/40	–20 ～35℃	20	–15 ～–5℃
5W/30	–30 ～30℃	20W/40	–15 ～40℃	30	–10 ～35℃
10W/30	–25 ～35℃	10W	–20 ～10℃	40	–5 ～40℃

② 根据发动机技术特性选用不同的黏度等级。新发动机应选用黏度相对较小的油，以保证在磨合期内正常磨合；而使用较久、磨损较大的发动机则应选用黏度相对较大的油，以维持所需的机油压力，保证正常润滑。

（2）使用注意事项

1）正确选择润滑油的使用等级，对发动机正常运行至关重要。遇下列情况之一者，使用等级应酌情提高一级：汽车长期处于停停开开使用状态；长期低温、低速行驶；长时间高温高速下工作；灰尘大的场所；满载并拖挂车长时间行驶。

2）一般使用等级较高的油可代替使用等级较低的油，但绝不能用使用等级低的油代替使用等级高的油，否则会导致发动机早期磨损和损坏。

3）应注意用油的地区或季节的变化，及时换用适宜的黏度级别。使用中应尽量选用多级油。不同黏度等级的油不能混用。

4）应结合使用条件按质换油。换油时应在较高温度下进行，并将废油放净，同时必须注意严防水分、杂质混入。

3. 润滑油的快速检测方法

润滑油在使用中受到氧化和污染，不可避免地会逐渐老化变质，从而使油的外观和理化指标发生变化，性能变差。使用时间越长，老化变质越严重。所以，为确保发动机长期正常工作，必须按国家标准规定的换油指标及时换油。

国家标准规定润滑油的换油指标主要有 100℃运动黏度变化率超过 ±25%；酸值加值大于 2.0mgKOH/；水分大于 0.2%；闪点：汽油机油的单级油低于 165℃，多级油低于 150℃，柴油机油的单级油低于 180℃，多级油低于 160℃等，其中任一项指标超标即应换油。润滑油换油指标的检测最好是用专门设备和仪器，但在实际应用中很难做到，通常是凭经验进行判断。下面介绍几种应用较广的快速检测方法，可供现场使用。

（1）外观与气味检测

机油比较清澈透明，保持或接近新机油颜色，表明污染不严重；颜色混浊或呈灰白色，表明油中含水量较大；颜色变黑，表明机油受到未燃燃料的污染（多级油在使用中也会变黑，应注意区别）；机油出现刺激气味是高温氧化后的特征；有燃料味则表明机油被燃料严重稀释。

（2）油滴斑点检测

将油样滴一滴在滤纸上，油滴扩散后，滤纸上便形成颜色不同的晕环似的斑痕。观察斑痕的颜色、外形并对照有关图谱，可判断油的氧化程度和污染情况。

（3）爆裂检测

将油样滴在加热至 110℃以上的金属片上，若产生爆裂，表明油中有水。这种方法简单而灵敏，能检验出油中 0.1%以上的含水量。

计 划

请根据在导向环节中学到的知识，并依据表20-6的格式将表格完成后写在作业本上。

表20-6　作业表

润滑油的主要使用性能	含　义	评定性能的指标及其含义

实 施

1．实践准备

场地/器具准备： 8人用实习场地一块、对应数量的课桌椅、黑板一块、滤纸8块、新与旧润滑油各一桶	资料准备： 教材、笔记本

2．实践内容

学生参考教科书与所给资料独立完成以下题目。

（1）润滑油的作用及其工作环境。

（2）润滑油分类与规格的规定。

（3）解释润滑油编号

1）SC5W/20

2）CC20W/40

3）SE/CC10W/30

（4）车用润滑油的选用与使用注意事项。

（5）利用学到的润滑油品质快速检测方法对新、旧润滑油进行检测。

检验

由教师对学生在实践环节中所完成的题目与操作进行批改并讲评。

展示

请每位同学在全班同学面前用 15 分钟时间以车用润滑油为题进行讲演。

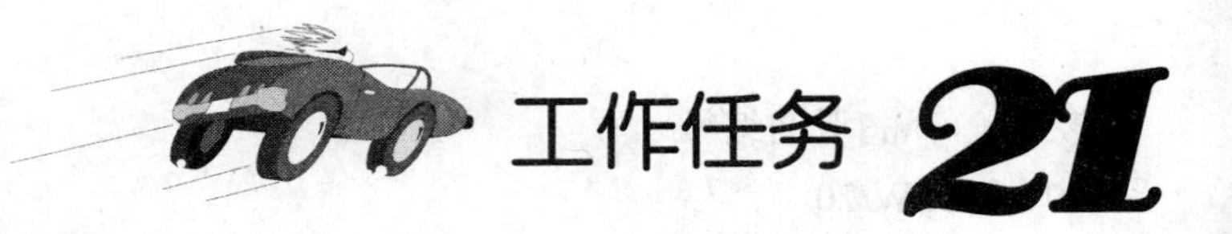

工作任务 21

润滑系的检修

导向

任务描述

一辆桑塔纳 2000GLI 型轿车，车辆行驶机油压力报警灯点亮。车辆被拖入修理厂后检验人员对车辆润滑系做了常规检查没有发现异常。现将车辆交入你手中，要求对润滑系进行检修。

@信息

根据桑塔纳 2000GLI 型轿车的原厂维修手册，将润滑系检修的信息提供如下。

1．润滑系统的总体构造

润滑系的作用是对发动机所有运动的部件进行润滑，减少零件的摩擦和磨损，流动的机油不仅可以清除摩擦表面的磨屑等杂质，而且还可以冷却摩擦表面。汽缸壁与活塞环上的油膜还能提高汽缸的密封性。此外，机油还可以防止零件生锈。

桑塔纳轿车无论采用何种型号的发动机，其润滑系都是压力润滑与飞溅润滑相结合的复合润滑系统。桑塔纳轿车润滑系的结构与油路如图 21-1 所示。

油底壳内的润滑油经粗集滤器滤掉大的机械杂质后，被机油泵压入机油滤清器后分三路送出。第一路经主油道后分为两支：一支送入曲轴主轴承分油道，润滑主轴承，经曲轴内油道滑润连杆大端轴承，再经连杆内油道润滑连杆小端轴承后回到油底壳；另一支则进入中间轴的轴承（AJR 型发动机无中间轴）后流回油底壳。第二路从主油道进入凸轮轴的轴承后再润滑气门机构，然后流回油底壳。第三路，在主油道油压太高或流量太大的情况下，润滑油冲开安全阀，分流回油底壳。

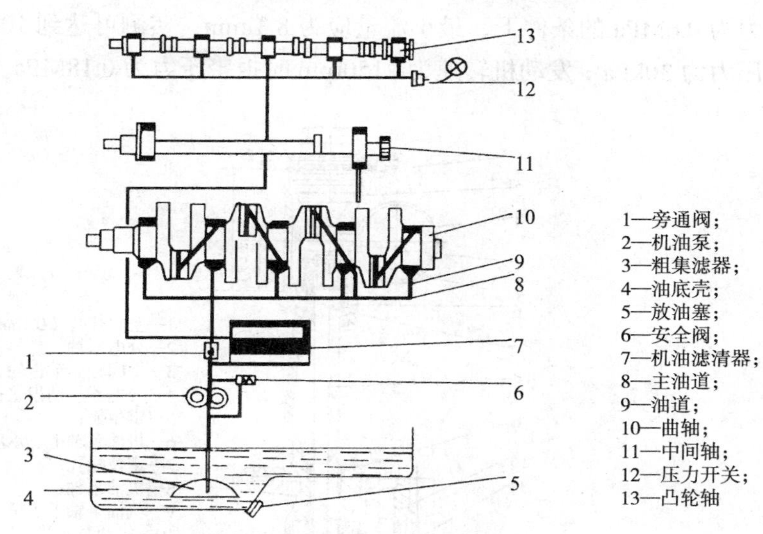

图21-1　桑塔纳轿车润滑系的结构与油路

机油滤清器上没有旁通阀，启动压力为 0.18MPa。当机油滤清器堵塞时，润滑油通过压力开关短路进入主油道，防止发动机运动副因缺润滑油而烧坏。

2．AFE型发动机润滑系统的结构与维修

AFE 型发动机润滑系零件如图 21-2 所示。

（1）机油泵的结构与维修

AFE 型发动机的机油泵为齿轮泵，由中间轴上的螺旋齿轮驱动，安装在汽缸体底平面第三缸附近设计的平台上。泵的出口直接向上通向汽缸体润滑油道，进入安装在汽缸体侧面的机油滤清器支架内。机油泵的进口与粗集滤器相连。

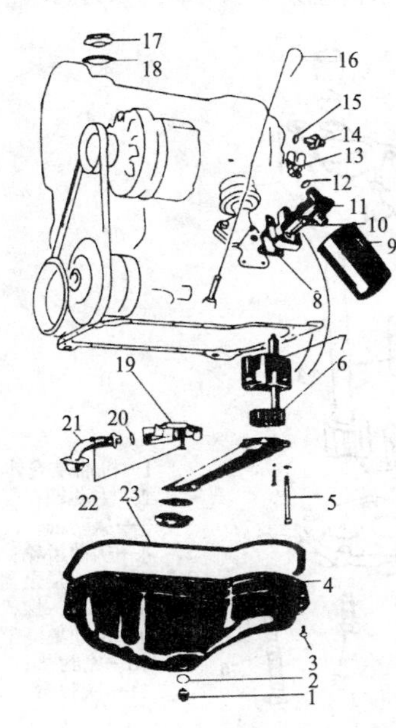

1—放油螺塞—拧紧力矩30N·m—ウ
2—O形密封圈；
3—油底壳紧固螺栓—拧紧力矩20N·m—ウ
4—油底壳；
5—机油泵盖长螺栓—拧紧力矩20N·m—ウ
6—机油泵齿轮；
7—机油泵壳体；
8—机油滤清器盖衬垫；
9—机油滤清器体；
10—机油滤清器盖紧固螺栓—拧紧力矩25N·m—ウ
11—机油滤清器盖；
12—密封圈；
13—0.18MPa油压开关—拧紧力矩25N·m—ウ
14—0.031MPa油压开关—拧紧力矩25N·m—ウ
15—密封圈；
16—机油尺；
17—加油口盖；
18—橡胶油封垫圈；
19—带眼压阀的机油泵盖；
20—O形圈；
21—机油集滤器；
22—机油泵盖短螺栓—拧紧力矩10N·m—ウ
23—油底壳密封垫

图21-2　润滑系零件分解图

机油泵的结构与分解如图 21-3 和图 21-4 所示，机油泵所用油为 SAE20 号润滑油，在温度为 80℃、转速为 1000rpm、进口压力为 0.01MPa、出

口压力为 0.6MPa 的条件下，最小流量应为 8.3lmin，实测可达到 10l/min，低压压力开关报警压力为 30kPa；发动机转速为 2150rpm 时报警压力为 0.18MPa。

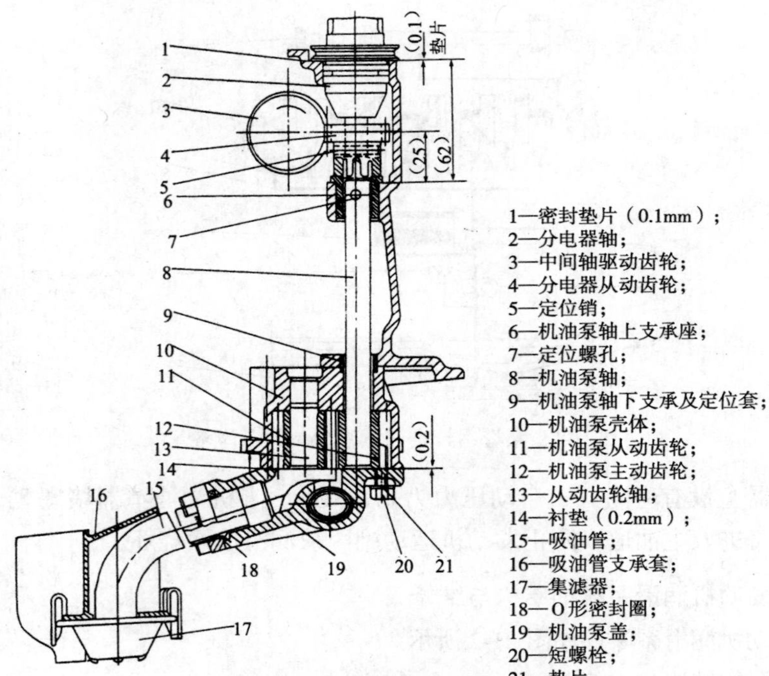

图21-3　AFE型发动机的机油泵结构

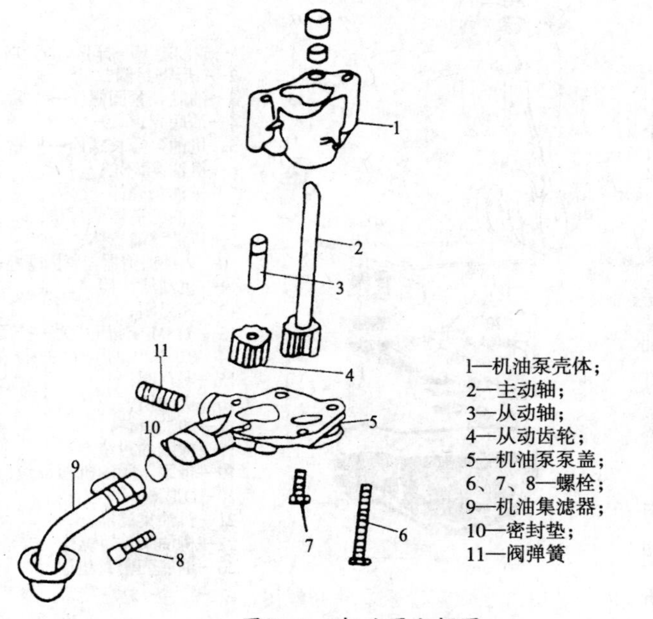

图21-4　机油泵分解图

1）机油泵的拆卸

① 旋松分电器轴向限位卡板的紧固螺栓，拆下卡板。

② 拔出分电器总成。

③ 旋松并拆下两个机油泵壳与发动机机体的连接长紧固螺栓，将机油泵及吸油部件一起拆下。

④ 拧松并拆下吸油管组紧固螺栓，拆下吸油管组，检查并清洗滤网。

⑤ 旋松并取下机油泵盖短螺栓，取下机油泵盖组，检查泵盖上限压阀（旁通阀），观察泵盖接合面的磨损情况。

⑥ 分解主从动齿轮，再分解齿轮和齿轮轴。

2）机油泵的检修

① 检查齿轮啮合间隙。检查时，将机油泵盖拆下，用厚薄规在互成 1200° 角的三个位置处测量机油泵主、从动齿轮的啮合间隙，如图 21-5 所示。新机油泵齿轮啮合间隙为 0.05mm，磨损极限值为 0.20mm。

② 检查机油泵主从动齿轮与机油泵盖接合面的间隙。主从动齿轮与机油泵盖接合面间隙检查方法如图 21-6 所示，正常间隙应为 0.05mm，磨损极限值为 0.15mm。

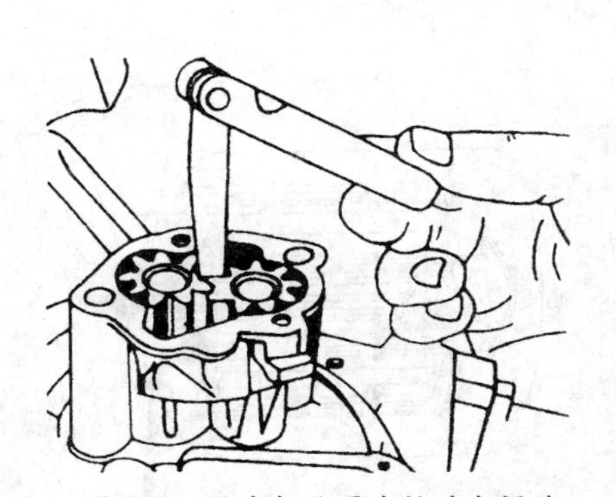

图21-5 检查机油泵齿轮啮合间隙

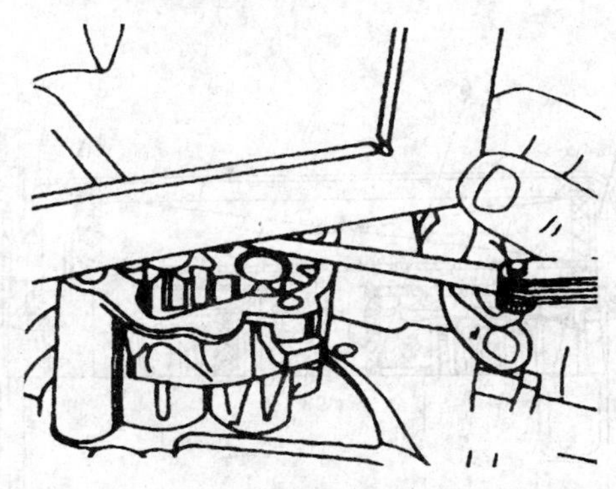

图21-6 检查机油泵主从动齿轮端面间隙

③ 检查机油泵主动轴的弯曲度。将机油泵主动轴支承在 V 形架上，用百分表检查弯曲度。如果弯曲度超过 0.03mm，则应对其进行校正或更换。

④ 检查主动齿轮轴与机油泵壳配合间隙。主动齿轮轴与机油泵壳配合间隙应为 0.03～0.075mm，磨损极限值为 0.20mm。否则应对轴孔进行修复。

⑤ 检查机油泵盖。机油泵盖如有磨损、翘曲和凹陷超过 0.05mm，应以车、研磨等方法进行修复。

⑥ 检查限压阀。检查限压阀弹簧有无损伤、弹力是否减弱，必要时予以更换。检查限压阀配合是否良好、油道是否堵塞、滑动表面有无损伤，必要时更换限压阀。

3）机油泵的安装与试验

机油泵的安装与拆卸顺序相反。但安装时应更换垫片，注意各螺栓的拧紧力矩（如

图 21-2 所示）。

机油泵装复后，用手转动机油泵齿轮，应转动自如，无卡阻现象。将机油灌入机油泵内，用拇指堵住油孔，转动泵轴应有油压出，并能感到有压力。

机油泵装车后，通过压力表观察润滑油压力。在发动机温度正常的情况下，怠速运转时，润滑油压力不应低于 19.4kPa；当发动机高速运转时，润滑油压力不应大于 49.0kPa。如不符合标准，应调整限压阀，可在限压阀弹簧的一端加减调整垫圈的厚度，使机油压力达到规定值。

（2）机油滤清器的结构与维修

机油滤清器采用粗（褶纸滤芯）、细（尼龙滤芯）机油滤清器合为一体的过滤式滤清器，其结构如图21-7所示，工作流程如图21-8所示。

粗滤器能滤去直径为 0.05 ～ 0.lmm 的机械杂质，细滤器能滤去直径为 0.001mm 以上的机械杂质。

机油滤清器装有用吸附能力不同的棉花、毛绒、人造纤维等材料制成的褶纸滤芯和尼龙滤芯。两种滤芯串连。机油滤清器还装有旁通阀和止回阀，防止滤芯被堵或发动机停止工作时，润滑油道内缺油。

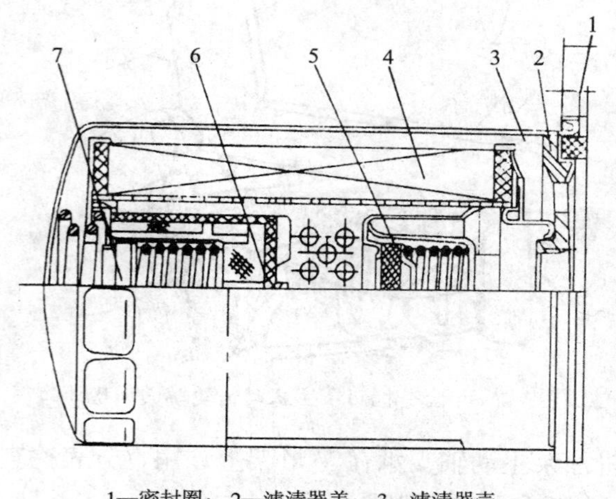

1—密封圈；2—滤清器盖；3—滤清器壳；
4—褶纸滤芯；5—止回阀；6—尼龙滤芯；
7—旁通阀

图21-7 桑塔纳轿车发动机机油滤清器结构

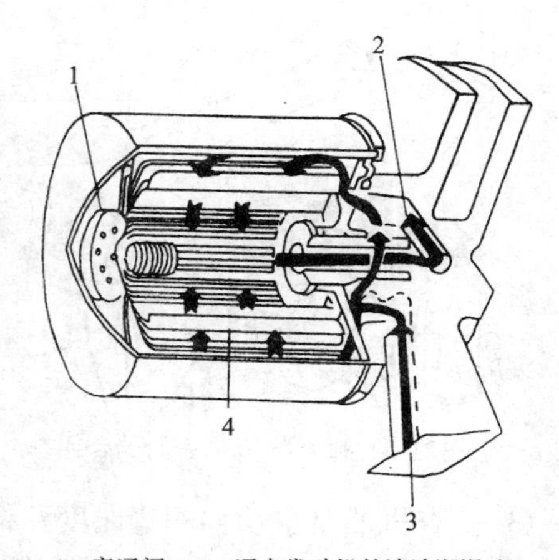

1—旁通阀；2—通向发动机的清洁润滑油；
3—从油底壳来的脏油；4—褶纸滤芯

图21-8 桑塔纳轿车发动机机油滤清器工作流程图

机油滤清器为整体式，更换时应将外壳与滤芯一起更换。机油滤清器的更换步骤如下：

① 趁热放出发动机机油。

② 用专用工具拆卸机油滤清器，如图 21-9 所示。更换时，注意清洗滤清器安装表面。

③ 安装新滤清器时，应在密封圈上涂上干净的机油，如图 21-10 所示。若不涂机油，安装时密封圈与接合面发生干摩擦，密封圈易翘曲和损坏，造成密封不良而漏油。

④ 用手轻轻拧进机油滤清器，直到感觉有阻力为止，再用专用工具重新拧紧机油滤清器 3/4 圈，如图 21-11 所示。

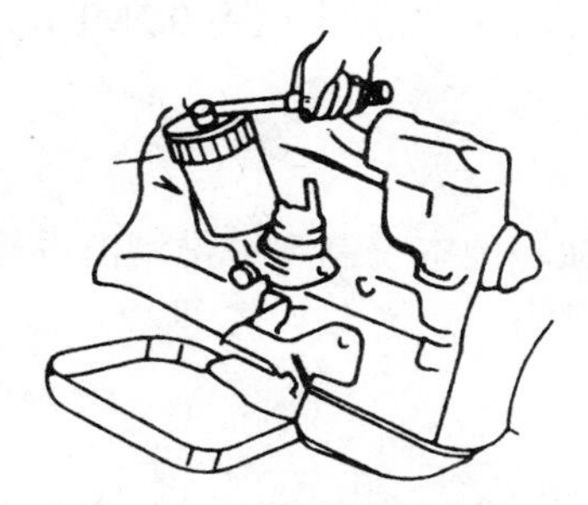
图21-9　拆卸机油滤清器

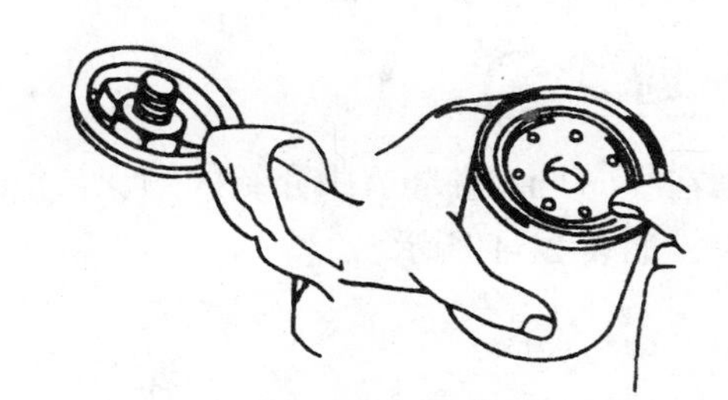
图21-10　密封圈上涂机油

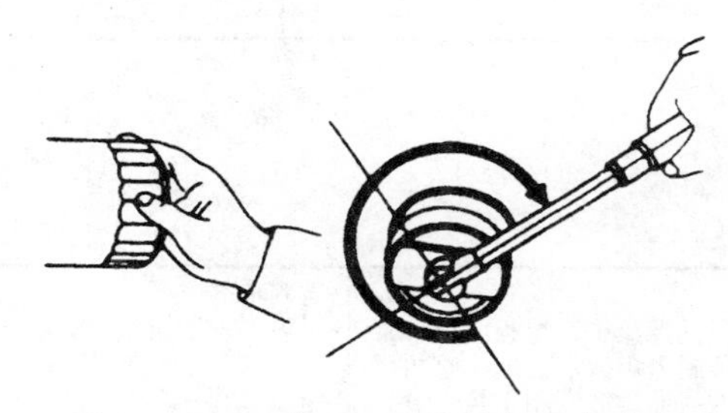
图21-11　用专用工具拧紧机油滤清器

（3）油压开关的检修

发动机润滑系统有两个油压开关，一个是设在油压输送路线末端作用压力为 0.031MPa 的低压油压开关（棕色绝缘），另一个是设在机油滤清器上作用压力为 0.18MPa 的高压油压开关（白色绝缘）。

发动机点火后，油压指示灯即亮；当油压超过 0.031MPa 时，该指示灯熄灭。发动机低速运转（怠速）时，如果油压又回降到 0.031MPa 以下时，0.031MPa 油压开关触点闭合，则指示灯就亮。当发动机转速大于 2150rpm 时，如果油压降到 0.18MPa 以下，油压开关触点断开，报警灯闪亮，蜂鸣器同时报警。

检查油压开关功能（如图 21-12 所示）的步骤如下：

① 拆下一个油压开关，旋进测试器，插上电线 1（蓝色）。

② 将测试器代替油压开关，旋进汽缸盖机油滤清器盖。

③ 将测试灯 2 夹住电线 1 和蓄电池正极。

④ 电线 3（棕色）搭接铁线（–）。此时 0.031MPa 油压开关应使测试灯发亮，而 0.18MPa 油压开关则相反。

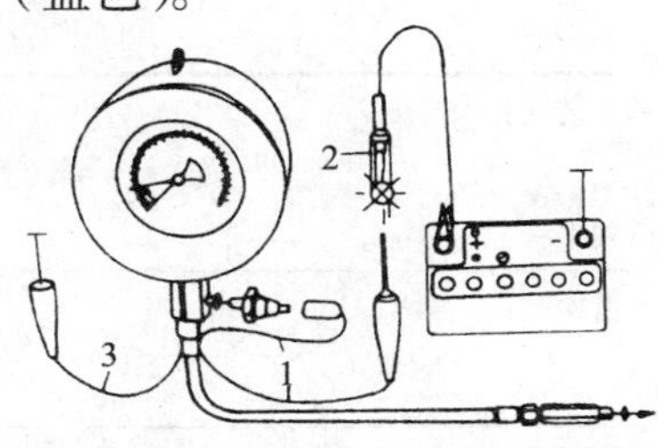

1—电线（蓝色）；2—测试灯；3—电线（棕色）
图21-12　检查油压开关

⑤ 启动发动机，逐渐提高转速。0.031MPa 油

压开关，在 0.015 ～ 0.045MPa 时使测试灯必须熄灭，否则就要更换油压开关。0.18MPa 油压开关，在 0.16 ～ 0.20MPa 时使测试灯必须熄灭，否则更换油压开关。

⑥ 继续提高转速，在 2000rpm 和油温 80℃时，机油压力至少达到 0.2MPa。

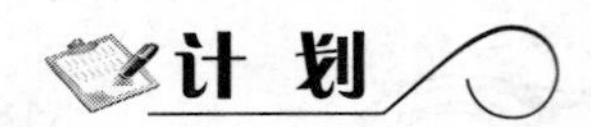

计 划

根据在导向与信息环节中介绍的知识与信息，在笔记本上制定一份润滑系检修的工作计划表，如表 21-1 所示。

表21-1　计划表

序 号	工 作 内 容	工具/辅具	注 意 事 项

实 施

1．实践准备

场地/工具准备： 8 人用实习场地一块、对应数量的课桌椅、黑板一块、常用工具一套、AFE发动机一台、预制力矩扳手一把、直角尺一把、拆装专用工具一套、机油滤清器拆卸专用工具一套、油压开关测试器一套	资料准备： 桑塔纳2000GLI维修手册一本、教材、笔记本

2．实践要求

学生 4 人为一组，在教师的指导下。根据自己列出的工作计划对润滑系进行检修。

教师指导要求如下：

（1）强调安全文明生产。

（2）要求并监督学生用正确流程操作。

（3）指导学生使其能够正确使用各种测量器具及其专用工具。

（4）要求学生将测量到的数据与情况记录在记录表中。

（5）督促学生完善自己的工作计划表。

记录表如表 21-2 所示。

表21-2　润滑系检修记录表

车辆基本情况： 车型： 发动机型号： 车辆行驶里程：
润滑油量检测：
润滑油外漏检查：

续表

润滑系主油路压力测试： 标准油压：____________　　实测油压：____________
油压开关功能检测：
机油泵的检测： （1）机油泵主从动齿轮端面间隙 标准间隙：____________　　实测间隙：____________ （2）机油泵齿轮啮合间隙 标准间隙：____________　　实测间隙：____________
检测结论及故障原因：
处理意见：

检 验

教师收回学生完成的工作计划表。根据学生在实施环节中的表现与记录表完成情况制作评价表，对每位学生的表现进行点评。参考教师评价表如表 21-3 所示。

表21-3　评价表

学　号	姓　名	安全文明生产	操作流程的遵守	量具与工具的使用	记录表的记录	工作计划的完成	总 评 语

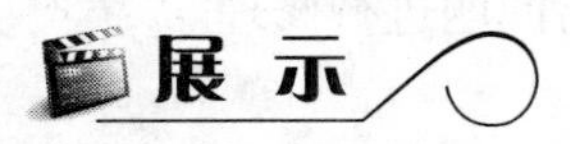

展 示

请在全班同学面前用 15 分钟时间讲述自己进行润滑系检修的工作过程并依据记录表对检查结果进行分析。

工作任务 22

曲轴箱通风装置的结构与检修

1．任务描述

根据客户的描述，故障现象如下：

一辆行驶了 5 万千米的广州本田飞度 1.3L 轿车发动机怠速转速过高、机油使用量异常，排气冒蓝烟。

维修人员在接修后，首先用检测仪对发动机电控部分进行了检查，未发现异常。现将车交到你处，要求你对该发动机曲轴箱通风装置进行检查，如有问题进行修理。

2．基础知识

发动机工作时，一部分可燃混合气和废气经活塞环泄漏到曲轴箱内。泄漏到曲轴箱内的汽油蒸气凝结后，将使润滑油稀释；废气的高温和废气的酸性物质及水蒸气将侵蚀零件并使润滑油性能变坏。此外，由于混合气和废气进入曲轴箱，使曲轴箱内的压力增大，温度升高，易使机油从油封、衬垫等处向外渗漏。

为此，一般汽车发动机都有曲轴箱通风装置，以便及时进入曲轴箱内混合气和废气抽出，同时使新鲜空气进入曲轴箱，形成不断的对流。

曲轴箱通风的方式有两种，即自然通风法和强制通风法。自然通风法一般多用于柴油机，如图 22-1 所示；强制通风法一般多用于汽油机，如图 22-2 所示。

东风 EQ6100-1 型发动机采用的曲轴箱强制通风装置，其结构如图 22-3 所示。曲轴箱抽气管直接接在进气管上，由此将曲轴箱内的气体抽入汽缸燃烧，新鲜空气则通过缸盖罩上的空气滤清器补充到曲轴箱内。

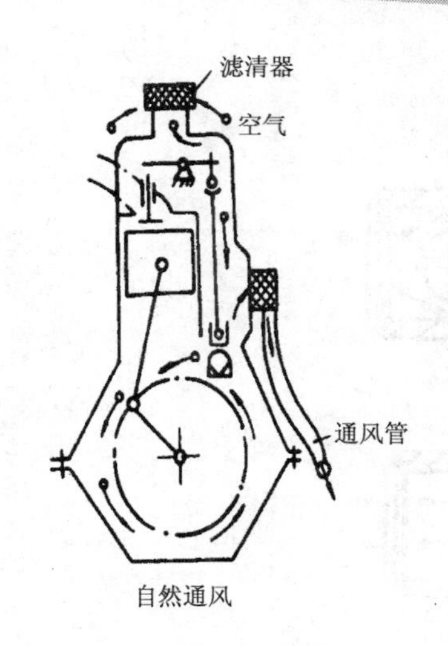

图22-1　自然通风装置示意图

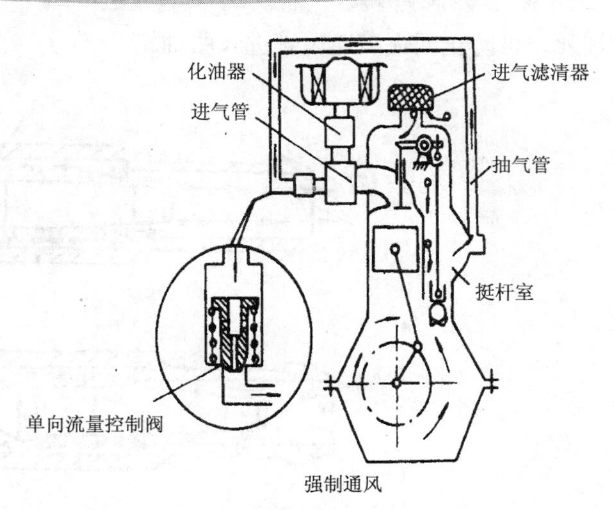

图22-2　强制通风装置示意图

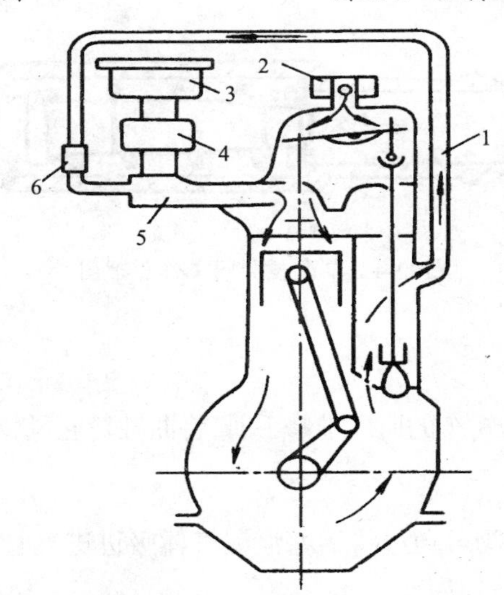

1—抽气管；2—加机油口上小进气滤清器；3—空气滤清器；4—化油器；5—进气管；6—单向流量

图22-3　东风EQ 6100-1型发动机曲轴箱强制风装置

另外，为了防止进气管在低速小负荷时，因真空度太大而将润滑油吸出，在曲轴箱通风装置中装有单向阀，也称 PCV 阀。它安装在进气管上，并与汽缸挺杆室引出的吸气管相连。单向阀阀体呈锥形，中部和侧面均有通气孔。

其工作原理如图 22-4 所示。

发动机大负荷工作时，窜气量大，此时节气门开度大，进气管真空度较低，单向阀处于中间位置，气体流通截面最大，通风量相应较大；发动机在怠速或小负荷时，窜气量小，此时，节气门开度小，节气门下方真空度高，单向阀处于图 b）位置，气体流通截面小，通风量小，不会影响发动机的工作，也不会将润滑油吸入汽缸内燃烧；当发动机发生回火时，进气管压力增加，单向阀在气体压力作用下处于图 c）位置，将通风通道堵死，可防止回火沿通风管进入曲轴箱。

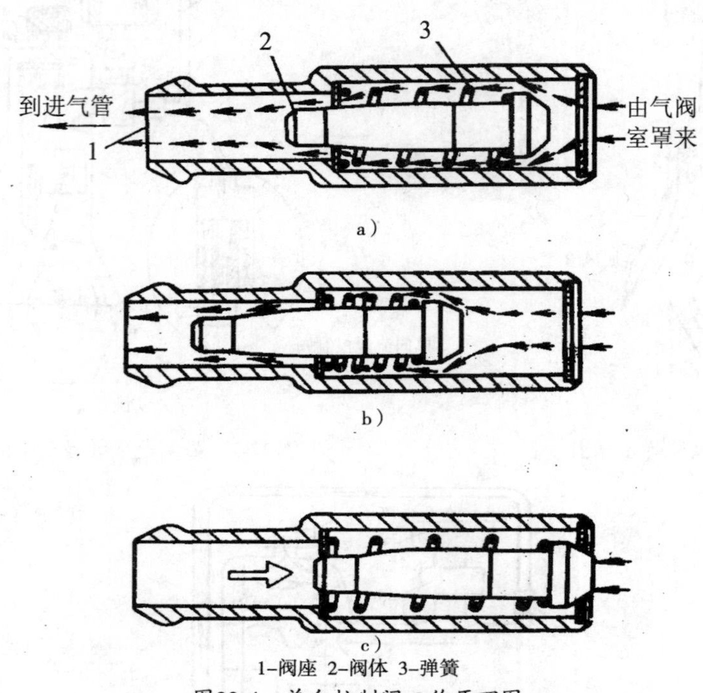

1–阀座 2–阀体 3–弹簧

图22-4 单向控制阀工作原理图

@ 信 息

根据广州本田飞度1.3L轿车的原厂维修手册,将曲轴箱通风装置检修的信息提供如下。

1. 结构介绍

如图 22-5 所示，PCV 阀可通过将活塞泄漏气体吸进进气管，防止它们逸入大气。

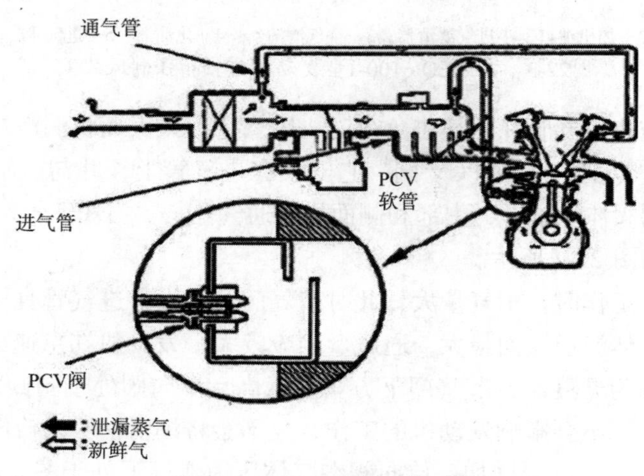

图22-5 PCV阀位置与原理图

2. PCV系统的检修（PCV阀的检测与测试）

（1）检查 PCV 阀未见、软管未见和连接处有无泄漏或卡滞，如图 22-6 所示。

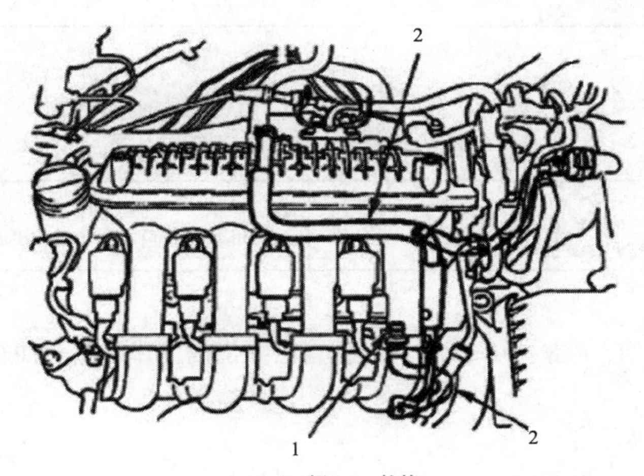

1—PCV阀；2—软管

图22-6　PCV系统阀与软管位置图

（2）在怠速下，用手指或钳子轻轻挤压 PCV 阀和进气管时（如图 22-7 所示），确认 PCV 阀发出“咔哒”声。如果无“咔哒”声，检查 PCV 阀护圈有无开裂或损坏。如果护圈正常，则更换 PCV 阀，然后重新检查。

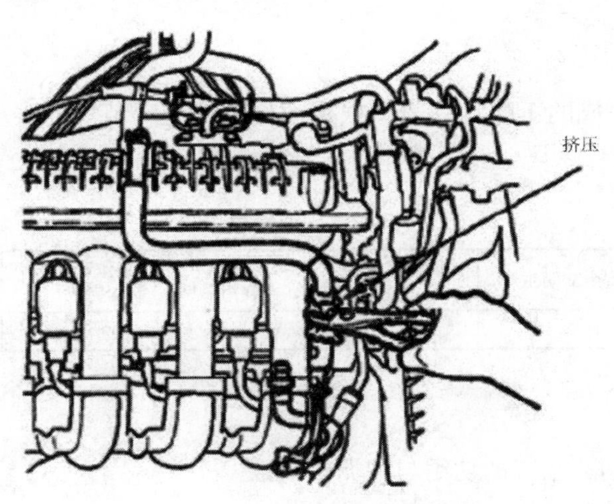

图22-7　PCV系统检修图

计 划

根据在导向与信息环节中介绍的知识与信息，在笔记本上制定一份曲轴箱通风装置检修的工作计划表，格式如表 22-1 所示。

表22-1　计划表

序　号	工 作 内 容	工具/辅具	注 意 事 项

实　施

1．实践准备

场地/工具准备： 8 人用实习场地一块、对应数量的课桌椅、黑板一块、常用工具一套、广州本田飞度1.3L轿车一辆、手钳一把	资料准备： 广州本田飞度1.3L轿车维修手册一本、教材、笔记本

2．实践要求

学生 4 人为一组，在教师的指导下根据自己列出的工作计划对曲轴箱通风装置进行检修。

教师指导要求如下：

（1）强调安全文明生产。

（2）要求并监督学生用正确流程操作。

（3）指导学生使其能够正确使用工具。

（4）要求学生将测量到的数据记录在表中。

（5）督促学生完善自己的工作计划表。

检　验

教师收回学生完成的工作计划表。根据学生在实施环节中的表现情况制作评价表，对每位学生的表现进行点评。参考教师评价表如表 22-2 所示。

表22-2　评价表

学　　号	姓　名	安全文明生产	操作流程的遵守	量具的使用	工作计划的完成	总 评 语

展　示

1．写出曲轴箱通风系统的功用与种类。

2．写出曲轴箱强制通风装置的工作原理。

3．在全班同学面前用 5 分钟时间简要描述 PCV 系统的检修过程与结果。

工作任务 23

冷却系结构的学习

1. 学习要求

要求学生通过本次任务的学习能够熟悉润滑系的作用与组成，能熟记润滑系的工作过程与油道走向，理解润滑系各主要部件的种类与工作原理，熟悉润滑系各零部件的安装位置。

2. 基础知识

（1）冷却系的作用

发动机在工作时，由于燃料的燃烧以及运动零件间的摩擦产生大量的热，使发动机工作温度很高，其中特别是直接与高温气体接触的汽缸体、汽缸盖、活塞、气门等机件的温度更高。如果没有适当的冷却，就不能使发动机正常工作。

发动机冷却不足而过热，将导致汽缸充气量减少和燃烧不正常，发动机功率下降，经济性差，容易产生早燃和爆燃，发动机零件也会因高热使机油变稀导致润滑不良而加速磨损，甚至导致机件卡死或破坏。过度的冷却也会产生危害。一方面由于进入汽缸的空气或可燃混合气温度过低，使其点燃困难，燃烧迟缓，造成发动机功率下降和燃料消耗增加；另一方面热量散失过多，使转变为有用功的热量减少，发动机热效率下降。此外，汽缸内未汽化的燃油流到曲轴箱，不仅增加了燃料消耗，而且使机油稀释、变质影响润滑。

冷却系的作用是使运转中的发动机得到适度冷却，使其保持在最适宜的温度范围内工作。

（2）发动机的冷却方式

根据所用的冷却介质不同，汽车发动机的冷却系统有两种基本形式，即水冷却与风冷却。

1）水冷是指通过冷却水的循环，将发动机高温机件的多余热量吸收，然后再散发到大气中。

2）风冷是指利用风扇在缸体和缸盖周围的散热片中形成气流，使散热片的热量直接散发到大气中。

（3）发动机的正常工作温度

为使发动机正常工作，不管其负荷、转速和周围大气温度的高低，水冷却系中的冷却水温度都应保持在 80 ～ 90℃的范围内，也有的正常水温 85 ～ 95℃，这是因为水箱密封，沸点提高到 105℃，如富康轿车发动机为 89 ～ 97℃，桑塔纳轿车 JV 形发动机为 90 ～ 105℃等。只有在这一温度范围内，才能使各机件均处于适当的热范围内。风冷却的铝汽缸壁允许温度为 150 ～ 180℃，铝汽缸盖为 160 ～ 200℃。

（4）水冷却系的组成

目前汽车发动机普遍采用强制循环式水冷却系，利用水泵强制地使冷却水不断地循环流动，不断地带走零件表面热量。其一般组成及冷却水路如图 23-1 所示，由以下装置和零件组成：

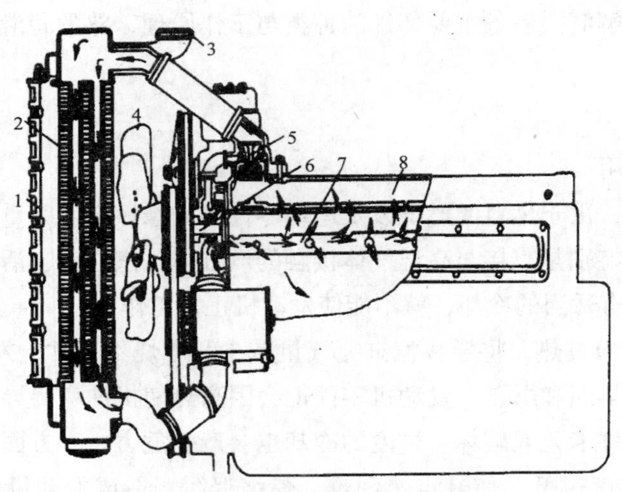

1—百叶窗；2—散热器；3—散热器盖；4—风扇；5—节温器；6—水泵；7—分水管；8—水套

图23-1　水冷却系统

1）强制循环水供给装置——由散热器、水泵、水套、分水管等组成。

2）冷却强度调节装置——由百叶窗、节温器、风扇等组成。

3）水温指示装置——由水温传感器、水温表或水温警告灯等组成。

水泵将散热器内的冷却水加压后通过汽缸体进水孔输送到汽缸体水套内，冷却水在吸收了机体的大量热量后经出水孔流回散热器。由于有风扇的强力抽吸，空气流由前向后高速通过散热器，因此受热后的冷却水在流经散热器的过程中，热量不断地散到大气中去，冷却后的水流到散热器的底部，在水泵的作用下，再次压入发动机水套中，如此不断循环，保证在高温条件下工作的零件不断地得到冷却。

在一些车辆上装用的暖风装置，是利用冷却水带出的热量来达到取暖的目的。为提高燃油汽化程度，还可利用冷却水的热量对进入进气管道内的混合气进行预热，如图 23-2 所示。

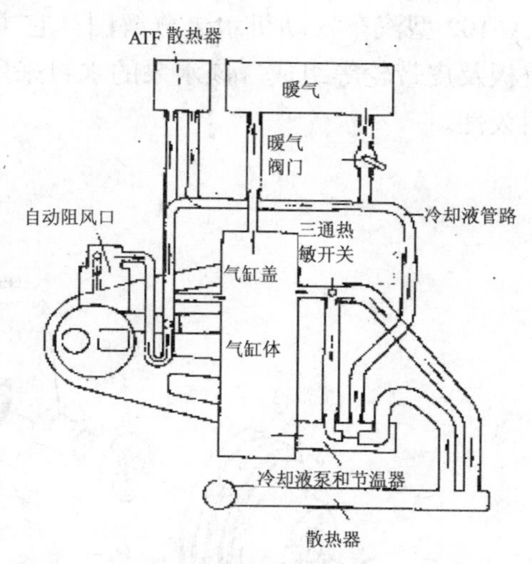

图23-2　桑塔纳轿车JV型发动机冷却系循环图

上海桑塔纳轿车 JV 型发动机冷却系，从发动机水套吸收热量后的冷却水，一部分直接流回散热器进行冷却，另一部分从汽缸体水套流至混合气预热水道对混合气进行预热后流回水泵。需取暖时，打开暖气控制阀，从汽缸体水套流出的部分冷却水又可流入暖风热交换器供暖，然后流回水泵。该发动机采用水温自动控制的电动风扇温控感应器、开关继电器等风扇控制装置能随冷却水温度变化控制风扇的开关和转速的大小，调节冷却强度。

水冷却系具有冷却均匀可靠、使发动机结构紧凑、制造成本低、工作噪声和热应力小等优点，因而得到广泛应用。但它也存在结构复杂、工作中易出现漏水、冻裂等故障的缺点。

@ 信 息

现将发动机润滑系主要部件的相关信息提供如下。

1. 水套

水套是汽缸体的汽缸周围和汽缸盖内留有的用以充水的空腔。水套各处均保持水畅通。冷却水一般由汽缸体前端面上部进入水套，然后再经汽缸体上端分布在汽缸四周的水孔流入汽缸盖，再从汽缸盖顶部前端流出。为了保证发动机各部位的温度均匀，冷却水应首先流经受热最大的地方，并对某些过热部位加强冷却。如一些发动机在汽缸体水套中纵向插入一个分水管，其上开有若干个由前向后依次加大的出水孔，出水孔的位置分别对准温度较高的部位，冷却水从分水管出水孔依次流出，使前后汽缸的冷却强度趋于一致，同时还加强了对高温部位的冷却。

2. 水泵

（1）作用及结构

水泵是水冷却系的重要机件。它的作用是对冷却水加压，使之在冷却系中加速循环流动。目前车用发动机广泛采用的离心式水泵的结构大致相同。如图 23-3 所示为解放

CA6102 型汽车发动机水泵分解图。它主要由水泵体、水泵轴、叶轮、水封总成、水泵盖板及皮带轮等组成。该水泵的水封采用新型陶瓷－石墨件结构，具有良好的密封性和耐久性。

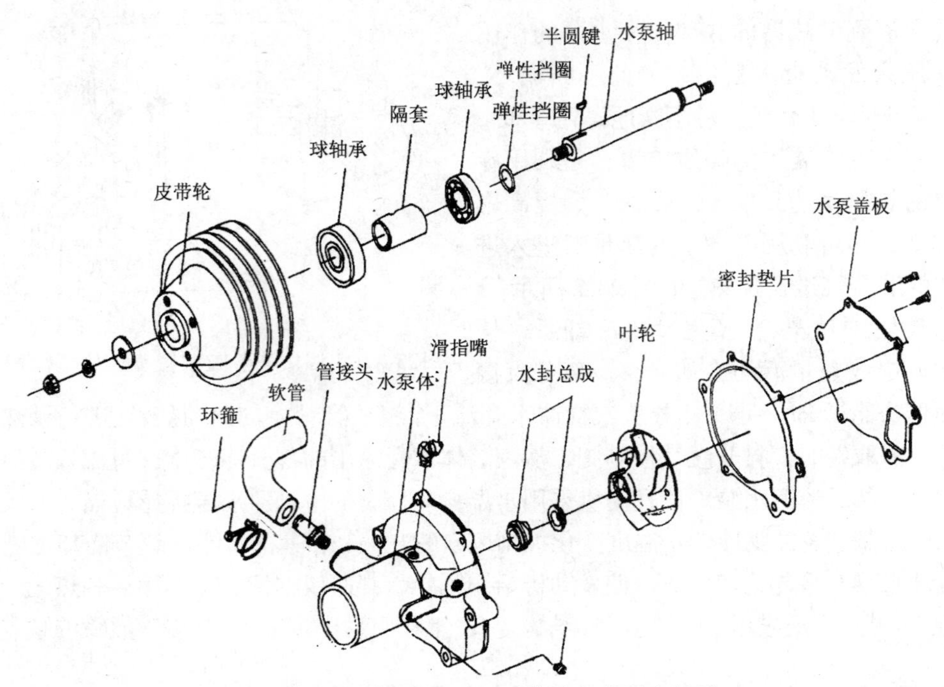

图23-3 解放CA6102型发动机水泵分解图

上海桑塔纳轿车 JV 形发动机水泵的组成和上述相同，结构特点是水泵装有密封式轴承，在正常工作下不需要维护，节温器装在水泵壳体内。

（2）工作原理

离心式水泵工作原理如图 23-4 所示，当水泵工作时，曲轴皮带通过风扇皮带带动风扇皮带轮，从而带动水泵叶轮转动，水泵中的水被叶轮带动一起旋转，并在自身的离心力作用下，向叶轮的边缘甩出，然后经外壳上与叶轮成切线方向的出水管被压送到发动机水套内。同时，叶轮中心处压力降低，散热器的水便经进水管被吸进叶轮中心处。

3．风扇

（1）风扇的作用

促进散热器通风，提高散热器的热交换能力。它通常安装在散热器的后面，位置一般要对准散热器的中心，如图 23-5 所示。

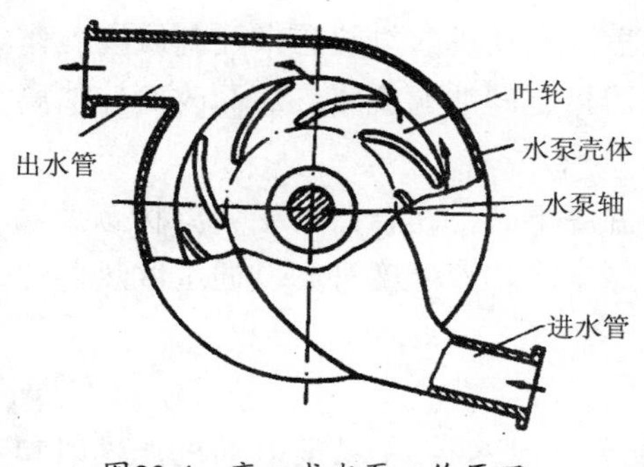

图23-4 离心式水泵工作原理

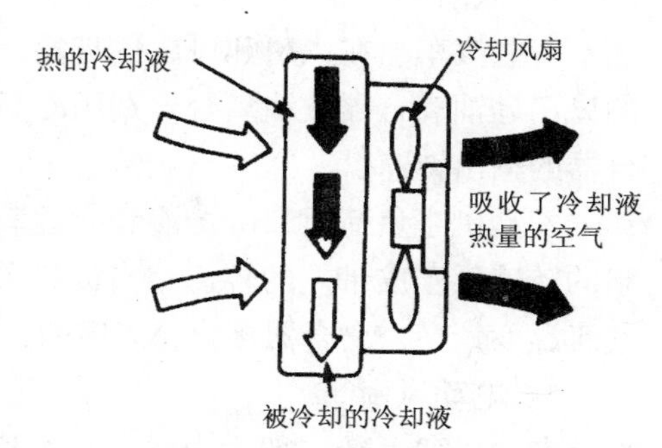

图23-5 风扇的作用示意图

（2）风扇的常用结构

如图 23-6 所示，风扇由叶片和连接板组成。风扇的扇风量主要与风扇的直径、转速、叶片形状、叶片安装角及叶片数目有关。常用的为螺旋桨式风扇。

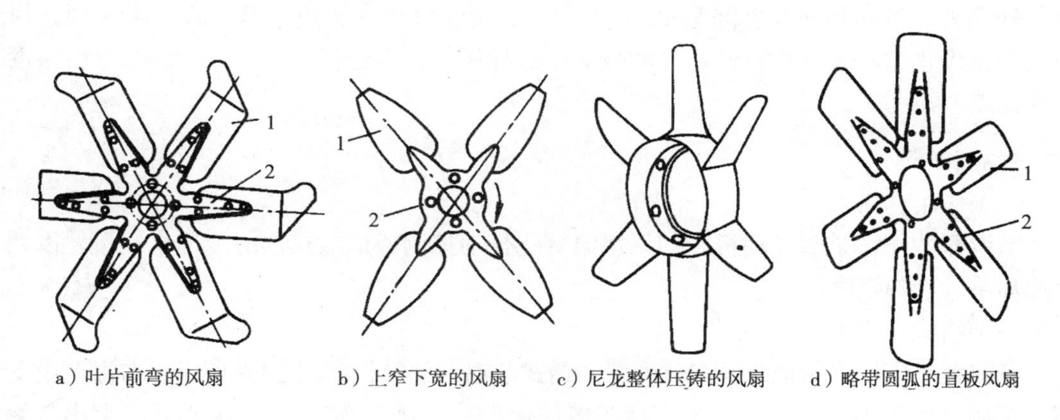

a）叶片前弯的风扇 b）上窄下宽的风扇 c）尼龙整体压铸的风扇 d）略带圆弧的直板风扇

1—叶片；2—连接板

图23-6 风扇的结构形式

风扇常和发电机一起由曲轴皮带轮通过三角皮带驱动，皮带过松，将引起皮带相对皮带轮打滑使风扇的扇风量减小，导致发动机过热；皮带过紧，将增加发电机轴承的磨损。

因此，要求皮带必须保持一定的紧度，一般用大拇指以一定的力按下皮带时产生 10 ～ 15mm 的挠度为宜，如不符可通过改变发电机支架相对位置来调节。

（3）风扇转速控制装置

风扇一般要消耗发动机 5%～ 10%的功率。实验表明，汽车运行中只有 25%的时间需风扇工作。而在冬季，风扇的工作只有 5%的时间是有意义的。为了降低功率消耗，必须控制风扇的转速，常用的方法有两种：一种是利用硅油风扇离合器控制风扇的转速；另一种是利用电动风扇控制风扇的转速。

1）风扇离合器

一些汽车上在风扇和风扇皮带轮之间装用了能根据发动机的热状态来控制风扇工作的风扇硅油离合器。该离合器利用冷却液温度传感器控制硅油的流路，从而改变硅油离合器的输出转速。

发动机小负荷时，冷却液和通过散热器的气流温度不高，离合器处于分离状态，风扇的转速低于皮带轮的转速；当负荷增加时，散热器中冷却液温度升高，通过散热器的气流温度较高，离合器接合，风扇的转速迅速升高。

2）电动风扇

电动风扇系统一般由电动风扇温度感应塞（或水温传感器）、风扇电动机、风扇和电动机控制开关组成。根据冷却液的温度情况，使风扇断续地工作，能提高整车的经济性。富康、桑塔纳等轿车发动机均采用此系统，如图 23-7 所示，富康轿车风扇由温度控制开关控制，当发动机冷却液温度达到 92℃时，温控双速冷却风扇开始以低速运转；当发动机冷却液温度达到 97 ～ 101℃时，传感器温控开关接通风扇电机高速挡，开始以高速运转当发动机冷却液温度降至 92 ～ 97℃时，又恢复为低速挡；温度低于 92℃时，风扇电动机停止运转，气流自然通过散热器。这种风扇具有能耗低、噪声小、布置自由度大等优点。

4．节温器

（1）作用

节温器的作用是随发动机冷却系水温变化自动控制通过散热器的冷却水流量，以调节冷却系的冷却强度。

（2）结构

目前汽车广泛采用蜡式阀门节温器。蜡式节温器的结构如图 23-8 所示，节温器由支架、阀座、主阀门、副阀门、感应体（感应体壳、石蜡、橡胶管）、中心杆、大小弹簧等组成。阀座与支架铆在一起，紧固在阀座上的中心杆的锥形下端，插在橡胶管与感温器体之间的空腔内，腔内装有石蜡。为提高导热性，在石蜡中常掺有铜粉或铜丝网。感温器体上部套装着主阀门，下端则与阀门铆在一起。节温器一般装在汽缸盖出水口处，上海桑塔纳轿车 JV 形发动机的节温器则装在水泵外壳上的进水口位置。

其工作过程如下：

当冷却水温度（含）低于 76℃时，感温器体内的石蜡体积较小，主阀门在大弹簧的作用下将阀门紧压在座上，如图 23-9 a）所示。通过散热器的水道不通，此时，冷却强度小，促使水温迅速上升，从而保证发动机各部位均匀和迅速地热起来。由于冷却水的流动路线短、流量小，故称小循环。当冷却水温度高于 76℃时，石蜡体膨胀，使橡胶管挤压变形，因中心管是固定不动的，所以橡胶管收缩对心杆锥形端产生向上的轴向推力。由于中心杆不能上移，迫使橡胶管向下膨胀，压缩感温器体大弹簧，使主阀门逐渐开启，副阀门逐渐关闭，大循环水量逐渐增大，小循环水量逐渐减少，此时冷却水的循环为混合循环。

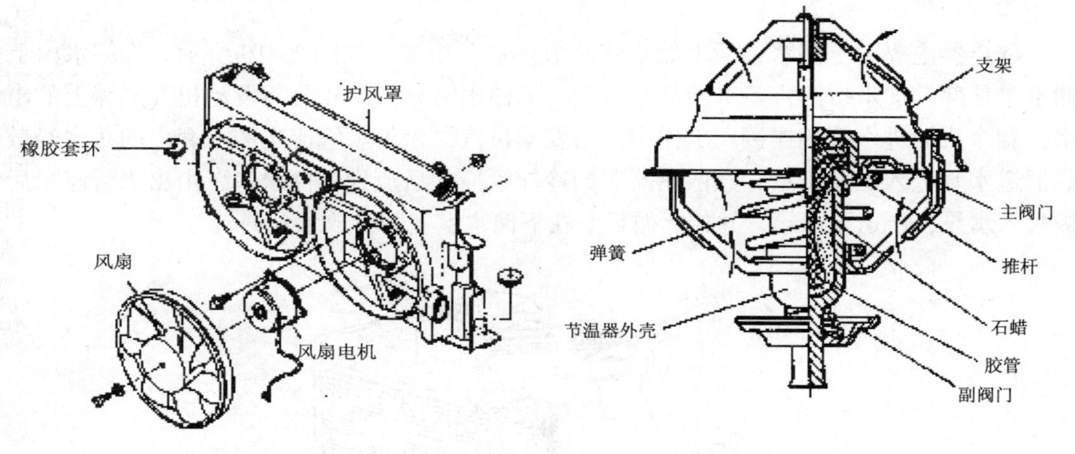

图23-7 富康轿车电控风扇　　图23-8 蜡式节温器

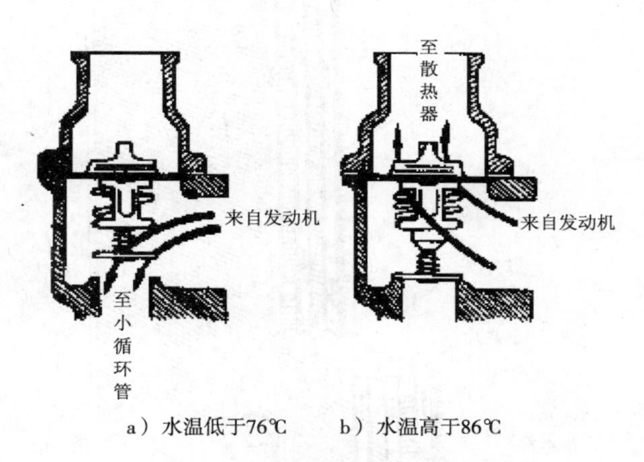

图23-9 节温器工作过程示意图

当水温高于 86℃时，主阀门全开，副阀门全关，冷却水全部流经散热器，如图 23-9 b）所示。此时，冷却强度增大，促使水温下降或不致过高。由于这时的冷却水流动路线长、流量大，故称大循环。

上海桑塔纳轿车 JV 形发动机用蜡式阀门节温器。当水温上升到 87±2℃时，蜡式节温器主阀门开启，温度上升至 102±3℃时，主阀门完全开启，且升程不小于 7mm。

5. 散热器

（1）散热器的作用

散热器的作用是将冷却水所含的热量散发给周围的空气，使冷却水迅速得到冷却，以保持发动机的正常水温。

（2）散热器的构造

散热器主要由上储水室、下储水室和散热器芯组成，如图 23-10 所示。冷却水由上储水室顶部的加水口注入整个冷却系。上、下储水室分别用软管与发动机汽缸盖上的出水管和水泵的进水管相连接。工作中，由发动机汽缸盖出水管流出的水套内的热水经散热器进水管进入上储水室，经散热器芯的冷却管冷却后流到下储水室，由出水管流出后被吸入水泵，压送至水箱，并如此循环。在下储水室上装有放水开关。

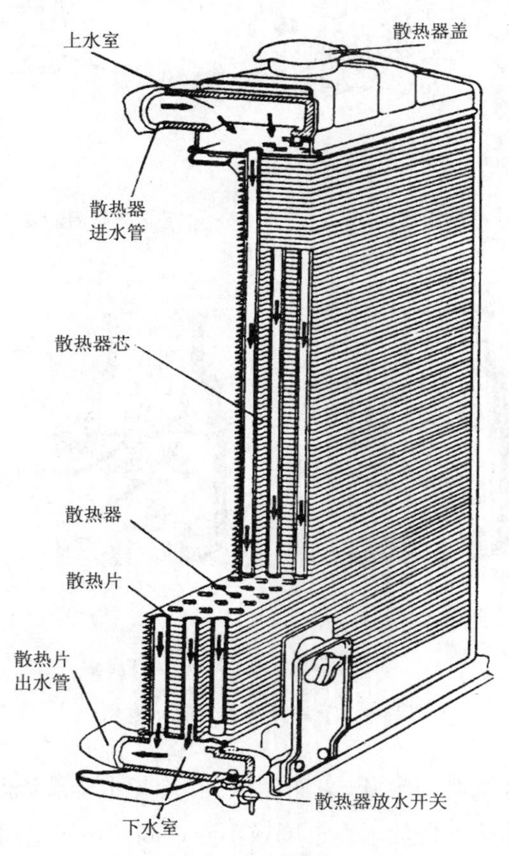

图23-10　散热器的结构

1）散热器芯

散热器芯的结构形式有多种，目前轿车和中型汽车常用的是管带式散热器。这种散热器制造工艺简单，质量轻，成本低，散热能力强。

2）散热器盖

目前闭式水冷却系广泛采用具有空气阀—蒸气阀的复式散热器盖。如图 23-11 所示，它的作用是调节冷却系的工作压力，由蒸气阀、空气阀、蒸气排出管和散热器盖等组成。在一般情况下，空气阀和蒸气阀均在弹簧力作用下处于关闭状态，即上储水箱与连通大气的蒸气排出管隔开。

在冷却系内部压力过高或过低时空气阀和蒸气阀的工作过程如下：

当散热器内蒸气压力达到 126 ～ 137kPa 时，蒸气阀克服弹簧压力打开，部分蒸气向外泄出，以防胀坏芯管，见图 23-11a）。当冷却水冷却，散热器压力降到 99 ～ 87kPa 时，空气阀被大气压力压开，部分空气被吸入，以防芯管被压扁，见图 23-11b）。

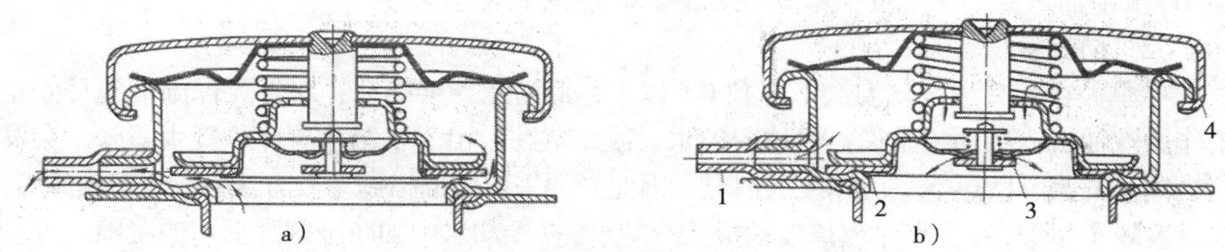

1—蒸气排出管；2—蒸气阀；3—空气阀；4—散热器盖

图23-11　具有空气阀—蒸气阀的散热器盖

（3）补充水桶和膨胀水箱

解放 CA1091 型汽车所用的 CA612Q 型发动机的冷却系采用了自动补偿封闭式散热器，其中加注防锈防冻液。其结构特点是在散热器的右侧增设了补偿水桶（又称副水箱），它是用橡胶软管与散热器加水口座的出气口相连接，如图 23-12 所示。补偿水桶的作用是减少冷却系冷却液的溢失。

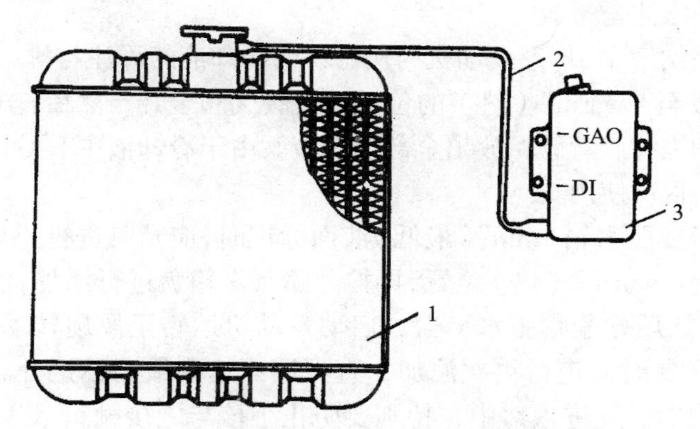

1—散热器；2—连接像胶管；3—膨胀水箱

图23-12　膨胀水箱装置示意图

当冷却系热膨胀后，散热器内多余的冷却液流入补偿水桶；当温度降低后，散热器内产生一定的真空度，补偿水桶中的冷却液又被吸回散热器内，因此冷却液损失很少。补偿水桶上印有两条液面高度标记线“DI”和“GAO”，液面高度应不低于“DI”线，也不应超过“GAO”线。

上海桑塔纳轿车 JV 形发动机装有膨胀箱（也称副水箱），正常的液面位于“max”与“min”标记之间，膨胀箱内装有自动液位报警装置。

6. 冷却水与防冻液

（1）冷却水的选择与软化处理

冷却水最好选用软水，即含盐分少的水，如雨水、雪水、自来水等，否则在水套中易产生水垢，使汽缸体、汽缸盖传热效果变差，发动机容易过热。

如果只有硬水，则需要经过软化后，方可注入冷却系中使用。硬水软化的常用方法是：在 1L 水中加入 0.5 ～ 1.5g 碳酸钠或 0.5 ～ 0.8g 氢氧化钠。

（2）防冻液

冬季，在寒冷地区气温会下降到 0℃以下，此时水便会结冰，对于无保温措施且停止工作的汽油机、柴油机来说，机体内的水会凝结成冰，由于水结冰后体积发生膨胀，会发生机体、缸盖、散热器等被撑裂的情况，因此必须采取防冻措施。其方法有：给车辆保温，如设置暖车库等；在停车时放掉发动机的冷却水；在冷却水中加防冻剂降低水的凝固点等。

较为理想的方法是：在冷水中加入防冻剂配成防冻液。一般防冻液有酒精—水型、甘油—水型和乙二醇—水型三种，它们与水的配比不同，结冰点也不同。

由于防冻液具有随温度升高体积增大的特点，所以在加入冷却系统时，加入量应比冷却系统的总容量少 5%～ 6% 。

目前，国内已开始在发动机上使用既有防冻作用又有防锈作用的防锈防冻液，如 F35 防锈防冻液，它可防止散热器和水套的锈蚀，减少水垢，提高散热器的使用寿命和冷却系的散热性能。一般这种防冻液可连续使用两年。

（3）冷却液的添注与排放

现以上海桑塔纳轿车 JV 形发动机为例，说明冷却液的添注与排放。排放冷却液时，应先将暖气开关拨至“warm”（热）的位置，使暖气阀全开，然后拧开水泵进水口软管的加箍，拔下冷却液橡胶弯管，放出全部冷却液。由于冷却液中有 G11 添加剂，放出后应予以收集，以便再次使用。

冷却液面低于膨胀水箱“min”（最低）液面标记时，应及时进行添加，添加冷却液时，先将暖气开关拨至“warm”（热）位置，再拧开膨胀水箱盖进行添加，使液面达到“max”（最高）标记处。然后拧紧膨胀水箱盖，启动发动机运转至风扇转动，再关闭发动机，检查液面高度，必要时应进行再次添加，直至液面达到最高标记处。冷却液有毒，排放及添加时，必须防止其进入口中，特别要防止小孩与之接触。

计 划

1. 根据在导向与信息环节中介绍的知识与信息，在笔记本上制定一份发动机冷却系分解与观察计划表，如表 23-1 所示。

表23-1 计划表1

序 号	工作内容	工具/辅具	注意事项

2．根据信息环节中的信息，在笔记本上制定一份分解水泵的工作计划表，如表 23-2 所示。

表23-2　计划表2

序　号	工作内容	工具/辅具	注意事项

实 施

1．实践准备

场地/工具准备： 8 人用实习场地一块、对应数量的课桌椅、黑板一块、常用工具一套、AFE型发动机一台	资料准备： 桑塔纳2000GLI维修手册一本、教材、笔记本

2．实践要求

学生 4 人为一组，在教师的指导下，根据自己列出的工作计划对发动机冷却系进行分解并观察结构，并对拆卸下的水泵进行分解。

教师指导要求如下：

（1）强调安全文明生产。

（2）要求并监督学生用正确流程操作。

（3）指导学生使其能够正确使用各种测量器具及其专用工具。

（4）要求学生将观察的结果认真记录。

（5）督促学生完善自己的工作计划表。

检 验

教师收回学生完成的工作计划表。根据学生在实施环节中的表现对每位学生的表现进行点评。参考教师评价表表 23-3 所示。

表23-3　评价表

学　号	姓　名	安全文明生产	操作流程的遵守	量具与工具的使用	工作计划的完成	总 评 语

展 示

1．冷却系的功用与组成。

2．冷却系中节温器的作用。

3．标出两个冷却循环回路（用绿色标出小冷却循环回路，用蓝色标出大冷却循环回路）。写出图 23-13 中空缺的部件名称。

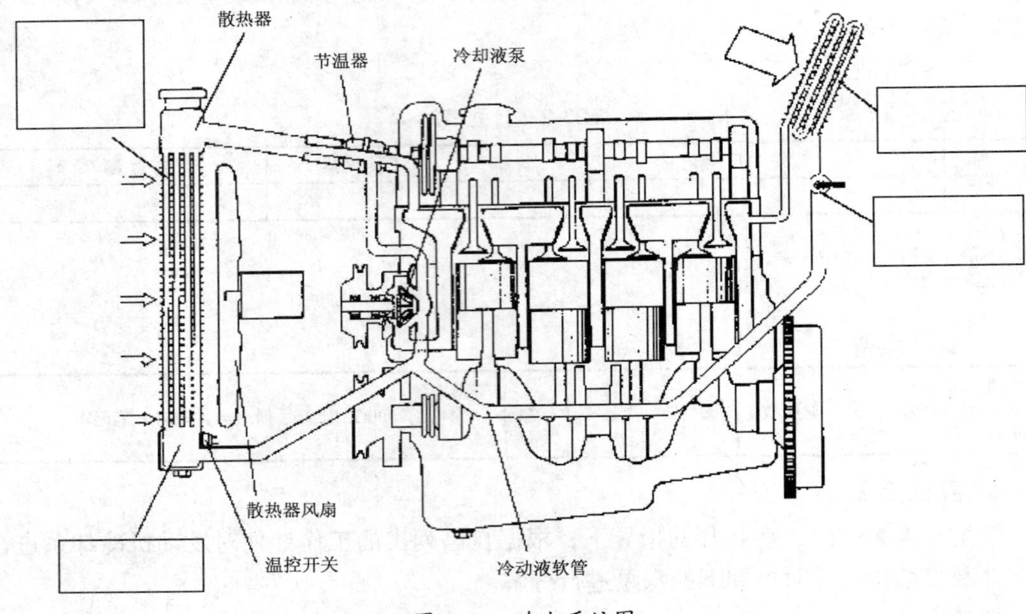

图23-13　冷却系统图

1）说明冷却水节温器在循环系统中的功能。

2）发动机冷的时候：

____

3）发动机热的时候：

____

工作任务24

发动机防冻液相关知识的学习

1．学习要求

要求学生通过本次任务的学习能够理解发动机用防冻液的作用，熟记防冻液各主要使用性能的名称，能掌握乙二醇型防冻液牌号与规格的规定，并能理解乙二醇型防冻液选用与使用的注意事项。

2．基础知识

汽车防冻液是一种含有特殊添加剂的冷却液，主要用于汽车液冷式发动机的冷却系统，以防止冬天因冻结而损坏缸体、散热器等。图24-1所示为正在添加防冻液。

（1）对防冻液的性能要求

汽车防冻液在冷却系中起着冷却和防冻的作用，对防冻液的基本要求是：有较低的冰点，良好的传热性能，低温黏度不宜太大，对金属、橡胶无腐蚀作用，良好的化学安定性，泡沫少，蒸发损失小等。

图24-1　正在添加防冻液

（2）防冻液的种类与性能

防冻液主要是由防冻剂与水按一定比例混合而成，按防冻剂的不同，汽车常用的防冻液有酒精型、甘油型、乙二醇型等。

1）酒精型防冻液

酒精型防冻液是用酒精作为防冻剂，与水配制而成。酒精与水可按各种比例混合而组成不同冰点的防冻液。酒精的含量越高，其冰点越低。这类防冻液的特点是：流动性好，散热快，但易燃，易挥发，而且挥发后冰点容易回升。

2）甘油型防冻液

甘油型防冻液是由甘油（丙三醇）为防冻剂与水配制而成。由于甘油的沸点、闪点高，这类防冻液的沸点高，不易蒸发和着火，但降低冰点的效率低，甘油用量大，成本高。

3）乙二醇型防冻液

乙二醇型防冻液是用乙二醇作为防冻剂，与水配制而成。乙二醇的沸点高（110℃以上），与水混合后，可使混合液的冰点显著降低，最低可达 –68℃，用不同比例的乙二醇和水可以配制成不同冰点的防冻液。这类防冻液的优点是：沸点高、冰点低、冷却效率高、黏度较小等。但乙二醇有毒性，对金属有腐蚀作用。因此，常用的乙二醇型防冻液，多加有防腐剂和染色剂。

乙二醇型防冻液是目前国内外使用最广的一种防冻液，约有 95%左右的汽车使用这类防冻液。我国乙二醇型防冻液的产品已商品化，石化行业专门制定了该产品的生产和使用标准。

@信 息

下面将列出有关发动机乙二醇型防冻液的牌号与规格、选用及使用注意事项的相关信息。

1. 乙二醇型防冻液的牌号和规格

乙二醇型防冻液根据石化行业标准 SH0521—1999 的规定，分为冷却液和浓缩液两大类。冷却液可直接加车使用，按其冰点分为 –25、–30、–35、–40、–45 和 –50 六种牌号。浓缩液是为了便于储运，使用时需加水稀释，它与蒸馏水各以 50%（体积）混合，冰点不高于 –37℃。冷却液和浓缩液按质量又分为一级品和合格品，两者的差别在于一级品的防腐性能优于合格品。乙二醇型发动机防冻液规格见本任务附录。

2. 乙二醇型防冻液的选用及使用注意事项

（1）乙二醇型防冻液的选用

乙二醇型防冻液的牌号是按冰点划分的，在使用时应根据车辆使用地区冬季的最低气温来选择适当的牌号。为防意外，选用的防冻液冰点应比最低温度低 5 ～ 10℃。若采用浓缩液，应根据产品说明书规定的比例，用蒸馏水或去离子水掺兑，不能使用钦用水、井水及自来水。

（2）乙二醇型防冻液的使用注意事项

1）首次使用乙二醇型防冻液应将散热器中的水放尽，最好能用散热器清洗剂将其中的水垢和沉淀清除。加入量一般为散热器容量的 95%。

2）用浓缩液配制时，乙二醇的含量不应超过 59%。因为超过此比例后，乙二醇会与水共融，不但不能降低冰点，反而会使防冻液的黏度增加，散热性变坏。

3）乙二醇型防冻液使用一段时间后，会因蒸发而使液面下降，应及时加水，并保持原有容量。

4）乙二醇型防冻液的更换周期一般为 3 ～ 5 年，也可测定其 pH 值来判断是否需要更换，当防冻液的 pH 值小于 7 时就必须更换。

5）乙二醇对有毒性，使用时严防入口。

6）应防止乙二醇型防冻液与油品接触，以免其受热后产生泡沫。

计 划

请根据在导向环节中学到的知识，并依据表 24-1 格式将表格完成后写在作业本上。

表24-1　作业表

防冻液的种类	性　能

实 施

1．实践准备

场地/器具准备： 8人用实习场地一块、对应数量的课桌椅、黑板一块、防冻液一桶、洗液器一只、防冻液冰点检测器一只	资料准备： 教材、笔记本

2．实践内容

学生参考教科书与所给资料独立完成以下题目。

（1）汽车防冻液的作用与性能要求。

（2）乙二醇型防冻液的牌号和规格。

（3）乙二醇型防冻液的选用及使用注意事项。

（4）用防冻液冰点检测器检测防冻液并记录。

检验

由教师对学生在实践环节中所完成的题目进行批改并讲评。

展示

请每位同学在全班同学面前用 15 分钟时间。以汽车防冻液为题进行讲演。

附录乙二醇型发动机防冻液规格如表 24-2 所示。

表24-2　乙二醇型发动机防冻液规格（SH0521—1992）

项　目	质量指标														试验方法
	浓缩液		冷却液												
			–25号		–30号		–35号		–40号		–45号		–50号		
	一级品	合格品	一级品	合格品	一级品	合格品	一级品	合格品	一级品	合格品	一级品	合格品	一级品	合格品	
颜　色	有醒目的颜色														
气　味	无异味														
密度（20℃），kg/m^3	1107～1142		1053～1072		1059～1076		1064～1085		1068～1088		1073～1095		1075～1097		SH/T 0068
冰点，（℃）不高于	—		–25		–30		–35		–40		–45		–50		SH/T 0090
50%体积分数蒸馏水，不高于	–37		—												
沸点，℃ 不低于	163	155	106		106.5		107		107.5		108		108.5		SH/T 0089
50%体积分数蒸馏水，不低于	107.8		—												
对汽车有机涂料的影响	无影响														SH/T 0084
灰分，质量分数（%）不大于	3.0		2.0		2.3		2.5		2.3		3.0		3.3		SH/T 0067
pH值	—		7.5～11.0												SH/T 0069
50%体积分数蒸馏水	7.5～11.0		—												

续表

项　目	质量指标														试验方法
	浓缩液		冷却液												
			-25号		-30号		-35号		-40号		-45号		-50号		
	一级品	合格品	一级品	合格品	一级品	合格品	一级品	合格品	一级品	合格品	一级品	合格品	一级品	合格品	
水分，质量分数% 不大于 储备碱度，mL	5.0		报告												SH/T 0086 SH/T 0091
腐蚀试验 试片变化值，mg/片 紫铜 黄铜 钢 铸铁 焊锡 铸铝	± 10 ± 10 ± 10 ± 10 ± 30 ± 30														SH/T 0085
模拟使用腐蚀： 试片变化值，mg/片 紫铜 黄铜 钢	± 20 ± 20 ± 20	— — —	± 20 ± 20 ± 20	— — —	± 20 ± 20 ± 20	— — —	± 20 ± 20 ± 20	— — —	± 20 ± 20 ± 20	— — —	± 20 ± 20 ± 20	— — —	± 20 ± 20 ± 20	— — —	SH/T 0088
铸铁 模拟使用腐蚀： 试片变化值，mg/片 焊锡 铸铝 铝泵气穴腐蚀：级 不小于	± 20 ± 60 ± 60 8	— — — —	± 20 ± 60 ± 60 8	— — — —	± 20 ± 60 ± 60 8	— — — —	± 20 ± 60 ± 60 8	— — — —	± 20 ± 60 ± 60 8	— — — —	± 20 ± 60 ± 60 8	— — — —	± 20 ± 60 ± 60 8	— — — —	SH/T 0088 SH/T 0087
泡沫倾向： 泡沫体积 mL，不大于 泡沫消失时间 s，不大于	150 5														SH/T 0066

工作任务25

冷却系的检修

任务描述

一辆桑塔纳 2000GLI 型轿车，车辆行驶发动机水温报警灯点亮。车辆被拖入修理厂后检验人员对车辆冷却系做了常规检查没有发现异常。现将车辆交入你手中，要求对冷却系进行检修。

信 息

根据桑塔纳 2000GLI 型轿车的原厂维修手册，将冷却系检修的信息提供如下。

冷却系的作用是使发动机在任何工况时高温机件都能得到适度的冷却，使发动机始终在最适宜的温度范围内工作。同时，冷却系统还为暖风系统提供热源。

1. AFE型冷却系统的总体构造

AFE 型发动机的冷却系统属强制循环封闭式冷却系统，其组成如图 25-1 和图 25-2 所示，冷却液的循环过程如图 25-3 所示。

冷却强度可通过节温器和温控风扇调节。节温器调节冷却液的冷却能力，温控风扇调节流经散热器的冷却空气量。

冷却液轴向进入水泵后，经叶轮径向直接流进机体水套，然后流入汽缸盖水套。此后，冷却液分两路循环。一路大循环：冷却液流经散热器冷却后，进入装在机体水泵进口处的节温器流向水泵进口；另一路小循环：冷却液直接进入节温器后的水泵进口，不经散热器冷却。当冷却液的温度低于 85℃时，进行小循环；当冷却液温度高于 85℃时，部分冷却液进行大循环；当冷却液温度达到 105℃时，全部冷却液参加大循环。

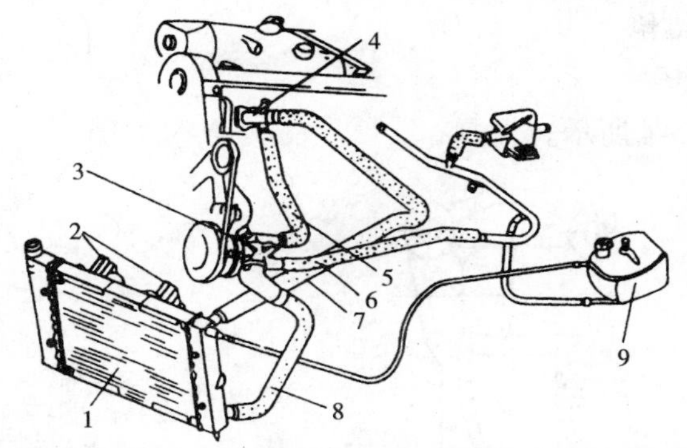

1—散热器；2—风扇；3—水泵；4—机体进水口（进入汽缸体、汽缸盖水套）；5—旁通水管；
6—暖气回水进水泵水管；7—机体冷却水出口与散热器进水口接管；8—散热器出水管；9—膨胀小水箱

图25-1　桑塔纳轿车用发动机冷却系统示意图

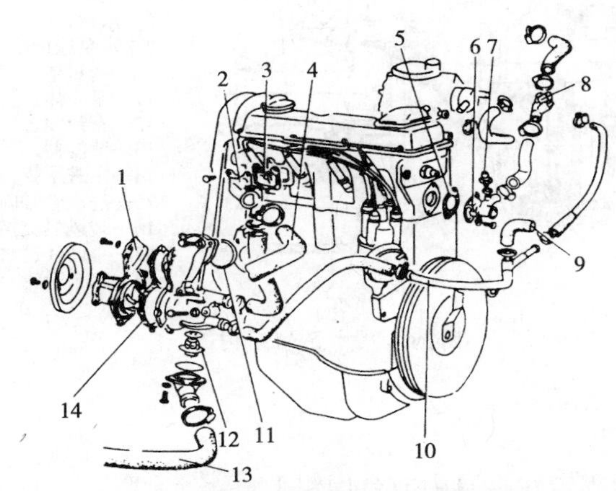

1—水泵；2—缸盖接管；3—密封垫；4—橡胶管；5—密封垫；6—接管；7—水温传感器；
8—热敏开关；9—通向暖风热交换器的冷却液管；10—冷却液管；11—O形密封圈；
12—节温器；13—下橡胶弯管；14—密封垫圈

图25-2　冷却系零件分解图

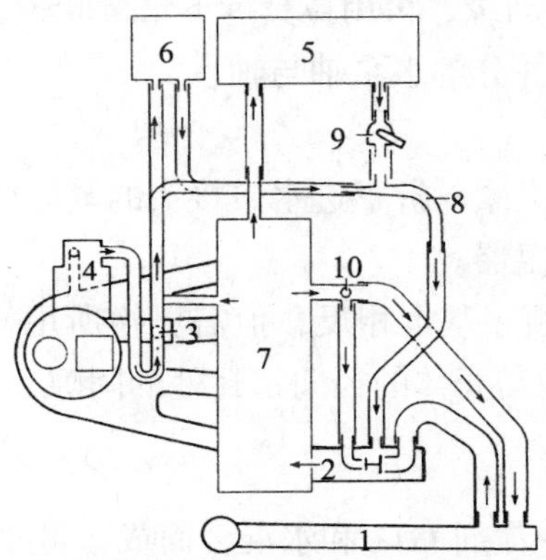

1—散热器；2—冷却液泵和节温器；3—膨胀材料元件；4—自动阻风门（化油器）；5—暖气用热交换器；
6—ATF散热器（仅用于自动变速器型车）；7—机体（汽缸体/汽缸盖）；8—冷却液管路；9—暖气阀门；10—三通热敏开关

图25-3　冷却液的循环过程

2．水泵的结构与维修

（1）水泵的结构

水泵的结构如图 25-4 所示。

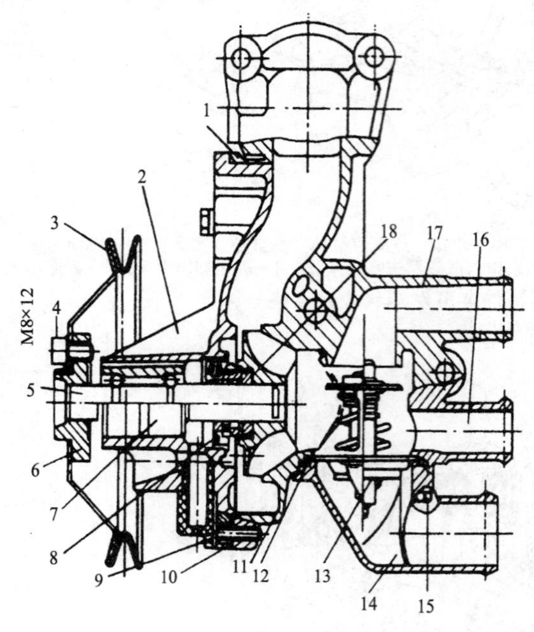

1—密封垫；
2—前壳体；
3—水泵 V形带轮；
4—V形带轮紧固螺栓（拧紧力矩 20N · m）
5—水泵轴；
6—水泵轴凸缘；
7—轴承；
8—水封；
9—水泵连接螺栓；
10—密封垫；
11—泵壳体；
12—密封圈；
13—节温器；
14—主进水管；
15—进水管紧固螺栓；
16—暖风热交换器回水时水泵口；
17—小循环进水口；
18—水泵叶轮

图25-4　水泵的结构图

（2）水泵的维修

水泵的分解步骤如下：

1）把水泵壳体夹紧固定在夹具中或台虎钳上。

2）拧松 V 形带轮紧固螺栓，拆下 V 形带轮。

3）分解前盖与泵壳，但注意分批拧松紧固螺栓。

4）用拉具拆下 V 形带轮凸缘，再用拉具拆下水泵叶轮，注意防止损坏叶轮。

5）压出水泵轴和轴承，并分解水泵轴与轴承。

6）压出水封、油封。

7）放松水泵壳体，换位夹紧，拆下进水口接头的紧固螺栓，取下接管。

8）拆下密封圈，拆下节温器。

安装水泵的顺序与拆卸顺序基本相反，但需更换所用衬垫及密封圈。安装时注意，叶轮与泵壳的轴向间隙，叶轮与壳体的径向密封处的间隙，轴承的润滑条件。

3．冷却液的更换

发动机冷却液是由专用冷却剂 G11 和水混合而成，可永久使用，发动机冷却液容量（带膨胀水箱）为 6L。冷却液液面应位于膨胀水箱的 min 与 max 两标记之间。

（1）排放冷却液

排放冷却液时，按以下步骤进行：

1）将冷暖风开关拨至 warm（热）位置，将暖气阀全开。

2）打开散热器盖。

3）拆下夹箍（如图 25-5 所示），拉出冷却液软管，放出冷却液。用容器收集冷却液，以便以后使用。

（2）添注冷却液

添注冷却液时，按以下步骤进行：

1）冷暖气开关拨到 warm（热）位置，将暖气阀全开。

2）添注冷却液至膨胀水箱上的最高点标记处。

3）旋上散热器盖。

4）使发动机运转至风扇转动。

5）检查冷却液面，必要时补充冷却液至最高标记处。

4．检查冷却系压力

检查冷却系的渗漏和散热器盖内限压阀的功能，可用专用工具 VW1274 检查仪测试。

（1）检查冷却系的渗漏

将检查仪装在散热器上，用检查仪的手动泵使压力达到 0.1MPa，如果压力下降，即表明冷却系统有渗漏故障。找出渗漏处，排除故障。

（2）检查散热器盖限压阀的功能

将散热器盖套上检查仪，如图 25-6 所示，用手动泵使压力上升，在 0.12 ～ 0.15MPa 的压力时，限压阀必须打开。

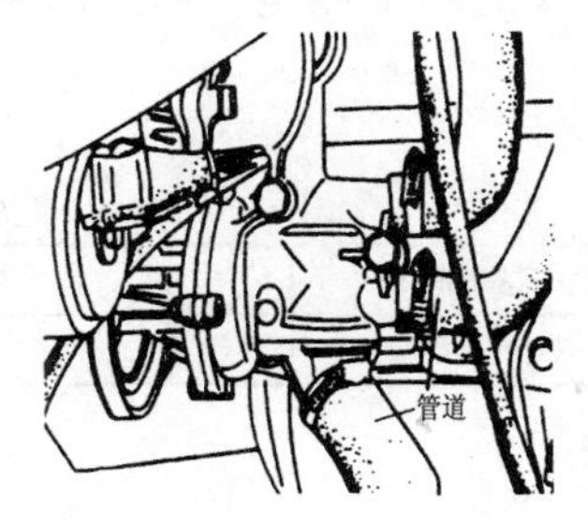

图25-5　拆下管道的夹箍

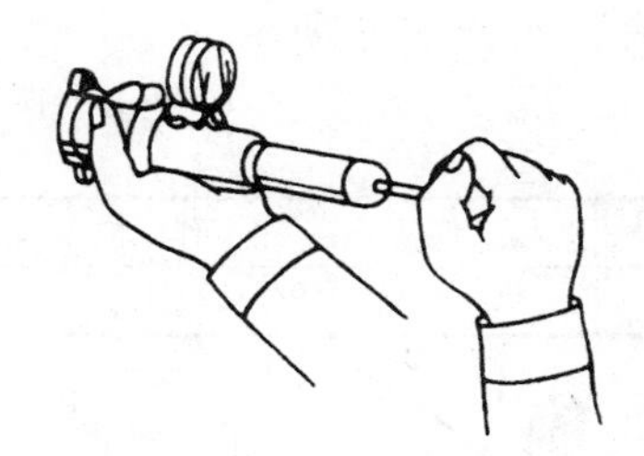

图25-6　检查散热器盖限压阀的功能

5．节温器

节温器为蜡式节温器，如图 25-7 所示。检查节温器的功能时，可将节温器置于热水中，观察温度变化时节温器的动作。当水温为 87 ± 2℃时，节温器应开始打开；水温达 102 ± 3℃时，节温器阀门升程应不小于 7mm。

6．电动冷却风扇及热敏开关

电动冷却风扇是由冷却液温度作用的热敏开关控制的。风扇 1 挡，转速为 1600rpm，工作温度为 93 ～ 98℃，关闭温度为 88 ～ 93℃；风扇 2 挡（快速），转速为 2400rpm，工作温度 105℃，关闭温度为 93 ～ 98℃。

冷却液温度高于 98℃时风扇不转，应先检查熔断器是否熔断。如果熔断器良好，再拔下热敏开关插头，将两插片直接接通。此时若风扇仍不转，表明电动冷却风扇损坏，应予以更换；若两插片接通后风扇转动，表明热敏开关损坏，应更换热敏开关（热敏开关应以 25N · m 的力矩拧紧）。

热敏开关也可用万用表检查，如图 25-8 所示。将热敏开关拆下并放入水中，然后逐渐加热并用万用表电阻挡测量热敏开关接线端与外壳间的电阻。当水温达 93 ～ 98℃时，万用表指针应指示热敏开关导通；当水温下降至 88 ～ 93℃时，万用表指示热敏开关断开（电阻为无穷大）。否则表明热敏开关损坏，应更换新件。

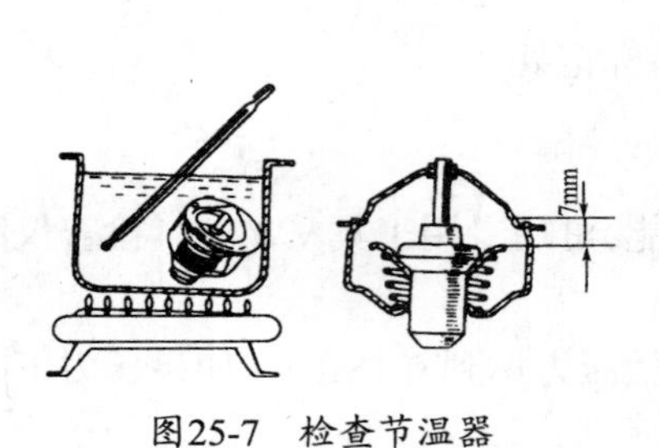

图25-7　检查节温器

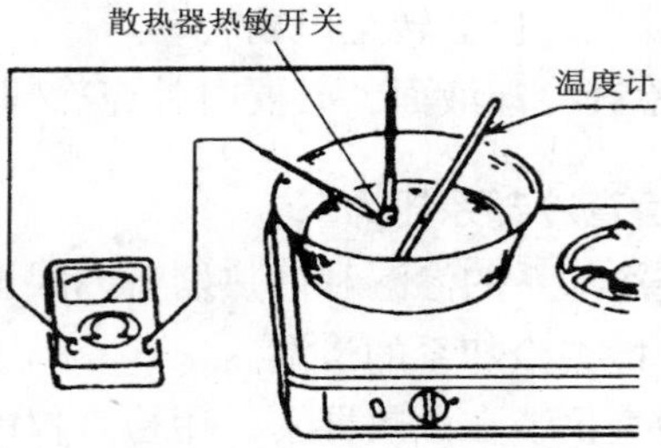

散热器热敏开关

温度计

图25-8　热敏开关的检查

计 划

根据在导向与信息环节中介绍的知识与信息，在笔记本上制定一份冷却系检修的工作计划表，如表 25-1 所示。

表25-1　计划表

序　　号	工　作　内　容	工具/辅具	注　意　事　项

实 施

1. 实践准备

场地/工具准备： 8 人用实习场地一块、对应数量的课桌椅、黑板一块、常用工具一套、AFE发动机一台、预制力矩扳手一把、皮带张紧度检测仪一个、冰点检测仪一把、VW1274检查仪一个、加热器皿一套、温度计一把、万用表一台、直尺一把	资料准备： 桑塔纳2000GLI维修手册一本、教材、笔记本

2. 实践要求

学生 4 人为一组，在教师的指导下，根据自己列出的工作计划对冷却系进行检修。

教师指导要求如下：

（1）强调安全文明生产。

（2）要求并监督学生用正确流程操作。

（3）指导学生使其能够正确使用各种测量器具及其专用工具。

（4）要求学生将测量到的数据与情况记录在记录表中。

（5）督促学生完善自己的工作计划表。

记录表如表 25-2 所示。

表25-2　润滑系检修记录表

车辆基本情况： 车型： 发动机型号： 车辆行驶里程：
防冻液量与冰点的检测：
水泵皮带张紧度检查：
防冻液泄漏检查：
散热器盖限压阀功能检查： 标准开启气压：　　　　　　实测开启气压：
节温器的检查： 标准开启温度：　　　　　　实测开启温度： 温度在120℃时 标准开启升程：　　　　　　实测开启升程：
机油泵的检测： （1）机油泵主从动齿轮端面间隙 标准间隙：　　　　　　实测间隙： （2）机油泵齿轮啮合间隙 标准间隙：　　　　　　实测间隙：
电动冷却风扇的检查：
热敏开关的检查：
检测结论及故障原因：
处理意见：

检 验

教师收回学生完成的工作计划表。根据学生在实施环节中的表现与记录表完成情况制作评价表，对每位学生的表现进行点评。参考教师评价表如表 25-3 所示。

表25-3 评价表

学 号	姓 名	安全文明生产	操作流程的遵守	量具与工具的使用	记录表的记录	工作计划的完成	总 评 语

展 示

请在全班同学面前用 15 分钟时间，讲述自己进行冷却系检修的工作过程并依据记录表对检查结果进行分析。